MARCELA SERRANO

Antigua vida mía

punto de lectura

Título: Antigua vida mía
© 1995, Marcela Serrano
© Aguilar Chilena de Ediciones, Ltda.
© De esta edición: abril 2002, Suma de Letras, S.L.
Barquillo, 21. 28004 Madrid (España) www.puntodelectura.com

ISBN: 84-663-0012-0
Depósito legal: M-8.029-2002
Impreso en España – Printed in Spain

Cubierta: MGD
Diseño de colección: Ignacio Ballesteros

Impreso por Mateu Cromo, S.A.

MARCELA SERRANO

Antigua vida mía

A Violeta Parra.

A mis hermanas:
Nena, Paula, Margarita y Sol Serrano,
las mujeres que completan
mi "nosotras".

*"La poesía es la única
prueba concreta de la
existencia del hombre."*

Luis Cardoza y Aragón,
ilustre poeta antigüeño
(Casa de la Cultura de La Antigua).

Primera parte

Fin de fiesta

(Según el grabado de José Clemente Orozco,
Hospicio Cabañas, Guadalajara.)

Uno

Hoy cayó el muro de Berlín.

Todo ha comenzado este 9 de noviembre de 1989, con la caída del muro. ¿Cómo sospechar cuánto más se derrumba con él?

Fue lo que dijo Violeta Dasinski ese día.

Debí ser testigo, si hubiese estado más atenta.

Su mirada en la fotografía ofrece un desamparo que no he advertido hasta ahora. Como si su conciencia se disolviese en sus ojos.

La fecha del inicio público de la vida de Violeta Dasinski fue el día que apareció su nombre en la primera página de los diarios, el 15 de noviembre de 1991.

Fui despertada, de golpe llegaron el fin de los sueños y el comienzo de la memoria. Bruscamente volví atrás, retomando el recuerdo previo al largo paseo del inconsciente. Andrés me traía el desayuno y, en la bandeja, el diario de la mañana. Entonces la vi.

Escruté ese rostro en la fotografía. Pero es otra la Violeta que me persigue: la escarcha fucsia sobre su máscara de arlequín —¿payaso o Pierrot?— y las manos del maquillador transformándola en la tristeza veneciana, confetti dorado y rojo sobre su cuello.

Yo tenía una tarea.

Tomé las llaves del auto y partí.

—Va a estar toda la prensa, Josefa. ¡No lo hagas! —Andrés no disimulaba su preocupación.

—No tengo alternativa.

—Entonces voy yo.

—No, éste es un asunto mío con Violeta.

A medida que avanzaba hacia el barrio de Ñuñoa, un escalofrío se iba deslizando por mi cuerpo. Al enfilar por la calle Gerona para estacionar frente a la casa de Violeta, vi a dos policías resguardando la puerta de entrada. Efectivamente, toda la prensa estaba allí, al acecho. Reconocerme pareció darles nuevos bríos, y como una avalancha se lanzaron sobre mí. Los dos policías salieron en mi defensa. Uno me tomó del brazo.

—¡Pero si es usted! ¿Y qué viene a hacer aquí?

—Quiero entrar, tengo que hablar con su hija.

—La casa está vacía. A la niña se la llevaron.

—Por favor, déjeme entrar. Soy amiga de la familia. Necesito sacar algo —el carabinero me miró perplejo—. Son cosas mías, las dejé aquí hace unos días y no quiero que vayan a parar a manos ajenas... —mientras yo bajaba el tono, la perplejidad crecía en su mirada—. Sea bueno...

No me cupo duda de que su deseo era franquearme la entrada, pero le complicaba hacerlo. Miró a su compañero. Éste mantenía a raya a los periodistas, que no se daban por vencidos y trataban —a gritos— de hacerme preguntas.

—Venga usted conmigo —le propuse—, así podrá comprobar que no tengo malas intenciones.

—No es eso, señora. Vamos, por ser usted... La acompaño.

Avancé, sintiendo los pasos del carabinero a mis espaldas e intuyendo su curiosidad: casi podría haberla tocado. Ya en el interior de ese largo y oscuro corredor ñuñoíno —todas las persianas cerradas—, me dirigí sin titubear al fondo, a la galería. El sol de la mañana entraba sin pedir permiso por los miles de pequeños vidrios del ventanal. Detrás de ellos, el nostálgico patio solo. Me sobresalté, como si Violeta estuviera esperándome sentada en el floreado sillón de lino. En el aire, algo de sus inciensos, de sus velas perfumadas. Es que Violeta y esa galería eran la misma cosa, una le traspasaba su sentido a la otra, asimilándose, fundiéndose. Pero, por cierto, ella no estaba.

En el costado derecho, apoyado contra el grueso muro verde, reposaba el baúl. La caja rectangular, de mimbre barnizado entre castaño y amarillo, hacía frente a los mil vidrios y me aguardaba. "Mi abuela Carlota lo salvó del terremoto de Chillán", me había contado muchas veces Violeta, como si yo no lo supiera. Lo abrí con prisa —nunca funcionó su llave— y hurgué en aquel orden desordenado: libros, libretas, blocks, impresos, dibujos. Mi mente trabajaba: dónde están, no puedo registrarlo todo, se supone que son míos, que debo saber... Los vi, eran varios cuadernos desiguales, atados con un simple cordón. Y sobre ellos, un gran cuaderno empastado en cuero marrón. Si no se lo hubiese regalado yo misma, difícilmente habría podido reconocerlo. Lo tomé resuelta y el carabinero pareció aliviado.

—¿Eso es todo?

Vacilé. ¿Y los otros, los que estaban amarrados? Un solo cuaderno en mis manos parecía inofensivo, creíble, un objeto que yo misma hubiese olvidado. Pero, ¿todos los demás? No tenía corazón para dejarlos allí. Se lo debo a Violeta, me dictó la culpa, envalentonándome. Los tomé.

—Esto es todo —lo miré, asertiva, mientras trataba de amoldar todo aquel bulto dentro de mi bolso.

—Señora... —titubeaba el pobre, su mirada oscura yendo del bolso a mis ojos, de mis ojos al bolso. Entonces hice algo impropio de mi carácter: le ofrecí un autógrafo. Aquella mirada oscilante se iluminó.

Avancé hasta el escritorio de Violeta. Por principio, ella siempre tenía papel fresco a la mano. Al lado de la resma descansaba un libro abierto en la página 90. Luego de preguntarle al policía por su nombre de pila, le dediqué un largo y cariñoso saludo.

Mi salida fue triunfal. (Pobre Andrés, ¿cómo explicarle que él no lo habría conseguido?) Tan concentrada había estado en mi tarea, que había olvidado a la prensa. Me dio una rabia tremenda cuando, al cruzar el portón, sentí el calor de los focos en la cara: la televisión había llegado. Le pedí sin vacilar al carabinero, con su autógrafo en el bolsillo, que me escoltara hasta el auto: yo no tenía nada que declarar.

A las tres cuadras mi aparente prestancia se derrumbó. Es que al acercarme al escritorio de Violeta había leído la página 90 de ese libro abierto. No pude dejar de hacerlo. Supongo que fue lo último que Violeta leyó. Aquellos dos párrafos, subrayados con línea insegura y en tinta café, me sobrecogieron.

La página era "Poem of Women", de Adrienne Rich. Ay, Violeta, no fue mi deseo afanarme en el desencuentro. No, créeme que no elegí ser esa testigo desatenta de lo que te estaba pasando.

Puedo reproducir lo subrayado, me lo sé de memoria:

And all the limbs of a woman plead for the ache of birth.
And women come down to lie like sick sheep
by the wells to heal their bodies,
their faces blackened with year-long thirst for
a child's cry

...

and pregnant women approach the white tables

                                            of the hospital

with quiet steps
and smile at the unborn child
and perhaps at death. *

Violeta, dime que tu sonrisa fue para el niño no-
nacido, pero no me lo digas si fue para la muerte.

Es que durante el sueño había vuelto a mí una imagen olvidada. Esta imagen estableció, en ese difícil momento del despertar, una relación entre el presente y la víspera.
Andrés apareció con el diario. Comencé a adaptarme a esta
nueva realidad cuando sentí la puntada en la sien, no antes.

Una imagen de la infancia.

Violeta llegando a mi casa con una caja de cartón
en las manos. Era bastante grande y el leve temblor de su
cuerpo delataba el esfuerzo que había hecho para soste-
nerla, cuidadosamente, durante el recorrido en micro de
su casa a la mía.

—¿Me la puedes guardar? —sus ojos de niña, interrogantes y recelosos a la vez.

Con el mismo resquemor con que se entrega un
botín en custodia, estiró sus manos depositando la caja en
las mías.

—¿Cuál es el lugar más tuyo de toda tu casa, donde no llegue nadie más que tú?

* Y el cuerpo entero de la mujer suplica por el dolor del parto./ Y entonces bajan ellas, las mujeres, cual ovejas heridas,/ buscando la sanación
de sus cuerpos —junto a los pozos—,/ sus rostros ensombrecidos por
la larga y sedienta espera del llanto de un recién nacido./ (...) y las mujeres encintas se acercan a las blancas camillas del hospital/ con pasos silen-
ciosos/ y le sonríen al niño aún no nacido/ y le sonríen, acaso, a la muerte.

Tan serias sonaban sus palabras, que hice un esfuerzo para responder a su altura.

—Mi cama.

—Ya. Vamos.

Subimos silenciosas hasta mi habitación. Me quitó la caja y ella misma la metió debajo de la cama.

—Listo.

Se disponía a partir cuando le pedí una explicación.

—Mañana es la famosa mudanza y sé que nadie va a respetar mis cosas. Los grandes creen que son cachivaches. Por eso quiero que tú guardes todos mis tesoros hasta que pase el peligro, cuando hayan arreglado la casa nueva. Así, nadie puede botarlos.

Al irse me clavó la mirada.

—Me los vas a cuidar, ¿verdad, Josefa?

Al día siguiente me abordó en el primer recreo.

—¿Dormiste sobre mis papeles? ¿Nadie los ha tocado?

—¿Son papeles? —pregunté asombrada. No me había prohibido abrir la caja, pero fue como si lo hiciera, y a pesar de mi curiosidad no me atreví—. ¿No dijiste que eran tesoros?

Me miró entre arrogante y sorprendida.

—Sí, son tesoros.

Transcurrida una semana, le recordé la caja.

—No, no me la devuelvas ahora. Yo te aviso cuándo.

Pasado el tiempo que consideró prudente, fue a recogerla. La acompañé al paradero del bus. Iba muy concentrada. Cuando nos despedimos, me dijo:

—Éste es un acto de confianza muy grande. Serás mi amiga toda la vida.

Violeta siempre escribió. ¿Diarios? Ella no los llamaría así. Apuntes. "Para ordenarme la cabeza", decía.

18

Era fácil contentarla. De cada viaje yo le traía algún cuaderno bonito. *Notebooks, but not golden.* Recuerdo uno con la fotografía de Virginia Woolf en la portada. Otro en cuyo cartón reluciente se reproducía el *Senecio* de Paul Klee. Y los que se forraban con telas de colores, ésos eran sus favoritos. Sus páginas vírgenes, suaves, incitadoras como el cuerpo de una joven para un hombre maduro, decía Violeta al pasar sus manos por ellas.

Los pistachos y los cuadernos: fácil Violeta para regalar. No me exigía concentración.

Los acumulaba. Su letra era muy grande, bonita, desordenada y generosa. Los consumía rápido, más aun si llegaban a sus manos en algún momento de crisis. Me atrevería a afirmar que durante su matrimonio con Eduardo llenó más cuadernos que en el resto de su vida.

Logré salvarlos. No resistí la idea de ver su intimidad en manos de la prensa o la policía, cuál de ambas más despiadada. Es que fue tan casual ese día, hace un par de meses... Estábamos en la galería —nunca se estaba en otro lugar con Violeta, dentro de su casa— y ella interrumpió la conversación al mirar hacia el baúl de mimbre, como si recordara algo que temía olvidar pronto:

—Sabes, ya no retengo nada. No sé qué le pasa a mi pobre cabeza, el día que estalle encontrarán adentro miles de cuadraditos con anotaciones de todo lo que no debía olvidar, las mil estupideces diarias. Para eso solamente parece estar la cabeza, o al menos la mía... y detrás de los cuadraditos aparecerá un polvo negro que será la medida del esfuerzo que he hecho por acordarme de cada una de esas cosas. Y créeme que habrá más polvo que cuadrados...

—¿Y qué es lo que no tienes que olvidar de ese baúl?

—Ah, sí. Eso... si me pasa algo, Josefa, imagínate que me muero sin aviso, un ataque en plena calle, cualquier cosa: mis diarios están en el baúl. Por favor, haz algo con ellos, protégelos.

Me reí.

—¿Para qué los escribes, entonces?

—Porque no puedo dejar de hacerlo, es mi único orden posible. ¿Me lo prometes?

—Sí, te lo prometo.

—Ya, despachado: una variable menos. Tantas veces me he dicho: tengo que pedirle a Josefa... Luego te veo y se me olvida. ¿En qué estábamos? Ah, en la Pamela. Sigue contándome.

No necesité mirar los diarios a la mañana siguiente: las llamadas telefónicas de innumerables periodistas me lo hicieron suponer. Era *mi* fotografía esta vez, entrando en la casa de Violeta, y la prensa haciendo conjeturas sobre nuestra relación.

¿Qué hacía yo ahí? Ésa era la gran pregunta.

Nada que responder. No acepté que me pasaran ni un solo llamado. Si en tiempos normales no los tolero, mucho menos ese día. Me encerré en el estudio. Ni a los niños les abrí la puerta.

Le pedí a Andrés que llegara temprano y se hiciera cargo... La casa entera vibra, convulsionada. Estamos todos igualmente inquietos. Hago esfuerzos por disimular. Tengo que acomodar un lugar para Jacinta entre nosotros. Me sorprende cómo se repite la historia: mi mamá trajo a Violeta a nuestra casa cuando éramos niñas. Bueno, las circunstancias eran distintas, aunque no debo suponer que el abandono en que se debate ahora Jacinta sea mayor que el de Violeta en esa época.

Tarde o temprano tendré que declarar.

¿De qué hablaré? ¿De la infancia? ¿Del colegio? ¿De los anteojos celestes con marco de carey, alargados en sus puntas? No, no basta. Voy a tener que hablar sobre la fiesta de disfraces, sobre el atraso de Violeta esa noche, cuando mi maquillador la convirtió en ese precioso payaso de cara fucsia. Y sobre el gin. También sobre su temor: Josefa, avísale tú, me atrasé tanto, Eduardo se va a enojar.

Pero no basta. La única defensa posible sería hablar sobre el último bosque, el lugar aquél para guarecerse, el sueño de Violeta. Y sobre la casa del molino. Sí, es lo único de lo que debo hablar.

Contar la historia de una mujer.

Una mujer es la historia de sus actos y pensamientos, de sus células y neuronas, de sus heridas y entusiasmos, de sus amores y desamores. Una mujer es inevitablemente la historia de su vientre, de las semillas que en él fecundaron, o no lo hicieron, o dejaron de hacerlo, y del momento aquél, el único en que se es diosa. Una mujer es la historia de lo pequeño, lo trivial, lo cotidiano, la suma de lo callado. Una mujer es siempre la historia de muchos hombres. Una mujer es la historia de su pueblo y de su raza. Y es la historia de sus raíces y de su origen, de cada mujer que fue alimentada por la anterior para que ella naciera: una mujer es la historia de su sangre.

Pero también es la historia de una conciencia y de sus luchas interiores. También una mujer es la historia de su utopía.

Violeta.

Ésta quisiera ser la historia de Violeta, si la mía no se entretejiera tanto con la de ella. Pero nuestras biografías no me permiten la distancia necesaria. Tampoco algunas marcas comunes, como el sentido de la pérdida, el de la exclusión y cierto desprecio por lo opaco.

Probablemente, ella definiría su vida como una historia de pasión. Sin embargo, si extiendo la mirada, creo que no, no es sólo la pasión. La historia de Violeta es una historia de añoranza.

Dos

A pesar de nuestras diferencias, Violeta y yo teníamos cosas en común. Por ejemplo, la honestidad y el amor por las blusas de seda. Y el brillo. Siempre nos importó el brillo. No el usual ni el obvio. Requeríamos una cierta luz sobre nosotras. Una luz que nos salvara de lo inmediato, que nos alejara de la vulgaridad. Detestábamos lo ordinario. Por ello, compartíamos el deseo de soledad. La soledad física. A medida que pasaban los años la valorábamos más, como si su carencia impidiera todo florecimiento. Sin ella, Violeta y yo nos marchitábamos. Nos reconocíamos como mujeres de nuestro tiempo y no éramos tan ilusas como para no comprender que nuestro tiempo se confabulaba contra este inocente deseo. Fue buscando esta soledad, entonces, que Violeta dio con ese lugar: la casa del molino.

Lugar innombrado, secreto. Lugar del viento perenne, del abandono, desconectado de todos los otros lugares que lo circundan. Cerrado, autosuficiente, donde la totalidad de los elementos del paisaje no depende de otros: un pequeño universo reservado para nosotras. Y fue Violeta quien hizo la analogía entre la casa del molino y el paraíso.

¿Dónde, sino en el sur de Chile, se puede encontrar ese lugar?

Fue hace diez años, cuando Violeta volvió a este país. Su larga ausencia la indujo a retomar de inmediato el camino del sur. Esa vez levantaba carpa cerca de Puerto Octay, a orillas del lago Llanquihue, para dirigirse a Ensenada. Habiendo dejado atrás el pueblo de Cascadas, bordeando un camino rústico, elevado y panorámico que serpentea junto al lago, Violeta captó de pronto la totalidad del paisaje y recibió el primer impacto de su majestad. Era un día claro y ante sus ojos se presentó el volcán Osorno: el emperador de los volcanes, como lo bautizó ella. A ambos lados divisó, nítidos, el Puntiagudo y el Tronador. Sus cumbres cubiertas de nieve contrastaron armoniosamente con el azul intenso de las aguas del lago y los variados verdes de la vegetación. (Más tarde iba a aprender que en los días de lluvia, en cambio, las aguas y el cielo se aproximan a los diversos matices del gris, y hasta las plantas y los árboles se hacen borrosos, con un color indefinible que se asocia a esa rara combinación: fuerza y serenidad.) Continuó el serpenteo, cada vez más subyugada por el panorama del lago. En un momento observó que el camino se bifurcaba y que todos los automovilistas seguían el trazado principal de manera natural. Lo importante es que Violeta percibió un desvío y quiso seguirlo. El amigo que la acompañaba reclamó que no era ésa la dirección. Violeta insistió y descendió por una huella abrupta, con curvas suficientes como para no ver lo que había abajo, y con obstáculos y baches como para desalentar al más entusiasta. Pero desalentar a Violeta es casi imposible. El camino volvió a hacerse recto y sus ojos se encontraron con una bahía, no más de un kilómetro de largo, atravesada de extremo a extremo por un sendero a cuya izquierda había campo puro; a su derecha, el lago. La mirada de Violeta quedó fija en ese campo, flanqueado por cerros y montículos verdes, donde reconoció el bosque nativo y los arbustos de la zona. Se entrecruzaban pequeños grupos de animales domésticos —gansos y patos entre los más pobres; cabritos, corderos y vacas, los más ricos— que por sí mismos animaban este escenario. Luego volvió su cabeza hacia el otro lado de la huella: densas hileras de pinos formaban una cortina que protegía la extensa playa.

Se bajó del auto. Corrió hacia la arena y se hincó en ella. La geografía abrigaba esta bahía cerrada y apacible con sus dos puntillas, que penetraban en el lago creando un vasto espacio de agua quieta. Es un lugar propio, pensó Violeta hechizada, y es la bahía la que da la sensación de espacio propio. Contempló el silencio. Se dijo por fin que éste era un pequeño mundo, separado del resto del mundo grande. Las colinas que lo rodeaban, con sus árboles altos y añosos, afianzaban la sensación de una comarca en miniatura.

Divisó a través de los pinos los restos de un molino. Y a su lado, una casa. La típica casa del sur, con tejuelas de alerce, dos pisos, madera gris que alguna vez fue color caramelo oscuro. Parecía abandonada a su suerte. En la reja había una tabla de pino, cepillada y angosta, con un letrero: *Casa del Molino*. Avanzó hacia la amplia entrada, con sus clásicos escalones y su descanso de tablas sujeto por cuatro vigas, y encontró la puerta. Pero eran dos puertas, no una. Golpeó en ambas a la vez, intuyendo el silencio que efectivamente le respondió.

Bajó los escalones y se internó por una senda angosta, cerrada por grandes castaños, y se topó a boca de jarro con una segunda casa, una cabaña. Cuando se acercó a tocarla, como si fuera la de un leñador en los cuentos de la infancia, reparó en otro pequeño cartel de madera: *Casa del Castaño*. ¿Por qué estaban nombradas? ¿Para quién?

Encontrar al señor Richter media hora más tarde fue fácil. El entusiasmo de Violeta la llevó hasta él.

"Cuando se cerró el molino, puse en arriendo sus casas. Mi abuelo dividió la suya hace muchos años, para vivir ahí él y la familia del molinero. También construyó bajo los castaños una choza para almacenar el trigo; yo la convertí en esa cabaña. En ella veranea mi hija casada, no cabe aquí con los nietos. Y si usted camina un poco más lejos, unos pasos más allá de la casa del castaño, verá la mediagua de unos campesinos. Ahí viven Aguayito y la María. Tienen un huerto, abastecen de verduras a los arrendatarios, hacen el pan, ordeñan las vacas, ahúman el salmón. Y tienen un hijo, un cabro muy habiloso que lo resuelve todo: corta la leña, arregla los enchufes, acarrea los balones de gas al pueblo, todo lo que necesiten los de la casa grande."

Esto fue en noviembre de aquel año, y Violeta abandonó el lugar tras dejar ambas casas arrendadas para el primero de febrero.

"Nunca le contarás a nadie que estuviste aquí", le dijo a su acompañante, único testigo.

—Más pareces una hija del rigor que una veraneante —fue el comentario de Eduardo cuando llegó por primera vez a nuestro santuario—. Sólo Violeta podía elegir como balneario lo que parece la más furiosa costa irlandesa agregó, mirándome a mí.

—*La hija de Ryan...* —acoté.

—Nadie les va a disputar este lugar, no necesitan mantenerlo secreto —nos envolvió a ambas con sus brazos—. Nadie en su sano juicio querría vivir en medio del viento.

Violeta, sorprendida, meditó unos instantes y luego rió.

—¡Qué raro! Nunca me había dado cuenta de que aquí el viento es permanente. Lo he incorporado como parte del lugar y no se me había ocurrido que existieran lugares *sin* viento.

—Tranquilízate, es por eso que los ricachones nunca llegarán aquí: este viento impide cualquier deporte acuático. No tienes para qué esconder tanto el lugar, Violeta —insistió Eduardo.

Esa primera noche, a la hora de comida y todavía asombrado con la casa del molino, Eduardo dijo con cierta ironía:

—En Violeta, hasta el estilo de veranear se convierte en un gesto comprometido.

Bueno, si vivieras en Sudáfrica el mero acto de respirar sería un "gesto comprometido" —contestó ella con rapidez.

Andrés, que le celebraba casi todo, salió en su defensa:

—A la mirada comprometida de Violeta yo la llamaría, para ser exactos, responsabilidad.

—Mmm —lo miré con mi habitual escepticismo—. Me pregunto si a Violeta no le resulta agotador ser siempre responsable.

—¿Cómo? —preguntó Eduardo.

—No sé, esto de la responsabilidad permanente...

—Es cuestión de tener algún tipo de disciplina frente al mundo terció Violeta, manteniendo su buen humor—. Creo que a eso se refiere Andrés.

—No, yo creo que se refiere a tus famosas causas —lo dije en forma ligera, sin gravedad—. Tantas causas... ¡qué cansancio!

—Ya, qué lata. ¿Podríamos cambiar de tema? A Eduardo no le cuesta mucho reírse de mí; no le den más razones ustedes. Después de todo, se supone que son cómplices míos, ¿no?

Esa noche Andrés dejó un momento su libro y se dirigió a mí, serio.

—Violeta no es un alma sencilla, ¿verdad, Jose?

—No, claro que no... ¿Por qué lo dices?

—No sé... Presiento que se debate buscándole una respuesta satisfactoria a algo que es tan simple: vivir.

Era cierto. La pesadilla de Violeta, su sueño espantoso, era que el silencio vacío fuera la respuesta a sus propias preguntas —ésas que se formulan sin formularse— sobre la forma más justa de estar sobre esta tierra.

Al aproximarse febrero, cada año, comenzábamos nuestro ritual. A medida que se acercaba el día primero, sonaban los teléfonos. Y esa noche, la víspera de la partida, al cargar los autos, llegábamos a hablar hasta diez veces de una casa a otra.

Nos habíamos puesto de acuerdo previamente sobre los libros. Andrés y yo, por razones obvias, nos sometíamos dócilmente al criterio de Violeta, y debo reconocer que era lo único en que nos sometíamos a ella. Yo era la encargada de los videos, que mi hijo Borja había ya grabado durante el invierno. Los primeros años llevábamos películas antiguas, mucho clásico, mucho blanco y negro. Cuando el mercado de videos estuvo casi tan al día como el del cine, veíamos en el verano las películas que nos saltábamos en el invierno. Yo ya no iba al cine; odiaba que me reconocieran y temía al inevitable compañero de asiento, abriendo sus caramelos con ese ruido del celofán en el silencio de la sala, arruinándome todo goce posible. Y cuando luego empezaban a mascar o les daba por los chicles, sencillamente me cambiaba de asiento. (Nunca olvidaré mi primera ida al cine en Nueva York, cuando en la cola vi a esos gringos con sus enormes vasos de papel encerado repletos de *popcorn*. Corté por lo sano: abandoné la cola y nunca más pisé una sala. No soñé que semejante costumbre llegaría más tarde a mi país.)

"¿Llevas este año la wafflera? Ya. ¿Y la parrilla? Es que a mí no me cabe la plancha para la carne, no me cabe absolutamente nada más."

"La cafetera suiza, ¿la echaste? Yo llevo la Bialetti."

"¿Y la guitarra?"

"Ay, Violeta, no jodas. Voy a descansar."

"Entonces Jacinta lleva la suya. No te hagas la ilusión de no cantar en todo el verano."

A medida que pasaban los años, nos fuimos sofisticando.

"¿Celular? ¡No seas siútica, Josefa! ¿Para qué lo necesitamos? La idea es que el resto del mundo no exista."

Tenía razón Violeta: de eso se trataba. Si no fuera por los postes de la electricidad, no habríamos sabido en qué siglo estábamos. Hasta la ausencia de un almacén nos ayudaba a construir este refugio contra todos los rasgos distintivos de nuestra civilización. Hace poco leí una encuesta; el dos por ciento de la población no sabe quién es el Presidente de la República. Pensé en los campesinos del Llanquihue: no me cupo duda de que Aguayito formaba parte de ese porcentaje.

El *tiempo* era la pieza clave en la casa del molino.

Nos sacaba de la contingencia. Nos convertía en una especie de vagabundos sin ancla, ni ropaje, ni deberes. Nos daba la oportunidad, una vez al año, de contemplar nuestras vidas con distancia, y esto nos hacía pensar que nuestras raíces eran duraderas. Rara calidad del tiempo. El único espacio en la tierra donde yo no me ocupaba de él, hasta el punto de no poder asegurar si habían transcurrido quince o cinco días, si era martes o domingo, si recién había llegado o si ya debía partir.

Lo atemporal nos rejuvenecía y a mí me suavizaba. (Conocí esa sensación cuando pasó lo de Roberto. Sólo que entonces el tiempo desapareció en el horror, quedó suspendido. Ahora, en cambio, estábamos sobre él; no nos dominaba ni sometía.)

En la casa del molino cocinábamos nosotros, lo que raramente hacíamos durante el año. Cantábamos, algo a lo cual yo me negaba en mi vida diaria. Conversábamos... en circunstancias de que yo ya casi no conversaba con nadie, salvo algunas noches con Andrés.

Todos los gestos cotidianos perdían su cualidad rutinaria y se convertían en sorpresas.

Nos instalábamos en mi cocina grande y mientras hablábamos de nuestros trabajos, maridos, hijos, o comentábamos el libro que ya había terminado de leer la otra, surgían de nuestras manos las compotas de ciruela, las mermeladas de frambuesa, los waffles en las tardes frías. Violeta trasladaba su hamaca y la tendía entre los dos castaños del potrero de atrás. El viento no la descorazonaba.

Necesitábamos un lugar de campo y de agua. No nos bastaba el campo. El agua, como siempre, nos daba una salida. Para los pies, para el pensamiento.

Violeta se quedó con la casa del molinero y yo con la del abuelo Richter. Era una división proporcional al tamaño de nuestras familias. Subíamos por la misma escalera a nuestras dos puertas, que nunca se cerraron. Los niños entraban indistintamente a una u otra. Una miraba al volcán, la de Violeta. La mía, al lago. Violeta, que tenía una verdadera pasión por las casas, se paraba entre ambas a contemplar con amor esas tablas grises. A pesar de todo lo que ha viajado en su vida y aun sabiendo que iba de paso, siempre quiso tener una casa en el país que visitaba, o en cada ciudad o pueblo que le robaba el corazón. Mantenía la fantasía de echar raíces donde estuviera, de diseñar su propia casa en cada parada. "Si algún día logramos convencer a Richter para que nos venda este lugar", me decía, "nos haremos dos casas...

Las tengo totalmente diseñadas en mi cabeza. No solamente la mía, la tuya también. Verás las preciosuras que serán, enteras de alerce. Las dos tendrán vista al volcán y al lago. Las haremos sin coñetería, Josefa, ¡prepárate!" Y es que ella de verdad habitaba los lugares, se apropiaba de ellos y los inundaba de sí misma. Rara cualidad ésa. La he encontrado poco en la vida.

La comunidad acústica era total, por lo que no se podía compartir una casa así entre desconocidos. Era divertida la división: a mí me tocó la gran cocina, a Violeta el gran baño. La casa de ella tenía dos dormitorios. El suyo, casi monacal, era pequeño, con una cama matrimonial y una silla, nada más. El otro era enorme, de techos muy altos, con muchos camarotes; Jacinta se apoderaba de él, procurando llenarlo con sus amigas. Violeta era mucho más permisiva que yo al respecto. Yo me agotaba con la casa repleta de gente y limitaba el número de amigos que podían invitar mis hijos. Ella no. "Mira, Josefa", solía decir, "nada me importa más que los recuerdos que Jacinta tenga de sus vacaciones: le darán consistencia cuando sea grande, lo sé. No quiero que le pase lo mismo que a mí."

Mi casa tenía cuatro dormitorios, dos baños chicos, modernos, provistos sólo de una ducha. El baño de Violeta y su enorme tina eran la envidia de todos los míos.

Violeta se levantaba siempre a medianoche, o de madrugada, y se dirigía al lugar más tibio de la casa del molino: el baño era su espacio favorito. El gran termo de agua caliente, las muchas cañerías al aire —como si su antigüedad o precariedad hubiese tenido la intención más vanguardista— y el calor que despedían esos tubos parecían llamarla: era un calor que Violeta no sabía bien de dónde venía ni hacia dónde iba. Su cuerpo avanzaba casi con independencia de su voluntad: como un fantasma, se deslizaba incorpórea, apenas un movimiento, apenas la tibieza del roce de esos cálidos cilindros.

Violeta y yo cantábamos. Eran los momentos predilectos de Andrés, cuando armábamos de noche la fogata y yo veía asomarse, a través de las lenguas anaranjadas, sutilmente, su amor. "Me enamoré de tu voz antes que de ti", me decía. "No importa", lo disculpaba yo, "mi voz y yo somos la misma cosa."

Hubo tiempos largos en que Violeta cantó conmigo. Aferrada a cualquier forma de arte "para respirar la vida", la música no podía estar ausente de ella. En distintos escenarios —el colegio, la universidad, el campo, las fiestas—, siempre la misma escena: Violeta me hacía la segunda voz. La suya era alta, frágil y dulce, una soprano si hubiese sido profesional. Yo era la que daba la partida con mi registro fuerte y sonoro de contralto:

La pericona se ha muerto, no pudo ver a la meica...

Ella entraría en el momento exacto:

La pericona se ha muerto, no pudo ver a la meica...

Y ambas voces se unían:

...le faltaron cuatro reales, por eso se cayó muerta...

En ese punto nos mirábamos; nos cambiaba el espíritu y continuábamos con alegre intensidad.

Asómate a la rinconá...

Discutimos siempre sobre las canciones de Violeta Parra, nuestra favorita. Acordamos que las dos mejores eran *Gracias a la vida* y el *Maldigo*. Ella insistía en que ésta última era, lejos, la mejor de todas, mientras yo no cejaba con *Gracias a la vida*.

—Es el desgarro, Josefa. ¡El *Maldigo* es la esencia del desgarro!

Sólo en la casa del molino volvía Violeta a acompañarme en el canto. Cantábamos la una junto a la otra, la otra junto a la una. Cantábamos a la pena, al amor, a la esperanza, al futuro. Cantábamos amorosamente. Yo seguí cantando, Violeta se quedó con la pena y la esperanza... ésta última, en Violeta, a toda prueba. Para mí, vislumbrar tal esperanza significaba ineludiblemente quedarse con la pena.

Sí, Violeta cantaba a la vida. Le cantó hasta que la maldijo. Siempre anhelando que abrir los ojos a la mañana, cada mañana, valiera la pena, incólume su ilusión de que la suerte cambiaría para los hombres, confiando en que los adoloridos no necesitarían esperar el fin del mundo.

Tres

Estoy condenada por las catástrofes de mi tierra.

Corral. La culpa la tuvieron el muro de Berlín y el maremoto de Corral, dice Violeta en su diario, que por fin he tenido la valentía de abrir.

Aquel día de mayo de 1960.
Entonces yo era una niña, pero no Eduardo. Él cumplió en esa fecha los veinte años. Y me contó muchas veces el cuento: el mar se retiró para adentro, para adentro, muchos kilómetros. La gente, sorprendida, maravillada, corrió hacia este nuevo suelo de arena húmeda que nunca había visto. Hundían sus talones y sacaban mariscos, contemplando embelesados esos tesoros secretos al descubierto. De súbito se oyó un estrépito que se acercaba desde el horizonte. Era un rumor gigantesco, como si, furioso, el mar rugiera. Un sonido extraño nunca antes escuchado y que probablemente nadie volvería a oír. Eduardo miró hacia arriba y pensó: algo muy malo va a pasar. El cielo cambiaba sus colores, todo se ennegreció. A lo lejos, muy a lo lejos, avanzaba hacia la costa una enorme ola, treinta metros de altura, negra, y el cielo dale con cambiar de color: con el rugido venía el rojo, luego el azul, incluso verde se puso el cielo. Eduardo echó a correr como un loco cerro arriba. Lo enceguecía la luminosidad del cielo, esos colores que se trucaban. Tomó su bufanda, se la puso sobre los ojos y por una pequeña abertura miraba el cerro por el cual corría y

corría, desaforadamente, subiéndolo. Apenas llegó a la cima, habiendo puesto la tierra pedregosa de por medio, volvió la cabeza y tuvo tiempo de ver la ola gigante abatiéndose sobre la costa de Corral. El agua lo cubrió todo. Todo. Se tragó, voraz, absolutamente todo lo que encontró en su camino.

Eduardó miró. Con sus ojos había visto cómo el mar se completaba con lo que él había tenido. Se quedó completamente solo. Su casa y la casa de sus padres habían desaparecido. Su familia, esposa, hijo, padre y madre, cada uno de los miembros de su familia enredado entre las aguas, sumergido entre las aguas, muerto entre las aguas.

Eduardo había creído hasta entonces que los huérfanos sólo existían en los cuentos.

La historia de Corral aparece en el cuaderno grande, el de las cubiertas de cuero marrón. No debo abrirlo en cualquier página. Meticulosamente examino las fechas: nada al azar. Si me faltó atención para escucharla entonces, no puedo fallar ahora.

9 de noviembre de 1989

Presiento el día de hoy como uno importante.
Dos cosas han ocurrido.
Cayó el muro de Berlín.
Di vueltas por la casa, desconcertada. No sabía bien qué quería hacer. Hasta que fui a la librería, necesitaba ver a mi papá, escuchar su opinión. Siempre he mantenido el gusto por hurgar en los estantes a esa última hora de la tarde, ver qué nuevo texto ha llegado. Pero hoy no me preocupaban los libros. Sentía un raro desasosiego.
Mi padre conversaba con un hombre detrás del mesón, un señor de mediana edad, también mediana su estatura, de pelo oscuro y barba, vestido en forma muy casual (sin corbata,

chaqueta informal, pantalones anchos). Me llamó para pre-
sentármelo y, al mirarlo de frente, lo reconocí.

—No sabía que estuviera en Chile —le dije.

—Tampoco yo —me respondió.

Me reí y sentí ganas de que se quedara. En ese mo-
mento, Carmencita llamó a papá; lidiaba con un cliente difícil.

—Perdónenme, ya vuelvo —muy educado, papá nos
dejó solos.

Lo miré.

—Cayó el muro de Berlín —no sabía qué otra cosa decir.
Me contestó que había escuchado las noticias.

—¿Y qué opina?— pregunté.

Él: Nada en especial. Bien por la libertad. ¿Y tú?

Yo: Sí, bien por la libertad. Pero… no sé, me tiene des-
concertada, como si todo perdiera su rumbo.

Él: ¿Qué importa que se pierdan los rumbos, si no exis-
ten las causas superiores? Tú eres muy joven… pero a mi edad
ya se sabe que lo único que existe es la demencia de los fanáticos
o el vacío interior que los transforma en tales.

Ay, si se va de tesis no lo soportaría, pensé. Por lo tanto, no
le respondí. No era el momento de explicarle a un desconocido algo
tan confuso para mí misma. Nos quedamos callados y automáti-
camente nos pusimos a mirar libros que en realidad no veíamos.

Eduardo: ¿Eres una buena lectora?

Yo: Sí, bastante. ¿Tiene alguna sugerencia?

Eduardo: ¿Por qué me tratas de usted?

Yo: Por puro respeto, supongo.

Eduardo: O la otra es que sea por viejo… Si me tu-
teas, te voy a recomendar un libro magnífico.

Yo: De acuerdo. ¿Cuál sería?

Eduardo: ¿Conoces a Agota Kristoff?

Yo: No, ni de nombre.

Eduardo: Mira, tu padre tiene aquí su novela El gran
cuaderno. *Es una escritora húngara, aunque escribe directa-*

mente en francés. No es muy conocida. Llévatelo, no lo vas a encontrar fácilmente en otra parte. Claro que, una vez leído, exijo un comentario.

No vacilé: nada me causa tanto placer como saber que tengo entre mis manos un buen libro. Y más aun si me lo recomienda él, que no es un escritor de moda: él es serio.

—Ven —le dije—, te invito a un café en señal de agradecimiento.

Caminamos por Providencia —ya no el centro, como en mi infancia— y no tuvimos que avanzar mucho para instalarnos apropiadamente.

Insisto en que lo de Berlín me tenía confusa, no era un día normal. Mi intención era conversar y, ojalá, hacerme un poco amiga de este hombre a quien sentía conocer por sus libros. Quizás hasta podríamos haber conversado del maremoto de Corral, de su viudez y su inusitada historia. De hecho, durante un mágico momento, lo hicimos. Le hablé de mis autores favoritos y escuché sus comentarios casi con devoción. Un punto a su favor: reparó inmediatamente en mi anillo.

—Ésa es la piedra cruz —dijo.

—Lo sé.

—Es del sur, del río Laraquete, cerca de mi tierra.

—También lo sé.

—Me sorprende que lo uses. No se lo he visto nunca a otra persona.

Pero prefirió irse por lo fácil: me convidó a un hotel, a la media hora de haberlo conocido. ¡Qué poco sutil!

Por si acaso, le dije que no.

Noviembre, no sé qué día

Estoy molesta con Susana. Ella me da lo mismo, no es más que una aspirante a escritora que da vueltas alrededor de la librería. Pero igual tengo rabia, como si me hubiera ganado.

Es que en verdad me ganó, y Carmencita, por supuesto, no pudo dejar de contármelo en cuanto me vio. Aunque tampoco es tan claro que me haya ganado: después de todo yo lo rechacé. Le dije que no, y por eso invité a Susana. Me siento superior a Susana, soy una presa menos fácil y eso siempre da una cierta categoría. Aunque sea feo decirlo, y odiando la falta de solidaridad entre mujeres, Susana recibe lo que yo desecho. Y también estoy molesta con Eduardo. No dudó en comentarle a papá lo sensible e inteligente que era su hija, cómo habíamos congeniado, todo eso. Pero igual me habrá considerado intercambiable si pudo hacerme una proposición y, al momento siguiente, hacérsela a otra. Me aterra ser yo una Susana el día de mañana. Al fin, me trató igual que a ella, la única diferencia es que hoy yo dije que no y ella accedió. No sé si gané o perdí. Soy una mujer sola, con los amores un poco cansados, y le he entregado a otra una bonita oportunidad. Claro, me angustia terminar en la cama a la primera —¿acaso no lo he hecho nunca?— o decir que sí sólo por miedo, el puro miedo a ser rechazada el día de mañana, probablemente por uno peor que Eduardo. ¿No dicen que en las solteras el tiempo va mermando la selectividad? Ese frívolo —escritor será, pero es frívolo igual— debe estar pensando para sus adentros: tú te la perdiste. O tal vez: no eres la única mujer sobre la tierra. Mi rechazo le da lo mismo. Estoy molesta, pero la verdad es que, dejando a Susana fuera, me doy cuenta de que tampoco estoy enojada con Eduardo. ¡Es tan difícil decir no! En ese terreno, nunca sé bien lo que quiero. Soy yo la que me molesto a mí misma. Me siento atravesada por emociones fuertes e incómodas, pero ninguna tiene que ver directamente con Eduardo, sino conmigo misma.

Principios de diciembre

Es que me conmovió su historia. Toda geografía arrebatada me conmueve. ¿Cómo no? Josefa dice que la desprotección en los hombres actúa sobre mí como anzuelo sexual, que soy el refugio perfecto para narcisos desvalidos. Ésa es su ponderación. Es cierto que fue así con el padre de Jacinta, pero han pasado los años y supongo que no ha sido en vano.

Bien estuvo mi súper-yo al no admitir la separación externa entre una mujer —otra— y yo. Soy Susana y ella es *Violeta*. Debemos reconocernos la una en la otra. Me fui a la cama con él. A la segunda, no a la primera.

Nos volvimos a encontrar en la librería. Según él, me buscaba. Dijo que yo le debía las impresiones de El gran cuaderno. Eran tantas, y tan apasionadas, que del café pasamos al trago (que él no tomó) y terminamos en la comida. Entre el congrio frito del *Venezia* y las papayas al jugo me fui enterando de su historia. Supe, desde los titulares, que el hotel estaba muy cerca, que casi tenía un pie adentro.

A los veinte años, a raíz del maremoto, Eduardo quedó absolutamente solo. Enfiló hacia el norte. Se detuvo en *Chillán*. Ni él sabe cómo pasó los dos meses siguientes, metido día y noche en una cantina. Los vecinos, de puro buenos, emborrachaban a este damnificado y así le inventaron esa sed de la cual es víctima hasta hoy.

Después, lo de siempre: empezó trabajando en un camión, salió a buscar ripio a los ríos cercanos. Una mujer lo invitó a vivir con ella —alimento para el cuerpo y para el alma—, y luego llegó el clásico momento del vacío intelectual: decidió entrar a la universidad. Leyes fue su elección. No duró mucho. Empleado en una notaría ganó el dinero suficiente, hasta que pudo volcarse al centro de Santiago, incorporarse a la bohemia que florecía en esos años y escribir un libro.

Su primera novela, Al fondo del mar, *ambientada* en el sur y con el maremoto como elemento central, fue todo un suceso. Se leyó, se vendió, se criticó, se reimprimió, llegaron los derechos de autor, la inclusión en la lectura escolar obligatoria, las reediciones, una tras otra. Comenzó muchas *segundas novelas que no terminó —el drama de todo escritor, me dijo—, hasta que a principios de los setenta publicó* Terra Australis, *este nuevo mundo. Ahora el tema era contingente, nada que ver con el costumbrismo sureño. Pero no pasó casi nada. Por fin, Eduardo abandonó el país, imaginando que en otras tierras respiraría vivencias, imaginación y fuerza. Se instaló en Canadá, donde publicó, en los años ochenta, su tercera novela. Recuerdo muy bien cuando llegó a Chile, era una buena edición y se veía bonita en los estantes de la librería de papá. La leí y me gustó, me gustó mucho. Era pura nostalgia de su tierra, y en aquella época la nostalgia nos envolvía a todos; tanto los de afuera como los de adentro se identificaron. Pero la crítica no valoró esta identificación, que atribuyó a razones "extraliterarias" (por tanto, no valederas). De esto hace siete años. No se ha repetido el éxito del primer libro. La próxima novela —dice él— se está escribiendo.*

—Todavía está por verse si soy realmente un buen escritor, o si fue nada más la fuerza del maremoto —me dijo mientras saboreaba el postre.

Y yo partí con él.

Nota: entrando al hotel, le lancé la pregunta: "¿Y Susana?" No fue pose su desconcierto, y tampoco su inmediata contestación: "¿Susana? ¿Quién es?"

41

Cuatro

Jacinta saca del bolsillo de su pantalón una bola plateada y juega nerviosamente con ella. La soba con los dedos, se la pasa de una mano a la otra sin mirarla.

—¿Es la del collar? —no puedo dejar de preguntarle.

—Sí.

—¿Y la cadena?

—Se cortó.

—¿Cuándo?

—La noche de la fiesta.

Trago saliva con dificultad e instintivamente tiendo las manos para tomarla. Jacinta me la entrega.

Violeta se compró en México una bola de plata que colgaba de una cadena. Me explicó que era para la buena suerte (¿no le bastaba con la piedra cruz?) y que, para comprobar que era plata —y de la buena—, los artesanos le colocaban dentro hilillos también de plata que sonaban al chocar entre sí con el movimiento de la bola. Esto convirtió a Violeta en una suerte de cencerro ambulante. Sonaba el tilín-tilín de la joya a cada movimiento de su cuerpo, anunciándola; con el oído atento que me caracteriza, yo la escuchaba venir, como si la presintiese. Los dedos de Violeta, esos dedos ágiles y delgados, jugaban, amasaban su collar nerviosamente. Ella podía centrar su energía en un solo acto tan poco significativo como aquél y concentrarse de verdad. Era increíble su capacidad para pasar largos ratos sin hacer nada, actitud que yo abominaba. Para mí el tiempo era un elemento voraz, cuyo único objetivo era ser bien empleado. Siempre tuve mil modos de usarlo, viviendo con culpa su despilfarro y sufriendo genuinamente por todo lo que no alcanzaba a hacer, lo que dejaba en el mañana o, sencillamente, en el olvido. Violeta no. Ella miraba el techo o el follaje de los aromos donde colgaba su hamaca, en la casa de Ñuñoa, comiendo pistachos o jugando con su nuevo collar, como ahora, y el tiempo recorría tranquilamente sus ojos, sin perturbarla. ¿Dónde estaba Violeta en esos momentos? Su ajenidad se me escurrió en la marea de mis propios síntomas: esta velocidad del éxito, el tráfico y la congestión que he elegido. Ahora me entero por Jacinta, su hija, de que esa noche del 14 de noviembre de 1991 la cadena del collar se cortó. Violeta no pudo recurrir a su bola de plata para la buena suerte. Y se habrá preguntado por qué no le bastó el anillo, con la historia y la fuerza que arrastraba esa piedra de tonos tierra y negro.

Jacinta ha heredado ese color tan propio de su madre. A veces pensé que era el marfil, pero cuando tuve el ámbar ante mi vista comprendí que de allí venía el color de Violeta. En un par de años, cuando cumpla dieciocho, Jacinta será más alta que su madre. Según Violeta, todos los niños de esta generación tendrán estaturas superiores a sus padres. "Es la alimentación", me decía, "¿qué crees tú que pasó?, ¿cuándo cambió todo y nos pusimos a comer y a parir como norteamericanas?" Pues bien, pronto —dos o tres años pasan volando— Jacinta tendrá un porte apreciable. También su contextura, ni delgada ni maciza, es heredada. Es una de aquellas mujeres que no tienen el peso como preocupación central, de ésas —envidiadas por mí— que pueden pecar alegremente de gula sin consecuencias. Odio esos cuerpos porque desearía con vehemencia haber nacido con uno de ellos; sólo esta envidia hizo comprender a Violeta que no era natural *ser* así, y entonces agradeció su privilegio. La única otra característica que Jacinta ha heredado de su madre es el pelo grueso y ondulado. Cuando éramos pequeñas, Violeta soñaba con ser dueña de mi pelo liso; ni todas las planchas calientes de principios de los años sesenta lograron modificar sus crespos. Jacinta los heredó. Nada más. Los ojos y la buena vista son de su padre.

Los lentes de Violeta determinaron las etapas de su vida. "¿Qué época fue ésa, Josefa?", me preguntaba, "¿qué lentes usaba yo?" *Piti*, le decían por sus horribles anteojos con marco de carey celeste, puntudos en sus esquinas. Cuando llegó por primera vez al colegio, ya cursábamos el tercer año. Violeta apareció con esos lentes y alguna de las compañeras los comentó a la hora del recreo: ¿vieron a esa recién llegada, se fijaron en los anteojos? Todas miraron a Violeta y se rieron. Ella no sabía de qué hablaban, pero sonrió, ruborizándose. Estaba sola en el patio, sin una niña que se le acercara mientras las líderes del curso no dieran la indicación. *Piti*, se reían. La verdad es que Violeta nunca ha visto mucho o, por decirlo mejor, muchas cosas las ha visto más bien borrosas.

Al final de la adolescencia, junto con la pretensión llegaron los lentes de contacto. Distraída como era, los perdió mil veces. Recuerdo —y no puedo dejar de volver a sentir un poco de rabia— tantos lugares y siempre los momentos más inadecuados: el cine, arriba de una micro, en una tienda. Violeta buscaba sus lentes a tientas por el suelo, en cuatro patas, haciéndome sentir culpable si fingía ignorar la situación. Inexorablemente, terminábamos gateando las dos. Lo sorprendente es que siempre los encontraba. Me alegré cuando entró en su etapa de intelectual y las vanidades del mundo pasaron a penúltimo lugar: los lentes de contacto fueron reemplazados por aquellos anteojos redondos, como en las fotografías antiguas, con una delgada moldura de acero sujeta al puente de la nariz. "¿Me veo igual a la Mia Farrow?", me preguntaba con los ojos muy abiertos.

Cinco

Nosotras, las otras, vimos nacer a Jacinta.

La niña nació en Europa y heredó su nombre de una trapecista. Fue concebida en Grecia, en el Peloponeso. Violeta y Gonzalo habían contraído matrimonio en el año 1973 y emigraron a poco andar. Sólo esperaron que ella tuviese en sus manos su título de arquitecta para partir. Para Gonzalo, en cambio, la arquitectura sólo había cumplido el rol de antesala para la pintura, y el título no le interesaba. Se iba a dedicar al arte sin concesión alguna. Roma fue la ciudad elegida. Desde esa casa matriz recorrieron mucho mundo. Violeta gastaba largas horas, eternas horas, inclinada sobre el tablero, en la sala de dibujo de una empresa constructora romana, ganando el sustento mientras Gonzalo aprendía, pintaba, soñaba con el pincel en las manos sucias de óleo. Eran sueños de grandeza, de éxito, de reconocimiento; Violeta, por su parte, llegaba tan cansada al minúsculo departamento —en pleno Centro Storico— que no tenía sueños propios; soñaba y trabajaba para él. Cuando el dinero era suficiente, cerraban el departamento o se lo subarrendaban a algún amigo, y abordaban trenes, barcos, buses.

Grecia fue el destino uno de esos inviernos. De Atenas se fueron al Peloponeso. Al cruzar el istmo, Violeta se enamoró de Corinto, con su enorme fortaleza. Las piedras gigantes le confundieron naturaleza y arquitectura: todo le parecía a Violeta alcanzar el cielo, mientras sus casas chicas de antigua teja pudieron haber albergado enanos. Pero fue frente al templo de Apolo, tan solo en medio de Corinto antiguo —¿cuántos años llevaría ahí ese templo pequeño, nítido, abandonado?—, que decidió quedarse. "Está todo tan seco, Violeta, movámonos un poco, el viento es demasiado, me muero de frío..." Gonzalo la sacó por fin de aquel lugar extraño, y avanzaron hasta otro, más inhóspito aun: Micenas. Violeta pisó una y otra vez el umbral de la gran Puerta de los Leones, mientras Gonzalo le murmuraba en el oído: "Vuelve a pisar este suelo, será la primera y última vez que tus pies descansen sobre algo tan milenario." Frente a la tumba de Casandra y a los montículos de piedra que una vez fueron los leones guardianes de la entrada, Violeta evocaba el exilio remoto y forzado de aquella otra mujer, sola, cargada con el peso de las joyas familiares, prisionera de Agamenón. Así tal vez la recibieron esos leones de piedra y ese pueblo extraño, hostil como el viento, indiferente como ese cielo inalterado que vio a Casandra caminar con su mente cruzada por imágenes premonitorias de sangre y abandono. Casandra, sola con su relato roto y con su muerte. Violeta no quiso irse de ahí. El viento soplaba sin pausa: fue el más helado que conoció en su vida, peor aun que el de Corinto. Igual se quedaron. Allí, sobre esa tierra amarillenta, conocieron a la gente de un circo que recorría una por una todas las ciudades del Peloponeso. Violeta se sentaba con una bolsa de pistachos en el suelo y, mientras se los echaba a la boca y se rompía las uñas descascarando ese fruto verde y duro, miraba a los infatigables trapecistas en las horas de ensayo. (Fue entonces que conoció los pistachos. No dejó nunca de comerlos, y cuando volvió a Chile y no los encontró por ningún lado, confiaba siempre en que Josefa se los traería de algún viaje. Cuando al fin se pudieron comprar en Chile, ya era tarde para Violeta.) No se perdió uno solo de los ensayos que los trapecistas hicieron en esos días. Sus ojos se dilataban frente a sus espectaculares acrobacias, fijos, hipnotizados, mientras Gonzalo elaboraba en su block los correspondientes bocetos. Jacinta, la trapecista, usaba en el anular un anillo de plata. La piedra era un delgado óvalo negro sujeto por un círculo macizo y plateado. El mundo en sus manos, pensaba Violeta. El mundo en un solo dedo, le decía Gonzalo. Obsidiana de México, le dijo Jacinta, y Violeta buscaría ese anillo hasta encontrarlo, años después, en México. Jacinta no mentía.

Jacinta provenía de Canadá. (Cuando, siglos más tarde a juicio de Violeta, supo que Eduardo había vivido en ese país, le preguntó si la conocía. Eduardo se rió de ella.) Su pareja era Maxx, con dos *x*. Maxx el trapecista, el acróbata de músculos fabulosos que le daba a Jacinta una seguridad total en los aires. Subyugados, Violeta y Gonzalo accedieron cuando Maxx y Jacinta los invitaron a compartir su carpa unos días. Una de esas noches —¿elegida?— fue concebida la segunda Jacinta.

De vuelta en Roma, Violeta supo que estaba embarazada y se consideró a sí misma una reina y a su hija una elegida de las diosas. *Después de todo, su semilla fructificó en tierra de dioses*, escribiría más tarde en su diario. *Y cuando crezca le enseñaré sobre ellas. Le hablaré de Hera, la matriarca, y del poder terreno y la forma de soldarse a un matrimonio. De Artemisa, la amazona, con su amor a la naturaleza. Y de Atenea, con su gran sentido cívico y su lógica intelectual originada en el mundo paterno. También de Afrodita, la diosa de cuerpo sagrado, sagrada en la pasión y en las artes. Y por último le hablaré de Deméter, la madre-tierra fértil y nutricia, y de Perséfone, dueña de lo subterráneo y lo oculto, con sus sueños de muerte y transformación. Conocer sus histo-*

49

rias la ayudará a ser mujer. Eso sí, le pediré que no se identifique solamente con una, porque puede ser fuente de impensables dolores. Que las conozca a todas y en cada una pueda reconocer una parte de sí misma. Que no sea una diosa vulnerable como su madre, que ha existido sólo en la medida del vínculo.

De allí viene el nombre de esta niña a quien Violeta, embarazada, nunca soñó siquiera como varón. Y muchas veces especificó: Jacinta es mi hija. Pero Jacinta, la original, era una trapecista.

Seis

Mauricio me llama por teléfono. Está sobresaltado.

—Es ella, ¿cierto?

—Sí, es ella.

—Pero Josefa, ¿qué diablos pasó?

—No sé, Mauricio, no sé... Imagínate, estoy hecha pedazos.

Me niego a interpretar ni a dar explicaciones.

—No puedo dejar de pensar en el payaso —insiste Mauricio—. La dejé tan linda ese día... Fue ése el día de los acontecimientos, ¿cierto?

—Sí. Yo tampoco he dejado de preguntarme qué habría pasado si no la hubieras maquillado. No se habría atrasado y quizás todo habría sido distinto...

—La noté nerviosa cuando vio que se hacía tarde.

—¿Sí? No alcancé a darme cuenta, estaba concentrada en otra cosa...

—Ay, Josefa...

No, no estoy para resistir los llantos de Mauricio. Me basta con los de Andrés, los de Jacinta, los de mis hijos. Me basta con los míos.

Aquella noche fatídica, la víspera del salto de Violeta a la primera plana de los diarios, aquella noche, la de la fiesta del arlequín, ella pasó por mi casa.

Se la ve apurada.

—Los zapatos, Josefa. ¿Te acuerdas de que me ibas a prestar esos zapatones para mi disfraz?

Dice que irá a la fiesta vestida de payaso. Yo apenas la veo en el espejo, porque está Mauricio arreglándome. No puedo vivir sin Mauricio, soy incapaz de dar un paso sin él, no concibo salir a la calle si mi cara y mi pelo no han pasado antes por sus manos. Él le pregunta a Violeta por su disfraz. Ella se lo explica.

—¡Qué pobreza! —comenta Mauricio.

Sigue maquillándome, pero mira de reojo a Violeta y no se resigna. Termina conmigo y la instala frente al espejo.

—Ven acá un poco, chiquilla, te voy a dar una manito de gato.

Se entusiasma y decide transformarla de payaso de circo pobre en un soberbio arlequín veneciano.

—¿Pierrot? ¿Traje de *patchwork* o de ajedrez?

—No, no pienses en los arlequines de Picasso —le contesta Violeta con candor—. Sólo parches rojos y amarillos.

Mauricio se engolosina con el trabajo sobre su rostro. No puede soltarla.

—Preciosa tu amiga —me dice—, pero tan dejada de la mano de Dios...

Violeta ríe y se entrega. Van pasando los minutos y Mauricio no puede detenerse. Abre su maletín.

—Es totalmente mágico —dice Violeta, embelesada al ver todos esos colores y brillos.

—¡El pelo! Tengo que hacerte un arreglo genial en el pelo... Jose, linda, dame todas las cintas que tengas.

—¿Tienes cintas? —le grito a Celeste, y siento un escozor de celos.

Luego vino el brillo, esos miles de puntos fucsia y oro. Violeta se transforma frente al espejo. Aparece esa otra que no es ella y que a ella le gusta tanto.

—Apúrate, Mauricio —ruego yo de pronto—, nos vamos a atrasar.

—No importa que lleguen tarde, mira lo hermosa que va a quedar tu amiga.

—Eduardo se va a poner nervioso, lo conozco —dice Violeta.

Se dibuja ya el arlequín. Me entusiasmo. (Los celos se han diluido.)

—Es una obra de arte, Mauricio —exclamo—. ¡Está fantástica!

Violeta mira su reloj. Se toca el confetti rojo y dorado sobre su cuello.

—Llámalo tú, Josefa, yo no me atrevo, me va a retar.

—¿Pero quién es ese monstruo, por favor? —chilla Mauricio con su voz afectada.

—Mi marido no más. No es un monstruo. Es que... anda un poco alterado.

—No le hagas caso, no le avises nada. Llega así no más, y apenas te vea, caerá rendido.

La escarcha fucsia sobre su máscara de arlequín.

Efectivamente, Violeta llega tarde a la fiesta. Eduardo la esperaba con un gin-tonic en la mano y los labios fruncidos en un rictus distante. Según alcanzó a contarme después, en ese mismo momento tuvieron el primer desencuentro de la noche. De aquella noche.

En mis retinas, y en las de Mauricio, y en las de todos los que asistieron a esa fiesta, quedaron impresas las huellas de la tristeza veneciana.

Había comenzado el calor a fines de 1989, el año de la caída del muro de Berlín. Por esos días yo grababa en un estudio ubicado a sólo una cuadra de la casa de Violeta. Ya había empezado a sumergirme, lentamente, en mi encierro, y convivía con muy poca gente. Pude verla esos días estrictamente por la cercanía entre el estudio y su casa. Cuando hacíamos un intervalo que los sonidistas aprovechaban para una cerveza, yo caminaba hacia la calle Gerona y nos tomábamos juntas un café.

Esa tarde Jacinta me abrió la puerta y entré directamente al dormitorio de Violeta, deteniéndome un instante para mirar el dibujo de la alfombra más grande del living. La casa de Violeta era como una mezquita, estaba llena de alfombras. Lo que diferencia una *casa* de un *hogar* son las alfombras, decía ella. Hablaba de nudos por centímetro cuadrado, de la mezcla del algodón con la lana y la seda. Compró una Herecker en Estambul, que tenía firma y título: *Flores de los siete montes*. Frente a ella, con su jardín bordado en azules profundos, me detenía siempre al entrar a su casa.

La encontré tirada en la cama, sujetando su cara tensa y concentrada con ambas manos. A su lado, un plato de hermosas chirimoyas. La música sonaba a todo volumen: Violeta no sabía escucharla sino de esa manera.

Me miró absorta.

—¡Por Dios, qué difícil es Debussy!

Divertida, le devolví la mirada.

—¿Y qué importa, Violeta, que sea difícil Debussy?

—Es que me gustaría poder entenderlo. Y no sólo a Debussy; quisiera entender cualquier manifestación artística, sea la que sea...

—Especialmente la literatura, en estos días.

Se rió.

—¡A eso viniste!

—Tengo diez minutos, cuéntame rápido —y empecé a comerme, sin consulta, las dulces chirimoyas.

Fue el tiempo en que a Violeta le dio por hablar con sus muertos. Conversaba con ellos frente a sus fotografías en esa especie de feria ambulante que era su dormitorio. En la base del paragüero, pieza esencial de la habitación, entre colgajos de todo tipo, sombreros, pañuelos, bufandas, al lado de la hendidura de cobre que teóricamente recibía los paraguas chorreados de lluvia, había acomodado una fotografía de Cayetana y otra de su abuela Carlota y del viejo Antonio. También colgó junto al tocador una de Gonzalo, confundida entre aros, cuentas, pulseras y collares. "Pero si mi papá no ha muerto", le reclamó Jacinta. "No importa, mi amor, el concepto de muerte tiene varias acepciones." Se activaron las velas rojas. Violeta siempre se rodeaba de velas prendidas y éstas convivían con sus invariables inciensos. Ahora se multiplicaban frente a sus muertos. Se sentía protegida por ellos, y les pidió que ignoraran aquel bicho negro que la había estremecido, y que la unieran a Eduardo para toda la vida.

Porque un par de semanas después del primer hotel, Violeta y Eduardo van al Cajón del Maipo por el fin de semana. Comen champiñones en una modesta hostería y con el paisaje precordillerano frente al ventanal se hacen promesas de amor.

Ella le confía su obsesión por ser madre otra vez, habla de su potencialidad tan menguada y de su miedo de que Jacinta repita su historia siendo hija única. Eduardo no parece amilanarse, como otros que han fingido ser cómplices de ese discurso. Él tiene sus propias ambiciones: necesita una esposa. Luego de la pérdida que sufrió tan joven en el maremoto de Corral, arrancó de cualquier compromiso afectivo por muchos años. "He hecho una vida de perros", le dice, "perro callejero, perro libre y libertino, pero perro al fin." Cree que lo único que le permitirá escribir su gran novela serán una casa y una mujer. Una estructura doméstica sobre la cual pueda descansar y crear. "Las mujeres le dan el tratamiento de algo sagrado a la escritura del hombre", comenta Eduardo, y Violeta se ríe porque sabe que es cierto. "Yo también necesito una esposa", dice Violeta, "es el gran negocio para cualquiera." "Como no puedes tenerla, conviértete en la mía", le sugiere Eduardo. Violeta se asombra de un hombre que en su cincuentena les tenga tan poco miedo a esas palabras. "Tú quieres casa, yo la tengo. Quieres esposa, yo puedo serlo. Quieres estructura, puedo dártela. Sólo pido a cambio un hijo." Todo esto fue dicho entre risas y mimos, pero lo dijeron de todos modos.

Violeta me cuenta que terminada esa dulce conversación en sus brazos, se levanta al baño dejando a Eduardo en la cama. Al abrir la puerta, se le cruza por el piso una cucaracha negra: "Era la más grande que he visto en toda mi vida, y la más fea." Violeta queda suspendida.

Pasó diciembre con sus cerezas también dulces, más dulces que nunca ese año. En febrero nos fuimos.

Fue en la casa del molino donde Violeta me habló por primera vez de "el último bosque": el *no lugar*, ése en su conciencia, aquel espacio para la solidaridad que su mente empieza a fabricar por el deseo de no perder los sueños.

—No es un lugar a alcanzar, Josefa. Es sólo la fuerza para salir de la inmediatez. Si ya no existe la *gran ética*, quisiera que el último bosque fuera mi pequeña ética personal.

Esperaba a Eduardo.

La víspera de su llegada, se quiebra un vidrio en la ventana de su dormitorio. Corre donde Aguayito, todo debe estar impecable para el día siguiente. Aguayito manda a su hijo con un vidrio nuevo. Yo entro tras él. Violeta está encima de su cama con un libro, aún en traje de baño. Veo su sostén y sus calzones tirados sobre la única silla disponible. El hijo de Aguayito, nervioso, no puede desprender sus ojos de esas prendas sedosas. Violeta no se inmuta.

—¿Cómo puedo agasajarlo, Josefa?

—Con salmón ahumado.

—Ya está en el refrigerador. Pensaba en algo más íntimo, como alguna ropa especial. Pero no tengo nada aquí. ¡Ya sé! Tú me maquillarás.

—¿Tienes con qué?

—¿Yo? Cómo se te ocurre, apenas tengo en Santiago.

—Tengo kohl.

Muy de ella, no tener nada con qué arreglarse. Al día siguiente llega a mi casa. Se ha sacado los bluyines, cambiándolos por una larga falda hindú.

Sentadas ambas sobre mi cama, la pinto: les invento a sus ojos una profundidad que no tienen. Mi hija Celeste nos observa. Deja de lado el álbum de fotografías que está hojeando. Nos interrumpe:

—Violeta, mira estas fotos: son de hace cinco veranos y estás exactamente con la misma ropa.

Celeste no puede creerlo. Violeta se ríe.

—No me sorprende, esta falda tiene diez años. Pero es linda, ¿cierto? ¿Te gusta?

—Sí...

—¡Qué entusiasmo, Celeste! comenta Violeta.

—Como puedes ver, hace gala de su edad —intervengo yo.

Cuando Violeta parte, un halo de sándalo, los ojos muy negros y destellando el naranjo de su falda, Celeste se vuelve hacia mí.

—¡Qué antigua es Violeta para todo, mamá!

—Es uno de sus grandes valores, Celeste. No lo mires en menos.

Aún hoy mis ojos pueden admirar, recordándolo, el espectáculo del lago enfurecido azotando la bahía. Y del volcán, enorme y majestuoso, como único testigo; los cerros regados de verde callan.

Violeta sale envuelta en una manta, camina hacia la playa con paso lento, pensativo. Me encuentra allí. Se sienta a mi lado en silencio y mira hacia las olas.

—Eduardo está igual que el agua —me comenta al cabo de un rato.

—¿Enojado?

—Parece.

—¿Qué pasó?

—Absolutamente nada. Eso es lo más sorprendente.

Mi soledad esa tarde era total: los niños en Ensenada —habían ido a tomar té al Bellavista—, Andrés se hallaba en Santiago por unos días. A Violeta y Eduardo no los había visto en toda la jornada; presumí que estarían aprovechando el tiempo de intimidad, tan escaso casi siempre para las parejas adultas.

—Los cambios en su carácter son tan vertiginosos. Me apabullan.

Espero que diga algo más.

Teme ponerse densa, la conozco. Ella es la primera en detestar la gravedad. Seria, sí; grave, no: hagamos la distinción. Es una de sus máximas.

—¿Qué pasó, Violeta?

—Me violó.

No puedo dejar de reírme.

—Pero es lo único que tú quieres, ¿o me equivoco?

—Hablo en serio, Jose. Hicimos el amor, todo perfecto. Luego dormimos siesta. Al despertar, él quiso hacer el amor de nuevo. Yo no tenía ganas y le dije cariñosamente que prefería leer un rato. Se levantó y se fue al living. Tomé mi libro, creyendo que todo estaba tranquilo. Lo sentí abriendo el refrigerador y pensé que habría despertado hambriento. Al rato llegó a la pieza, con otra cara. No quiero dar detalles, pero fue muy raro. Tenía olor a alcohol, un gesto como perverso, que no le conocía, en sus labios. Se me tiró encima, literalmente. Tú sabes que él es abstemio, por eso me extrañó tanto. Le pregunté qué le pasaba y me contestó algunas obscenidades. Y aquí viene lo peor de mí misma: esas obscenidades me calentaron. Y lo que partió siendo una violación terminó en una pasión desenfrenada. Ahora está durmiendo. Y yo me siento avergonzada, he quedado con un sabor amargo en la boca.

—Me parece evidente que fue el alcohol —también yo estoy asombrada.

—Debe ser eso...

Se levanta y abraza su manta. Desde la arena tiro uno de sus bordes, al ver que comienza a alejarse.

—¿Cómo te sientes?

—No sé —me dice ella.

Pensé que Violeta se daba ciertos lujos y que de vez en cuando se concedía a sí misma algo inadecuado. Recordé su amor por el filo de la navaja, por estar siempre cerca del límite, en el borde. Y por ello Violeta era más vulnerable que yo.

—La cucaracha negra, ¿te acuerdas? Y ahora el vidrio roto. ¿No será que se acerca el Espíritu Malo?

—No sé, yo no necesito espíritus malos para justificar nada.

—¡Tan concreta que eres tú, Jose!

—Siempre he tenido claro que el género humano es perverso, Viola querida.

—¿Y te quedas tan tranquila?

—Es que no hay nada que hacer. ¿No te das cuenta de que la civilización y la norma son lo único que nos impide comernos vivos? No entiendo cómo tú puedes tener todavía esperanzas en el futuro y la evolución de esta especie.

Pareció volver la Violeta de siempre, con la risa otra vez en sus ojos. Apretó nuevamente la manta contra su cuerpo, como si efectivamente la acechara el peligro. Se separó de mí, despacio. Yo tenía fija la vista sobre sus dedos de bambú y apenas la oí cuando me dijo:

—Es un sentimiento conocido, Josefa. Debo escarbar. Mi observador interno me está dando algunas señales... Bueno, como me las ha dado siempre.

Siete

Nosotras, las otras, sabemos a qué se refiere Violeta. Estábamos a su lado ese primer día de colegio. También el segundo y el tercero y todos los días que vinieron.

La observamos aquel viernes, cuando a la hora del recreo sacó su termo y su sándwich del bolsón. La profesora, parada en el umbral de la puerta, controlaba el contenido del pan de cada niña en la fila. Tomó el de Violeta, lo examinó e hizo una mueca despectiva.

—¡Paté! ¡Escuchen todas, la niña nueva ha traído un sándwich de paté! Y métanselo bien en la cabeza para que aprendan lo que no se debe hacer.

Muchas caras —tantas, a los ojos de la pequeña Violeta— giraron para mirarla.

—Hoy es viernes: la Iglesia Católica prohíbe comer carne o cualquiera de sus derivados en este día.

—Perdón... no lo sabía.

—¿Y su mamá? ¿Acaso ella no lo sabe? —a Violeta le sonó incomprensible el tono desdeñoso de esta mujer.

—No sé.

—¡Requisado! —gritó la profesora, tirando el pan al basurero.

Violeta salió sola al patio. Al menos el termo apaciguaría su hambre.

Se sentó en un banco y lo abrió. Algunas compañeras la observaban desde una distancia prudente.

Cuando vertió el líquido color café rojizo en el tazón, una de ellas exclamó:

—¡Cocacola!

Se abalanzaron, dispuestas a dirigirle la palabra por primera vez. Violeta se puso contenta, quizás le perdonarían sus anteojos celestes y el paté. Les ofreció su taza, sonriendo.

—¡Uaaah! ¡No es cocacola! —se espantó la primera niña que había probado.

—No explicó ella, es té puro.

Las demás compañeras retrocedieron: por segunda vez esa mañana había desprecio en sus rostros.

—Trajo té... sonó a sentencia inapelable.

—¿Tomas té puro? ¿A tu edad? —le preguntó otra.

—Eso lo hacen los pobres no más agregó una tercera.

—¡Vámonos!

Otra vez Violeta sola en el patio, con su té tan despreciado en una mano y el termo en la otra. Odia a su madre en ese momento. ¿Es que no entiende que a un colegio como éste no se puede traer *té*? Se lo dirá esa noche. Pero ya le dijo lo de los lentes y ella no le hizo caso:

—Te los compró tu padre en Estados Unidos. Ya sabes, los inmigrantes nunca se han caracterizado por tener buen gusto.

—Cámbiamelos, mamá, se ríen de mí.

—Por favor, Violeta, aprende a tener personalidad. Ya verás cuando grande lo importante que es ser distinta.

Puede ser, pensó la niña, pero ella sólo sabía que era chica, y lo único que le interesaba era ser lo más parecida posible a las demás.

No lo lograba.

Que no llueva, que no llueva, se decía en el invierno. Los días de lluvia eran los únicos en que su madre iba a buscarla al colegio. Con la lluvia aparecían casi todas las mamás, y la suya *no era* como las otras.

Cayetana tenía el pelo liso y lo usaba largo, muy largo. Antes de entrar al nuevo colegio, Violeta adoraba el pelo de su mamá, ese castaño brillante que seguía mágicamente el ritmo vivo y enérgico de Cayetana, mojado a la salida de la ducha, secado al viento incluso en invierno, las gotas de agua temblando en sus hombros cuando se paseaba por la casa semidesnuda: se tapaba solamente con una toalla corta, sujeta con su mano izquierda mientras la derecha seguía el ritmo de la música que escuchaba a todo volumen. Su marido siempre la regañaba, sin demasiado convencimiento: "¡Qué facha, Cayetana, por Dios!" Y Violeta la contemplaba, fascinada ante la libertad de esos movimientos secundados por su cabellera. Pero ahora esa misma melena la avergonzaba. Era la única mamá con pelo largo en todo el colegio. Durante los años cincuenta, el escarmenado y la permanente eran los únicos peinados tolerables. Las señoras finas usaban el pelo corto y abombado. Y jamás se las veía en pantalones. Cayetana no había cumplido aún los treinta, pero su hija la veía como una persona mayor; por lo tanto, debía parecerlo.

La casa de Cayetana, en Ñuñoa, fue la cuna de Violeta. El patio de atrás, amplio y nostálgico, le enseñó el amor por los árboles y los parrones. Violeta caminaba hasta el almacén de la esquina, mientras que a sus compañeras no las dejaban salir solas ni siquiera a la puerta de calle. Más tarde ella misma le inventaría "estricteces" a su madre (que nunca las tuvo), pues se sentía inadecuada con los permisos que Cayetana le daba, y no los reconocía frente a sus compañeras. "¿Quieres quedarte a alojar donde la Isabel? ¡Qué entretenido, Viola, quédate!", le decía Cayetana; en cambio, las otras mamás del curso consideraban de mal gusto acceder. "No, no me dejó", le decía Violeta a su amiga Isabel, y ésta respondía con resignación: "Típico de las mamás, a mí nunca me dejan."

El almacenero la saludaba por su nombre de pila y, antes de que Violeta pidiera nada, decía invariablemente: "Un paraguas para la Violetera." Alargaba su mano hacia el estante de colores, que a la niña le parecía un carrusel, y sacaba un dulce alargado, pino o paraguas, verde y rojo, forrado en celofán. Ella lo recibía y entregaba su moneda. Violeta vivía intensamente su pertenencia al barrio, se sentía partícipe de sus ritos. Ella *era parte* de esos señores con cara de inteligentes que discutían en la fuente de soda Las Lanzas y la saludaban al verla pasar, o de los viejos que se sentaban a leer en la pequeña plaza. A la plaza grande debía ir acompañada, pero a la pequeña, ésa en la esquina de la calle Richards, la dejaban ir sola. Ya más grande aprendió a fumar en esa misma plaza: compraba los cigarrillos de a uno en el quiosco de la esquina. Los amigos del barrio tenían madres del estilo de la suya. Uno era hijo de pintores, el otro de un diputado, la niña de los vestidos con vuelos era hija de una escritora. Y el papá de Alicia, su amiguita más íntima, era filósofo. Que su padre fuese dueño de una librería era normal entre ellos. También lo era que Violeta acompañase a su madre a las marchas en la calle antes de las elecciones. Sin embargo, nada de eso parecía suceder en su colegio. Violeta amaba su barrio y no sospechó que ese dato sería el que terminaría de liquidarla ante sus nuevas compañeras.

Decidió celebrar su cumpleaños. Cayetana se entusiasmó y preparó la fiesta en grande. Dibujó a mano, una por una, cada tarjeta de invitación. Violeta siempre recordaría las jaleas rojas dentro de cáscaras de naranja: las había hecho Cayetana, ella que casi no cocinaba. Se veían hermosas.

A las cuatro de la tarde de aquel sábado de agosto, Violeta, de punta en blanco, esperaba a las amigas que la acompañarían en la celebración de sus nueve años.

La espera se hizo larga. El timbre, porfiado, se negaba a sonar. Un cuarto para las cinco, por fin, llegó la primera niña. Cayetana salió a recibirla. Sonrió ante los ojos oscuros y tímidos de la compañera de su hija, su pelo corto y liso, su vestido muy almidonado bajo el abriguito azul.

—¿Cómo te llamas? —le preguntó Cayetana.

—Josefina.

—¿Josefina qué más?

—Ferrer.

—Adelante, Josefina, bienvenida.

Avanzaron a la pieza del fondo, donde jugaban los hijos de Carmencita, la empleada de la librería, que nunca se saltaban un acontecimiento familiar.

A las cinco y media reinaba el silencio. Violeta temía romperlo si soltaba el nudo que se agigantaba en su garganta. Los hijos de Carmencita en el suelo con algún juguete, Josefina en una silla, Violeta en otra, inmóviles como sólo inmoviliza la espera.

A las seis pasaron a la mesa. Un cuarto de hora antes habían llegado los amigos del barrio, que no estaban invitados. Violeta se alegró tanto de verlos, en esa soledad, anhelando que no se perdieran todas las cosas ricas desplegadas sobre la mesa del comedor: los merengues, las jaleítas, los pequeños panes con pasta de huevo y de pollo, la enorme torta de manjar. Lo peor de todo era quedarse con la comida preparada. Nunca supo que Marcelina los había ido a buscar uno por uno a sus casas, por orden de Cayetana. De este modo pudieron partir la torta con una cierta dignidad. Nadie más llegó. Cuando ya habían cantado y comido, Cayetana se acercó a esta única niña del colegio que había aparecido.

—Josefina, ¿por qué crees tú que no vinieron las demás compañeras?

—Porque Violeta vive en Ñuñoa.

—¿Cómo?

Al percibir la incredulidad de Cayetana, la niña no supo si continuar o no. Pero Cayetana la animó, y entonces dio rienda suelta a sus sentimientos.

—En el curso hay un grupo que manda y todas hacen lo que el grupo dice. A este grupo no le gusta Violeta: dicen que es polaca, que les cargan los anteojos que usa. La miran en menos porque toma té puro y come sándwiches de paté. Cuando recibieron la invitación y vieron que Violeta vivía en Ñuñoa, se pusieron de acuerdo entre ellas para no venir. Eso les dijeron a las demás, pero la gracia era no avisarle a Violeta.

—¿Y por qué viniste tú?

—Porque yo también les cargo.

—¿Por qué les cargas?

—Porque mi papá es panadero.

—¿Sólo por eso?

—No sé.

Cayetana terminó ahí el interrogatorio, sin saber si llorar o, dado su carácter, sencillamente largarse a reír.

Violeta recuerda bien la discusión esa noche en la pieza de sus padres.

—¿Será necesario que Violeta tenga que pagar un precio tan alto por hablar bien el inglés? —le preguntaba Cayetana a su marido.

—Es justamente este colegio el que hará que no la marginen de grande. Tú no sospechas eso, Cayetana, la clase media ilustrada en que tú te mueves no sabe mucho de esas cosas. Pero yo sí.

—Aquí hay dos alternativas, Tadeo: o estamos criando a una resentida que más tarde resultará una arribista, o estamos formando a una revolucionaria.

Esas palabras encontraron en Violeta un espacio; se adhirieron a su memoria aunque no las entendiera a nivel de la conciencia. La niña siempre escuchó con el instinto más que con la razón. Nunca dejó de sucederle: se aproximaba a personas, eventos o sentidos observándolos sin que su mente los comprendiese cabalmente, pero como si con sólo darles un espacio en su interior los hiciera suyos.

Esa noche, en su cama, humedeció con lágrimas los rizos que caían sobre sus mejillas. Cuando las secó, decidió no dar por perdida esta pequeña guerra. Se soñó a sí misma haciéndole frente, solitaria —o quizás, a partir de esa tarde, con una cómplice—, a la hostilidad: esa cruel, implacable hostilidad de la que sólo puede adueñarse la infancia. Se quedaría en ese colegio y las vencería.

Ocho

Muchas veces Violeta me cansaba.

Me cansaba alimentar nuestra amistad, como me cansaba alimentar cualquier elemento que no fuera mi voz. Si lo hice, no fue por generosidad, como creyó ella. Tampoco por lealtad, como pensaron otros. Era sólo mi temor al desacompañamiento.

Lo descubrí en San Miguel de Allende, en México. A mi recital había asistido Amalia, una famosa y antigua cantante mexicana, admirada y escuchada por mí desde siempre. Me invitó a tomar un trago al atardecer; yo, honrada, acepté. Sabía que, en su retiro, ella había elegido vivir en esa ciudad, pero me sorprendí al ver que su dirección correspondía a un hotel.

En el patio inmenso, rodeadas de rojos arcos coloniales y verdes exuberantes, meciéndonos en el corredor con el tequila en las manos, me lo advirtió.

A los sesenta años Amalia dio su último recital. Y esa noche, con toda tranquilidad, cerró la puerta. No pensaba exponerse a la humillación de los contratos decadentes, a las *boîtes* en lugar de los auditorios o teatros, a que el público comparara sus actuaciones en vivo con las grabaciones de otros tiempos. Ante mi inquietud por comprender por qué vivía sola en un hotel, me contó su proceso: a medida que se había ido acercando a la cúspide de su fama, el mundo entero empezó a sobrarle. Lo primero de lo que se deshizo fue su marido, que no resistió verse relegado a un segundo lugar. Luego fueron sus hijos: a poco andar decidieron vivir con el padre, quien parecía disponer de más tiempo para ellos. Luego fue la casa: sin una familia, no tenía sentido administrar *esa* empresa, si la empresa de su éxito era tanto más seductora. Arrendó una gran bodega, guardó allí todos sus muebles y pertenencias, y los hoteles pasaron a ser su hogar. Entonces se sintió por fin independiente. Me confesó hasta qué punto le molestaba la gente, cómo se sentía perseguida... Cómo la embargaba la culpa por no responder siquiera a sus amigos de toda la vida, los que pasaron a representar un peso sobre sus espaldas en lugar de un placer. Sólo veía a las personas que debía, a nadie más. Compuso en ese tiempo sus mejores canciones. Por fin se tomaba en serio y trabajaba como una profesional. Cuando conoció San Miguel de Allende, en una gira, se dijo que aquél sería su lugar de retiro. "Nada original", me agrega, "muchos han decidido hacer lo mismo, viven artistas de todos lados, especialmente nuestros vecinos del norte." Cumplió su promesa y aquí la tenía yo, ante mis ojos: dos piezas frente a un pedazo de corredor que era casi suyo, nada más. Sus hijos la visitaban muy de vez en cuando, y uno que otro amigo pasaba a saludarla cuando cruzaba por la ciudad.

San Miguel de Allende, cautelosamente en mi memoria.

Elegí a Violeta entre todas mis amigas porque nuestra historia se remontaba tan atrás que cualquier explicación era innecesaria. Ella formaba parte de mi infancia, era casi un miembro más de mi familia. Por eso me resultaba tan cómoda: lo que hiciéramos juntas era como hacerlo sola. Y mi miedo al vacío no me permitía tanta privacidad. Entonces, a medida que las personas, paulatinamente, me fueron sobrando —y este fenómeno se agudizó a pesar de mi voluntad—, temí que si rompía el último eslabón iba a precipitarme de bruces en la total soledad. No, me dije una noche: un día Andrés no va a estar contigo; ¿quién lo sabe mejor que tú misma? Tus hijos vivirán su propia vida y entonces tú, que has ido desqueriendo a medida que ascendías en la escala de las estrellas, no tendrás intimidad. Nadie la tendrá contigo. ¿Sabes, Josefa, lo que es vivir sin intimidad?

Me vuelve San Miguel de Allende por el recuerdo de mi primera —y única— pelea con Violeta. El remordimiento juega conmigo, Viola, Violeta, Violetera.

Primero vino lo del comedor y luego el cuento del sauna.

Pero al sauna lo precede la historia del "bulín".

Durante años almorcé sola con mi hijo Diego en la cocina de mi casa, luminosa y acogedora. Hasta que empezó lo que Violeta calificaba como "el proceso de ir haciéndote inaccesible". El primer síntoma fue al regreso de una gira: sorpresivamente, le pedí a María, la cocinera, que a partir de ese día pusiera la mesa en el comedor. Almorzaríamos allí. Me irritaba la cercanía de las empleadas, y la sola idea de que tuvieran acceso a mí desde la cocina me ponía mal. No resistía exponerme tres cuartos de hora cada día. Si me fui al comedor, fue para que no me hablaran. Para que nadie pudiera alcanzarme.

—Cuidado, mi amor —me dijo cariñosamente Andrés—. Un día podemos no encontrarte.

Era la época en que Violeta me llamaba "Miss No-Tengo-Tiempo-Mi-Vida-Es-Demasiado-Importante". Yo me reía, un poco molesta. Es que me sentía en deuda permanente. Mi carrera parecía meteórica y cada paso me exigía más esfuerzo que el anterior. La

71

contradicción entre mi vida profesional y mi vida privada me atravesaba como una lanza envenenada. No necesito extenderme sobre este punto. Para las mujeres actuales es ya un lugar común. Prefiero abocarme más bien a las sensaciones: siempre acechando las llamadas que no he contestado, la gente que he dejado plantada, los requisitos básicos del cariño que no he cumplido.

Llego a mi casa a encerrarme. Tengo que trabajar: las palabras se me agolpan con sus respectivas notas, vislumbro una canción que no concreto porque no tengo las condiciones para hacerlo. Llego a mi casa y ésta ya no me sirve.

Rara la oscuridad de esta casa, tantas veces me pareció la única luminosidad posible. Entro, abro puertas, veo caras deprimidas frente al televisor, la luz del jardín malgastándose, cuerpos tirados en las camas, como desvencijados. Todos esperan que la nota vital salga de mi pobre garganta. Andrés llega a comer contento y satisfecho de sí mismo. A diferencia de mí, él ha tenido veinticuatro horas —las tiene cada día— para pensar en hacer las cosas bien. Besa a los niños con el cansancio de la satisfacción. Y me resiento: mi relación con los niños está siempre a medio filo, siempre ando zafándome de ellos para poder trabajar, y siempre adentro de la casa porque no puedo sin ellos. He optado por la presencia permanente porque le tengo miedo al abandono. ¿Cómo es posible que lo que más amo se convierta en lo que más perturba mi cotidianeidad?

Entonces empiezo a pagar cada minuto de soledad. Reparto billetes: al cine todos, o al museo en el radio-taxi con helados a la salida, y cuando se cierra la puerta saboreo el silencio que han dejado atrás.

—Zulema, voy a estar trabajando. Que no me interrumpan.

Pero para Zulema yo *estoy* en la casa. Empiezan las interrupciones. En algún momento salgo furiosa, no sé adónde. Camino y me encuentro a boca de jarro con un edificio en construcción. Venden un departamento de un solo ambiente. Me ilumino. Espero a Andrés entusiasmada.

—¿De qué estás hablando? ¿Quieres poner un bulín?

—¿Un bulín? Pero Andrés, nada que ver... sería una oficina, un lugar de trabajo...

—¿Y tendrías ahí las reuniones con los músicos?

—Podría ser.

—Quizás puedas usarlo también para las sesiones de fotografía... ¿No has pensado poner una cama?

—Por lo menos un sofá-cama para dormir siesta —le respondo con toda ingenuidad, estoy tan absorta que no percibo su ironía—. ¡Y no le daría a nadie una copia de la llave! Imagínate, mi amor, el control que tendría sobre mi propio tiempo.

La discusión continuó hasta que Andrés cambió la sintonía y adoptó ese tono de-hombre-a-hombre con que le gusta hablarme a veces. No volvió a pronunciar la palabra *bulín*, pero la idea no le hizo gracia.

—No, Josefa, no. Es una pésima inversión. Está carísimo. Ese edificio no es de construcción fina, tiene pésimas terminaciones. ¡Después no te lo va a arrendar ni comprar nadie! Y no hablemos de los gastos... ¿Y quién se haría cargo de él cuando andes de viaje? ¿Quién te haría el aseo? No te veo a ti en eso, terminarías metiendo a la Zulema en el departamento. Además, Josefa, no están los tiempos para tener metros cuadrados de más, con toda la gente pobre que hay, con el problema de los allegados... ¿No te parece frívolo comprar un departamento para estar unas pocas horas al día sola?

Típica frase de Violeta... Como si se hubiesen puesto de acuerdo.

Tardé aún varios días en darme cuenta de lo que pasaba con él y sentirme cercada. Todo *adentro* de la casa. Me quiere adentro, a cualquier precio. La casa y yo: unidas hasta que la muerte nos separe.

—Tiene razón en parte —me dice Violeta unos días más tarde—. Ya es bastante aguantar a una mujer famosa sin serlo él. Piensa que está obligado a quedarse con los niños cuando estás de gira, incluso con los que no son propios. Y soportarte siempre rodeada de músicos, rockeros, sonidistas, periodistas, ver cómo te vistes de lentejuelas para los estelares, cuando un millón de ojos escrutarán cada centímetro de tu cuerpo. No puedes exigirle tanto, Josefa. Si después de todo es un marido...

Cerré una pieza en el segundo piso, inutilizada por no tener luz, y mandé a hacer un sauna. Los demás creyeron que era afán de salud o vanidad, pero yo había descubierto que un sauna es como un baño: un lugar de absoluta privacidad. Iba a ser el único sitio donde nadie me dirigiría la palabra. La señora está en el sauna, diría Zulema al teléfono: ni siquiera tendría que mentir.

Instalé mi sauna. Me hice adicta.

Entonces vino lo del teléfono. Pedí una vez más que me cambiaran el número. Instalé una línea extra en el living de los niños, con el compromiso de que nadie la atendería sino ellos. La segunda línea sería para "la casa". Acordamos con Andrés no darle a nadie el número, sólo a la familia para alguna urgencia. Ambos contábamos con oficinas para ser ubicados. Con este sistema descansé por primera vez. El maldito timbre ya no sonaba y por fin podía disfrutar mi casa sin sus interrupciones, sin ese miedo constante a que me atrapasen en contra de mi voluntad. A mis amigos les decía, sin inmutarme: "Ya no tengo teléfono, déjame recado con mi secretaria."

Pero cometí un error: darle a Violeta esa misma versión. No supe hacer las distinciones necesarias.

Trabajaba con Alejandro una mañana en mi oficina, revisando mis contratos, cuando la secretaria nos interrumpió:

—Violeta Dasinski quiere verla.

Me sorprendí. Era muy discreta y no llegaba a mi oficina sin aviso.

Estaba sentada frente a mi escritorio. Jugaba con un lápiz amarillo y no sonreía.

—Te traje una idea para tu próxima canción.

—¿Sí?

—"*The soul selects her own society. Then, shuts the door*"* —recitó con su pronunciación perfecta—. Es de la Emily Dickinson.

Bonito comenté desconcertada.

Pedí café para ambas; tenía un leve presentimiento. Entonces se levantó —largas las faldas de Violeta, gruesas sus botas— y, mirando hacia afuera por la ventana, me espetó:

—¿Te has fijado, Josefa, en tus niveles de voracidad?

Extraña la frase. Cuidadosa y cálida, ella no solía hablar así.

—¿De qué estás hablando? —el tono defensivo en mi voz.

—De detalles. Síntomas. ¿Te has fijado en que fumas el cigarrillo hasta el filtro, como si fuera el último de tu vida?

—No me digas eso, sabes que no debería fumar —desvié la respuesta para apaciguarla.

* "El alma elige su propia compañía. Luego cierra la puerta".

—Y cuando tomas vino, ¿cuántas veces llenas la copa? Me refiero a cuando haces vida social.

—No me estarás acusando de alcohólica...

—No, por eso te especifiqué lo de la vida social. Y cuando llegas a la casa, tú misma me has contado que entras a la cocina y te comes una marraqueta entera, especialmente si estás a régimen...

—¿A qué viene todo esto, Violeta?

—Llevo tres noches analizándote. Supe por tus hijos que era mentira que no tenías teléfono. No contaste con la complicidad de ellos con Jacinta.

—Ah, es eso.

Se me secó la boca de pura angustia. No resisto la idea de una pelea con Violeta, no la resisto.

—Violeta, lo siento. No me juzgues, por favor. Estoy exhausta.

—Estás siempre exhausta.

—¡Es que no es fácil! No es fácil esto de ser... —no encontraba la expresión exacta.

—¿Famosa?

—Me carga esa palabra...

—Pero es corta... y precisa.

No me daría tregua, lo sentí en el aire.

—Tú debieras entenderlo. ¡Tú más que nadie! ¡Cuántos años fui la hija de mi mamá que cantaba! Luego la estudiante de música que cantaba, después la madre de Borja y Celeste que cantaba, más adelante la profesora de música que cantaba, hasta que por fin he llegado a ser, lisa y llanamente, una cantante. ¿Crees que ha sido fácil?

—No, sé que no. Y nadie ha gozado más de tu éxito que yo. El problema es lo que la fama ha hecho contigo.

—Perdóname, pero exageras. No tengo quejas.

Lanzó una risa llena de ironía.

—Es que a ti nadie te dice nada.

—Quizás. Lo peor es que dudo de que me mporte.

—Está claro que no. Siempre fuiste escéptica, eso no se lo cobro a la fama. Pero no creí que también tú fueras a dar ese salto tan clásico del escepticismo al cinismo —se interrumpe a sí misma con un gesto reflexivo, un gesto muy de Violeta cuando va embalada—. Creo que el éxito favorece intrincados caminos de inconexión, y tú ya te has internado en ellos.

—¿Crees de verdad que me he convertido en una cínica?

Animada por su propia certeza, me respondió sin un quiebre en la voz:

—Yo comprendo, Josefa, que el cinismo funciona como una droga para distanciarse, un analgésico para no sentir el peligro de existir, hasta que te envenena. Al principio, no cabe duda, te alivió: pudiste burlarte de tus temores. Pero al final te ha intoxicado —vacila un instante, me mira—. Veneno acumulativo, morfina, cada vez dosis más altas, hasta que tu adicción se vuelve irreversible.

Se levanta. Toma su cartera y el abrigo, camina hacia la puerta y dicta su sentencia:

—Ojo, Josefa: el cinismo es una enfermedad de alto riesgo.

Quedé helada. No hice gesto alguno para retenerla. Que se fuera. Prendí uno de mis cinco cigarrillos diarios... que usualmente guardaba para otros momentos. Fumé con voracidad, como habría descrito Violeta. Me sentía como una casa con sus rincones, recuerdos e intimidades que el otro nunca apreciará en su justa dimensión. Esa caja de madera azul que Roberto me envió una vez, llena de dulces de colores, grandes dulces con manjar y coco rayado: esa caja es mirada como un adorno y yo la miro como un objeto de amor. Mi legítima reserva es abrir la puerta de mi casa y dejar entrar a la gente en la justa medida de mi deseo: algunos al *hall* de entrada, otros hasta el salón. No más allá. Los dormitorios, la salita, los patios del fondo, son míos. ¿Qué dijo Violeta sobre los intrincados caminos de inconexión? No, no son caminos intrincados, es sólo que ha entrado a operar la reserva y allí no hay vulnerabilidad posible. Claro, es también un rasgo de pobreza interior, ¡qué duda cabe!, pero así estoy a salvo. Tengo derecho a cerrar mi casa. Sí, Emily Dickinson tiene razón: *then, shuts the door*.

Es cierto que para sobrevivir yo les asignaba a las personas una cierta dosis de maldad, probablemente superior a la que ya tenían. Así, me deslizaba fortalecida entre la turbulencia de las relaciones humanas. En cambio, Violeta no. Ella era naturalmente confiada y como tal se paseaba por la vida, leve, abierta, con menos carga que yo, ilusionada de encontrarse con lo mejor del otro. Hoy miro para atrás, y aunque la óptica se vuelve evidente cuando uno ya conoce el desenlace de los acontecimientos, afirmo —sin ninguna presunción de pitonisa— que Violeta estaba equivocada.

Era más fácil herir a Violeta que herirme a mí.

No saqué nada tratando de intelectualizar. Cuando pasé al segundo cigarrillo comprendí que, aunque las relaciones humanas me complicaron siempre, ahora lo evidenciaba nítidamente. Pienso en las palabras de Violeta y mido el calibre de su resentimiento. ¿Cuándo empezó? Ni siquiera lo advertí. Con nadie he sido tan cuidadosa como con ella, ya relaté lo de San Miguel de Allende y Violeta fue la elegida. He estado hablando de la reserva y de pronto caigo en cuenta de cuánta guardamos hasta con los más queridos. Esto es como todo:

recíproco. Cada relación tiene su propia e instintiva división: lo que se muestra, lo que se guarda. Dios mío, si yo quiero a Violeta. Pero... y la lista de *peros* es enorme. Mi mirada siempre relativa frente a su entusiasmo, la cantidad de opiniones que no le escucho porque se las cuelgo a sus defectos: no, eso no es atendible porque Violeta es una *exagerada;* no pienso hacerle caso, Violeta es *rígida;* ni le discutiré, es una *fanática.* Sin embargo, aparte de Andrés y los niños, ella es la persona más cercana que tengo. ¿Cercanía? Si *ésta* es la cercanía, ¿cómo será la distancia? ¿La de los otros hacia mí? Nunca analizo lo que suscito en los demás. Me hago poquísimas preguntas, pues, a diferencia de Violeta, nunca he dudado de un afecto básico. Por último, el de mis padres. Y el de Andrés, sí, el de Andrés: me da tal seguridad que miro a los otros dando por sentado, muy tranquila, que tal me quiere, tal me odia, a tal le resulto indiferente. Pero ahora tengo miedo porque no he apreciado los matices, abarcando el "tal me quiere" como total, sin pensar más. Los ojos de Violeta fueron acusadores: *a ti nadie te dice nada.* No. Probablemente, mi distancia lo ha impedido. Nadie se atreve a decirme nada. Y Violeta lo ha hecho.

Algo me ahoga. Debería meterme a un convento. No relacionarme sino con un ser invisible. Las sutilezas del cariño y el descariño me agobian. ¡Qué tentación, la de arremeter contra Violeta, pisar a fondo el acelerador y no estrangular más lo silenciado! Me acerco al teléfono: llamarla inmediatamente y devolverle las agresiones... Pero me freno: es un chispazo de lucidez. No, Josefa, detente, difícilmente a esta edad estrecharías nuevos lazos, no despilfarres los que has mantenido por una vida entera. Cuídalos. Y siento en la piel el miedo de perder a Violeta. Hay lujos que ya no puedo darme, como el de la total sinceridad. Ese tiempo ya pasó.

Me levanto del escritorio. Le pido una dipirona a mi secretaria. Vuelvo a trabajar con Alejandro. Doy vuelta la hoja.

¿Por qué no fui a buscarla con una gran bolsa de pistachos y le di no más un abrazo? Habría bastado. Violeta tenía una especial capacidad para transformar mis defectos en virtudes. Los tomaba, les metía un poco de ideología y me los devolvía en positivo. Nadie más en el mundo hacía eso conmigo. Me habría perdonado de inmediato, ella nunca conoció el rencor. ¿Por qué la dejé partir a las Bahías de Huatulco así de sola?

—¿Quieres que te lleve al aeropuerto?

—No te preocupes, me lleva Eduardo.

—¿Tienes dólares suficientes?

—Sí, Jose, sí —nunca me habría dicho "Jose" estando enojada, me consolé. Ella, Andrés y Mauricio eran los únicos que me llamaban así.

Tendría que habérselo dicho en ese momento, antes de partir: Violeta, te echo de menos, olvidemos esa discusión. Ella estaba herida y yo lo sabía. Pero no hice nada.

—Escríbeme, ¿ya?

—Pero si voy por veinte días...

—Siempre me mandas una postal, aunque vayas por una semana.

A Violeta la atraían los ritos, y tenía muchos. Era cuidadosa en su ejecución, especialmente si comprometían a otros. Siempre compró una postal para mí, buscando algo fino o divertido; otra para Jacinta y una tercera para su padre.

—Sí, te mandaré una postal.

Y como fui incapaz de decirle otras cosas, le hablé de México, uno de nuestros amores compartidos.

("México es un país desaforado", fue la definición de Violeta. Y en ese desmadre nos dejamos seducir, cada una en su propio momento. En mí, cuando grabé allí mi primer disco; en Violeta, cuando hizo su romería buscando a Cayetana. Y el exceso de ese país invadió en nosotras diferentes vericuetos. Se nos adhirió. "Para siempre", dijo Violeta.)

—Avísame si te vas a construir una casa en Huatulco —le dije (otra casa más para su lista de fantasías).

Cuando llegó su primera postal, ¿por qué decidí ignorar los síntomas de su tristeza?

En la medida en que se disgrega el mundo que yo conocí, mis asideros se debilitan, la hostilidad me debilita a mí y no encuentro —se me pierde— el hogar humano en que me crié. Hablo del hogar colectivo... el grande.

La verdad, Josefa, es que ya no me siento en mi hogar en este mundo.

Hubo una segunda:

Conocí a un norteamericano, se llama Bob. Es una mezcla de periodista y cientista social. En mis palabras, es un "romanceador". Ha hecho las mismas peregrinaciones mías por América Central y eso nos ha acercado.

¿Sabes que Bob te conoce? Asistió a tu actuación triunfal en el Radio City Hall, en Nueva York. Le conté que te sentiste "estrella" la primera vez que viste un compact-disc tuyo en las vitrinas de la Quinta Avenida. Hay algo de destino —¿o no?— en que él haya ido a escucharte porque eras chilena (como todo gringo bien nacido, el tema de nuestro país le interesaba) y que hoy yo me lo cruce aquí, en estas bahías del Pacífico.

Es muy raro encontrar a alguien en el planeta que sienta lo mismo que una, ¿cierto?

*Bob también pensó alguna vez que podríamos crear
algo parecido al cielo aquí en la tierra, que la historia no podía
seguir siendo siempre la historia del sufrimiento humano.*

Vuelvo a mirar la fotografía de Violeta en el diario.
Sus rizos se ven despeinados. Su cuerpo destella un aura
de hielo, ese cuerpo que no supo sino de calor.

La calma no ayudó a Violeta, porque no había
calma. Esta vez no la acompañó su bendita esperanza.

¿Es que se esfumó el último bosque y yo no me
di cuenta? ¿Es que no la protegió de la intemperie? Quizás había muchos bosques, Violeta se enredó en los
laberintos y el último quedó vacío: ella no pudo llegar
en línea recta hasta él.

Nueve

—Soy una esclava de mi cuerpo, Josefa, y me detesto por eso.

—¿Crees que la solución sea el matrimonio?

Lo fue, parece.

Del diario de Violeta:

La noche en que me casé fue la primera de amor sin orgasmo; al revés de tantas mujeres que empiezan a acabar cuando ya saben que serán desposadas.

*

Al encontrarme con Eduardo, yo estaba dispuesta a recoger, como fuera, ternura sobre el hombro. A esa ternura hubiese querido aferrarme.

*

Eduardo se ha tomado mi casa, a pesar de que no fue mi intención que lo hiciese. Hoy, domingo en la noche, se ha tendido arriba de la cama con un block amarillo en las manos, sentándome a mí al frente. Me ha pedido, con un tono severo, que me pusiera los anteojos. Me dictó una lista de quehaceres que deberé realizar durante la semana. Todos domésticos, como llamar al maestro que tiene que limpiar las canaletas o hacerle la revisión anual a la estufa del pasillo. Cuando le pregunté si bromeaba, me previno que el próximo domingo chequearía mi eficiencia. Lo he tomado como un juego.

"Aquí el intelectual soy yo", me advirtió. Supongo que sólo puede haber uno para que la pareja marche.

*

Eduardo escribía en sus hojas amarillas sobre la mesa de fierro del jardín, después de almuerzo, mientras yo miraba el cielo desde mi hamaca. Lo interrumpí:

—¿Cómo sería tu paraíso? Contéstame así, sin racionalizar.

—O sea, ¿cómo me gustaría que fuera el mundo?

—El mundo ideal...

—A ver... —piensa un minuto y me devuelve la pregunta. ¿Qué arreglarías tú de este mundo?

—¿Yo? Dos cosas. El cuerpo y los pobres: ellos evitan mi paraíso.

—¿Cómo así?

—El cuerpo es el deterioro, lo perecible, lo dolorido. Y los pobres: el estigma global.

Eduardo me miró con una leve ironía y luego me despachó:

—Sólo sé de mi paraíso personal: está en mi escritura. No he pensado en el otro ni me preocupa.

*

Hemos hecho el amor; marido y mujer amantes, perfectamente legal.

Soy el eros consumado de un Eduardo excitado y ansioso. Me excito y ansío también yo. Todo se desenvuelve como corresponde y pierdo la compostura, como siempre con él, y esto lo desboca como a un caballo ciego y nuestros gritos son casi una vergüenza. Todo anduvo bien, hasta el momento posterior al orgasmo, a su orgasmo. ¡Con razón lo han llamado alguna vez la petite mort! *Acabar. Vaciarse. Descargar.* El resultado: placer, alivio, paz. Y eso lo llevó directo al sueño. Directo, he dicho. No hay intervalo. Ni un abrir de ojos para decirme que me ama o, por último, para mirarme amándo-

84

me. Nada. Se separa de mí como si nunca hubiese estado conmigo, se traslada a su propio bienestar, que es solamente suyo. Después del amor, Eduardo no comparte nada. Acaba y se duerme, ése es el ciclo. Ni un rastro de ternura, de acercamiento, de cuidado. Yo me quedo en la cama con los ojos abiertos, aún impregnada de la intimidad que acabo de vivir, y no se me ocurre otra cosa que acariciarlo. Con ternura, no con pasión. Cuando lo oigo roncar, comprendo que mis caricias están fuera de lugar. Él se ha ido en el momento mismo en que el acto terminó. Y yo quedo absolutamente sola, con el semen adentro, los olores colgando de mi cuerpo, mi amor dando vueltas por el dormitorio. Sin una mano amiga que me reafirme luego de la fusión que recién he vivido.

Una vez más he sido el depósito de Eduardo, una vez más me ha tomado y me ha dejado. Ya no le sirvo a esta hora.

Creo que la próxima vez debería cobrarle.

*

Al menos, si tengo demonios es que tengo conciencia.

*

Hoy, mientras comíamos, le he contado divertida a Eduardo el diálogo que tuve con Josefa cuando vino del estudio a tomarse un café.

Josefa: No puedo entender, Violeta, sencillamente no puedo entender que tu objetivo, en general, no sea el éxito.

Yo: ¿Qué te impresiona de eso?

Josefa: Bueno, no sé... Podrías llegar muy lejos.

Yo: Es que no me interesa llegar lejos. No de esa manera, Jose. No como yo, la arquitecta. Me gustaría que el mundo llegara lejos, ¿entiendes?

Josefa: No, no lo entiendo.

Le expliqué que sólo me interesaba hacer bien mi trabajo.

Josefa pareció incrédula: O sea, ¿no te importa, de verdad, el concepto de triunfo?

La miré, casi la conmiseración en mis ojos, y le dije que no.

Eduardo daba vueltas su tenedor en redondo. Fue entonces que dijo esa frase:

—La gran diferencia entre ustedes dos es que Josefa es una ganadora y tú una perdedora.

Lo miré entre enojada y sobresaltada:

—¡Me enferma la palabra "perdedor"! Sólo puede salir de la boca de un acomplejado o de un arribista, que viene siendo casi lo mismo, y tú no eres eso, Eduardo. Además, es el típico concepto inventado en el Chile de esta década; antes los chilenos no nos dividíamos en esas categorías.

He seguido masticando la rabia.

Tan de este tiempo hacer de los adjetivos, sustantivos, y... ¡qué horror! de los sustantivos, adjetivos.

*

Si yo fuese capaz de planear por encima y no referirme directamente, me habría dedicado a la política. Siempre me ando cavando mi propia tumba. ¡Cómo me gustaría conocer la prudencia y la mesura! (¿O la falta de transparencia?)

*

Su voz es única; es superdotada, ¡qué duda cabe! ¿A cuántas cantantes les es dado ese timbre, cuántas lo pueden lucir?

Hoy fue el esperado recital de Josefa. Es el primero al que asiste Eduardo. Teníamos los mejores asientos del teatro.

La ovación que la recibió no modificó en absoluto su postura: siempre elegantemente estática y distante su forma de pararse en los escenarios. Nadie podría sospechar que está sufriendo. Su pánico la hace parecer lejana: es parte de su sello, de lo que el público ama en ella sin percibir que esa lejanía no es sino miedo, su eterno miedo. Pero nosotros, los que sabemos, estamos tranquilos, pues una vez que parte cantando, comienza su placer, su vértigo, y nada ni nadie la detiene.

Vestía un oscuro traje de lamé, largo hasta el suelo y de corte muy sobrio (salvo un respetable escote y un tajo a partir de las rodillas). El resto, lamé y el cuerpo de Josefa, nada más. "Qué estupenda", le digo despacito a Eduardo, y él agrega: "¡Y qué sexy!" Esta vez no se dejó el pelo suelto como le gusta a Andrés; peinada hacia atrás con vehemencia, el único accesorio en todo su atuendo era una pequeña corona que le sujetaba el pelo en un perfecto trenzado (pero yo sé que por ahí debe haber un postizo, su largo de pelo no da para tanto).

No había más mobiliario que una silla. (Qué baratas deben resultar las producciones de Josefa cuando decide cantar ella sola con la guitarra. La iluminación y nada más. Le explico a Eduardo que para la televisión se hace acompañar por una orquesta y que a veces lleva un par de guitarristas en las giras. Le digo que esto no es así cuando graba, es cuando canta en vivo... Me hace callar.)

El repertorio venía escrito en el programa: en un noventa por ciento, canciones de ella. Sólo incluyó el famoso tango Malena *y el* Amanecí en tus brazos *de* Chavela Vargas. *Me sorprendió que excluyera su amada* Macorina, *a fin de cuentas es su gran hit dentro de lo que no es de su propia composición.*

Los primeros acordes de la guitarra sumergieron al público en un silencio casi sagrado. De allí surgió su canto. Vuelvo a impresionarme ante el efecto que produce esa voz sobre los que la escuchan. ¿Se transforman, se vuelan, se van al cielo? ¿Qué es exactamente lo que les ocurre?

Eduardo casi no respiró hasta el intermedio. Sólo entonces me preguntó: "¿Será de verdad la misma del verano, ésa de las alpargatas viejas y los tres chalecos desteñidos?" No supo que yo cantaba —calladamente— cada canción junto a Josefa. Es mi forma de alentarla desde lejos.

Todo fue perfecto, como siempre. Ningún tropiezo, ningún paso en falso. Por eso ent rega el programa antes, para tener todo acotado, todo bajo su control. Josefa casi no habla entre can-

ción y canción. A lo más, da su título y dice a qué álbum pertenece. En raras ocasiones cuenta cuándo o por qué la compuso. Esa parquedad ya es parte de su leyenda.

Cuando terminó el recital, los aplausos la llamaron. Reapareció en el escenario. Hizo una venia para retirarse, pero el público no se lo permitió. "¡Macorina! ¡Cántanos Macorina!" Ella dudó un momento, luego algo cambió en su expresión, tomó la guitarra y comenzó: "Ponme la mano aquí, Macorina, ponme la mano aquí..." El goce de Josefa al cantar esa canción es contagioso, uno lo va sintiendo junto a ella y —diga lo que diga— se palpa nítidamente lo que le significa esta vocación: un placer salvaje. "...tu boca una bendición de guanábana madura y era tu fina cintura la misma de aquel danzón..." Sí, Eduardo estaba embelesado. "...caliente de aquel danzón." La ovación posterior logró atraer a este hombre a la tierra.

Bueno, no puedo seguir toda la noche contando del recital, parezco una tonta fan. Es que lo soy. Y hoy he pasado a ser más importante ante los ojos de Eduardo sólo por ser la amiga de Josefa.

*

Eduardo llegó tarde esta noche. Lo esperé con la comida lista. Terminó gustoso su lasaña y saboreó despacio el vino tinto, un Tarapacá del que me he prendado y que, para mi sorpresa, él se tomó hasta la última gota.

—Todo bien —me dijo—. Todo muy bien.

—¿Ves —le dije— que después de todo no soy tan mala dueña de casa?

Eduardo: Esto no tiene nada que ver contigo ni con ser o no una buena dueña de casa.

Yo (sorprendida): ¿Cómo?

Él: Es automático.

Yo: ¿La lasaña se hizo automáticamente?

Él: La hizo la Rosa.

Yo: ¿Y quién le dijo a la Rosa que la hiciera? ¿O tú crees que una empleada funciona de un modo automático, sin que yo lo ordene?

Él: Bueno, el vino llega automáticamente en el pedido mensual. Lo vienen a dejar a la casa, incluso.

Yo: Pero, Eduardo, yo hago ese pedido mensual; si no, el vino no llegaría.

Él: Está en tu lista, es automático.

Me siento desesperadamente desdibujada.

Y para agregar pesares, entrada la noche me despertaron unas fuertes puntadas en los ovarios. Ahí estaba mi período: perfecto, cíclico, puntual...

*

Anoche llegué al orgasmo antes que él y seguí montada sobre su sexo, moviéndome frenéticamente, tan imbuida en ese frenesí que no me percaté de su eyaculación. Solamente abrí los ojos cuando lo oí reír. "Acabé", me dijo, siempre riendo. ¿Era mofa lo que vi en sus ojos?

Me desprendí de su cuerpo, un poco humillada.

*

Se me confunde mi ser doméstico con mi ser sexual y no sé cuál soy, como si estuviesen tan reñidos que no me reconozco en ambos simultáneamente. Algo debe andar mal.

*

Hablando con Josefa sobre el placer sexual: esa oleada de calor que nos copa, que nos allana, que distinguimos bien como deseo, es lo que a ella la humaniza. Y lo que a mí me destruye.

Los anticuerpos se forman sólo frente a sensaciones conocidas. Frente a las desconocidas —el desprecio en la cama, por ejemplo— no hay anticuerpos formados, no se reconoce el sentimiento, una no se escuda y el corazón no lo resiente.

Frente al deseo nunca aprendí a desprenderme, quizás por eso he sido generosa: pozo impermeable del que todavía no filtro cuánto ha caído en él.

Este estado de mi ser no me es nativo.

*

Aburrida de esperar a Eduardo, encendí el televisor. Entrevistaban a un joven dirigente político. Le preguntaron por la nostalgia. Él respondió: ¿Qué es eso? No la conozco.

Apagué la tele y supe que nunca votaría por él.

Recordé mi encuentro en el restaurante con ese antiguo dirigente estudiantil de quien fui tan amiga. Estaba yo en una mesa esperando a Josefa para acompañarla al Canal 7, donde iba a participar en un programa sobre los años sesenta. Al verlo, pensé: nadie mejor que él para darme una idea que soplarle a Josefa.

Él: ¿Los años sesenta? Sólo una cosa se puede hacer con ellos, Violeta.

Yo (ansiosa por la respuesta inteligente): ¿Cuál? ¡Dime!

Él: ¡Olvidarlos!

*

Hoy comimos con Josefa y Andrés. Era el cumpleaños de Celeste y, como Jacinta no podía faltar, fuimos los tres.

Nota al margen: Jacinta me llevó al dormitorio de Celeste a conocer su nueva disposición: cama nueva, tocador, cómoda con florcitas pintadas... Toda la parafernalia necesaria para alegrar a una niña de su edad. "¡Es preciosa, Celeste!", le dije entusiasmada, "tu madre es un ángel por habértela regalado." "No le cuesta nada", me respondió enojada, "si plata es lo único que tiene." "Eres injusta, ¿y el tiempo, el esfuerzo? ¿Eso no cuenta?" Pero terminaba yo de hablar y veo en la boca de Celeste formarse un puchero, el gesto infantil por esencia. "No nos quiere", me dice, "su único afán es deshacerse de nosotros." La senté en la cama y le di un discurso. Debo acordarme de hablar con Josefa sobre el tema, ¡malditos adolescentes!

Eduardo estuvo encantador, ingenioso y divertido. Caigo en cuenta de que uso este cuaderno sólo para las quejas y me siento muy injusta, casi tanto como Celeste. ¿Por qué será que nunca necesito escribir cuando estoy contenta? En el momento en que encendíamos las velas de la torta en la cocina, Josefa me preguntó cómo iban las cosas en mi nuevo matrimonio. "Son los ajustes", le expliqué, "los famosos ajustes; ¿cuánto crees tú que tarda una pareja en limarlos?" "La vida entera, Violeta", me contestó.

*

Llamé a Josefa para comentarle lo de Celeste. El episodio terminó en que llegó Celeste hoy, perfectamente alegre, diciéndole a su madre: "Violeta es divertida, mamá. A los hombres los trata con el cariño, a las mujeres con la cabeza." Josefa le respondió: "Será alguna sabiduría de las de Violeta, tratar a cada uno con lo que más le hace falta."

Bien por ella, bien por mí.

*

Eduardo es, como todo hombre que se precie de serlo, un total egocéntrico.

¿Me habré convertido en una de esas neuróticas del amor adictivo?

Lo que me vuelve loca es que no me escuche. Cada noche yo podría escribir aquí una pequeña pieza de tres actos, demostrando tres situaciones diarias en que no soy oída por él. ¿Qué le pasa? ¿Es que le aburre contestar? ¿Es que no tiene tiempo interno para mí? ¿Es que sencillamente su yo lo repleta todo?

Me va a dar cáncer. Generaré un cáncer de pura desesperación por no ser escuchada.

*

¿Por qué pienso en penetrar y no en envolver? El pene penetra, la vagina envuelve.

*

Recuerdo a la Agustina, esa pobladora que recogí porque el marido la había golpeado. Trabajaba en las ollas comunes de la población. Esa primera noche, contándome de su vida, me dijo: *"Él me ocupó anoche, compañera, y así y todo se atrevió a pegarme después."*

Eduardo ronca, me he levantado en puntillas a la galería, presa de la angustia. Ha vuelto a suceder esta noche lo de la casa del molino. ¿Cómo tendría que nombrarlo? De un momento a otro se transformó y se volvió un ser brutal. Me opuse y me opuse hasta la inutilidad, hasta que asquerosamente me entregué. Es su faceta obscena la que más me confunde, más me daña. Sin embargo, es la que termina por ganar.

La Agustina y yo somos lo mismo: la mujer depósito. Todo lo líquido se deposita en nosotras, el semen y el sudor. ¿Serán líquidas las penas? Deben serlo, como el agua del feto, como la sangre, como las lágrimas.

Esta noche he sido ocupada por mi marido.

*

Decidí enfrentar el tema de su sed. Prefiero llamarla así, quisiera embellecer lo canalla.

Todavía era temprano y el bar estaba casi vacío. Escuchando una música new-age, le pregunto cuál será el público del lugar. "Ciertamente no son los parroquianos de los barrios de las orillas, ni los oficinistas del centro de la ciudad", me responde hosco. "Puta burguesía", agrega, "el bar pasa a llamarse pub y cambian los boleros por Vangelis. Ponen maní junto al whisky, hablan inglés en la mesa de la esquina. Ya no existen esos bares donde veníamos a emborracharnos cuando llegué a vivir a Santiago. Ya no queda ni siquiera el vino en jarro, solamente tragos sofisticados. Esto no parece mi país." Lo miro, cómplice, y me arrimo a su recuerdo de un país que ambos quisimos y que nos han transformado sin nuestra venia.

El bar Los Tres Mosqueteros, me cuenta. Era enorme y oscuro, las mesas se perdían en la opacidad. Un largo tubo de bronce reluciente al pie de la barra. Bajo los arcos de la sala, las maletas de los vendedores de libros puerta a puerta. El sonido de los dados batidos en cubiletes de cuero. Había hombres,

sólo *hombres. Una vieja radio y la voz de Lucho Barrios.*
"La cerveza y el vino compartían ese reino", me dice con la
mirada lejana, y agrega: "Yo sospechaba lazos invisibles entre
esos seres que no hablaban entre sí; fue entonces, Violeta, que
sentí la solidaridad tácita entre los que han optado, a pesar de
sí mismos, por la profundidad del alcohol."

Pidió el segundo gin con gin.

"La soledad es devastadora", me dice, "y esta noche
amenaza con ser eterna; mis perdiciones son tantas, y tú lo
sabes, no me juzgues por un trago de más o de menos." "¿De
qué soledad hablas, Eduardo, si yo estoy aquí?" Me mira sin
comprender y entiendo que existen viajes en los que no lo acom-
paño y el remordimiento me acomete y el amor me trepa por
el cuerpo y me duele. Pido un gin con gin para mí. Y a poco
andar, otro. Estoy con él, en su piel. Me acoge como a uno de
los suyos. Y me dice: "Necesitarás el gin, Violeta, sólo cuando
tu lucidez se acerque a lo metafísico, sólo cuando dejes de es-
tar atenta a este pedazo de vida en este pedazo de mundo tan
real, cuando tu inteligencia no pueda ignorar el pesimismo.
Entonces te daré la bienvenida entre los nuestros."

Pensé que el gin estaba en su sangre aun antes de beberlo.

"Te odio por tu fortaleza", fue lo último que me dijo,
"y te amo por eso. Es raro que los dioses no hayan logrado
nublarte los ojos."

*

Creo que, después de la noche del pub, *he empezado*
a vivir en la demencia. No tengo otra forma de vivir con él.
Quizás es muy alto el precio que estoy pagando por una pró-
xima maternidad. ¿Cómo saberlo?

Diez

Nosotras, las otras, sabemos de qué habló Violeta cuando nombró los refugios. Estuvimos ahí para el rompimiento del primero.

Tales refugios no habrían sido posibles sin un elemento ordenador: el amor de Violeta por el arte. La pintura de Gonzalo, la música de Josefa, la escritura de Eduardo. La musa-madre. Ella pudo pintar, pero gastó sus ojos en los planos que dibujaba en esa oficina italiana para cuidar la pintura de Gonzalo. Nació con la música en los oídos, pero le hizo siempre la segunda voz a Josefa. Las palabras le brotaron como borbotones en la cuna misma. Le brotaron, pero no optó por ellas.

Fue arquitecta. Como decía Josefa, Violeta deduce las casas de la gente. Y sostenía que los espacios condensan todo lo que les sucede a las personas. En ellos intervenía. Más tarde quiso ir más lejos, pensando en los espacios colectivos, y estudió el desarrollo urbano. Llegó a idear bellos proyectos que pudo desarrollar a través de organizaciones no gubernamentales. Pero para ello debió esperar.

Porque amaba a Gonzalo.

Porque estuvo ocupada todos esos años en Europa, ejerciendo de proveedora, trabajando para la pintura de su marido, siendo su más rigurosa crítica y actuando como *manager* en la venta y la exposición de sus cuadros.

Viajaron mucho, miraron aceitándose los ojos, compartieron mil anhelos. Violeta no tenía tiempo para contestarse las interrogantes de la vida, pues debía tener la respuesta pronta para Gonzalo, cuyas propias preguntas lo hacían desfallecer. Cualquier estructura débil en el interior de Violeta se fortalecía para evitarle a él su propia debilidad, para seguir mirándose en el profundo reflejo que uno le daba al otro.

Violeta, Gonzalo y el reflejo.

Gonzalo actuaba como caja de resonancia de amor y orfandad, de abrigo y desaliento. Eran tan fuertes sus sentimientos que ella se veía obligada a sentirlos también. Y se acostumbró a *sentir* en la imagen de Gonzalo. (Josefa le dice más tarde: "Igual lo habrías dejado, a la larga esos niveles de dependencia mutua asfixian.")

Yo lo miraba a los ojos, escribe Violeta, *encontraba su desamparo, se encontraba éste con el mío, y nos íbamos ambos en él; nos montábamos en su grupa, galopábamos, cruzábamos el mundo ahí arriba y volvíamos exhaustos, muertos de desamparo los dos.*

Nació Jacinta.

Algo cambió.

Una vez por semana, de noche, Violeta tomaba el pelo de Gonzalo y se lo trenzaba, largos y pacientes sus dedos curvando mechones claros, uno sobre otro. Ahora la niña lloraba, debía atenderla, y aquel gesto se interrumpía.

Violeta no daba la bienvenida a los cambios entre ellos dos, ella que amó siempre el cambio. No los acogía, pues sospechaba que si las leyes del juego se transformaban, los espejos en que Gonzalo y ella se miraban —a sí mismos, al otro— se romperían.

—Podríamos volver —dijo Violeta un día— a lo nuestro... a América Latina.

Nuestra América: la reina de las naciones.

Convenció a Gonzalo, le habló de las raíces y del otro color. Ella albergaba más de una intención frente a ese viaje. Mandaron a Jacinta donde sus abuelos y cruzaron el Atlántico. Comenzaron a descender por México, y en cada ciudad Violeta dejó su corazón. Bolivia era la última escala, la antesala de Chile.

El primer recuerdo horadante en Violeta es el de la nada haciéndose carne. Un par de incautos extranjeros, totalmente europeizados, llegando a Santa Cruz de la Sierra en el día del Carnaval.

Ya en el hotel tuvieron un anticipo de la potencia de la soledad que los embargaría más tarde. Luego del desayuno, los empleados empezaron a retirarse. Se despedían de la patrona con aire de triunfo: la libertad del feriado se leía en sus semblantes.

El avión de Violeta y Gonzalo había aterrizado esa mañana a las siete proveniente de La Paz. Caminando hacia el hotel, a dos cuadras de la plaza principal, la piel los hizo comprender que habían llegado al trópico. El pelo de Violeta transpirando bajo el sombrero de paja, la ropa de algodón ciñéndose al cuerpo, las manos mojadas de sudor. Y la ciudad desierta. "No me sorprende", dijo Gonzalo, "después de todo, es domingo." A las ocho de la mañana, cuando ya instalados en el Hotel Italia tomaban un café, la morena que los servía, con gran encanto, les anunció la jornada que se les avecinaba: Carnaval.

Cuando llegó el momento de recorrer la ciudad, salieron a gozar de los árboles centenarios que rodeaban la gran plaza, con ese verde pródigo que sólo la selva —o su cercanía— regala. Hasta que comprendieron, a poco andar, que eran los únicos con semejante ocurrencia ese día. Hasta que respirar los comenzó a ahogar.

Nadie en las calles. Las veredas vacías. Las tiendas y los restaurantes herméticamente cerrados. Y los grupos carnavaleros —las comparsas— haciendo sonar sus trompetas y tambores, caminando con un extraño ritmo, entre el baile y el andar cansado. En torno a ellos, muchachos pintados y embarrados, con bolsas llenas de agua, de pintura, de desechos. Su tarea parecía ser la de asaltar al caminante. Desde una galería de la plaza —galerías de portales, antiguo y bello el trópico colonial— Violeta trató de cruzar la calle y sintió un fuerte golpe en el costado derecho. No entendió de qué se trataba. La invadió un frío extraño y sintió un punzante dolor en las costillas. Gritó por Gonzalo. Él había arrancado a tiempo y se agazapaba tras un portal. Cuando se vio a salvo, corrió hacia Violeta. Su mirada encerraba una ira impotente, mientras recogía a los pies de su esposa una bolsa plástica en cuyo interior barroso se escondían palos con agudas puntas en sus extremos.

Eran las doce del día de un domingo extranjero y extraño. Solos, mojados y adoloridos, no encontrarían ningún aliado en las calles.

Gonzalo tomó el brazo de su mujer con decisión y se dirigieron al hotel, caminando a saltos, mirando para todos lados, buscando una vía libre. Violeta tenía hambre —se habían levantado al alba para tomar el avión— y no pensaba más que en comer. Pero él no admitió discusión: había que desaparecer. Alcanzaron el hotel corriendo, escondiéndose cuando la música les anunciaba una comparsa. El sol ardía. Abandonando la plaza, no hubo más techos ni sombras. Sólo ese sol sin cobertizo alguno.

También el hotel estaba vacío. El comedor, cerrado. En el mesón dieron con un muchacho de aspecto un poco oligofrénico cuya única capacidad aparente consistía en entregar las llaves de la habitación. Y la vaga información, quizás inventada ante el apremio, de que a alguna hora era posible que abrieran el Pamplona, un restaurante ubicado frente al hotel. Su puerta daba a la ventana de Violeta y Gonzalo.

Nada para comer.

Tomó el libro de Jack Kerouac que en ese momento leía. De tanto en tanto se asomaba a la ventana con la esperanza de ver aquella puerta abierta. Avanzada la media tarde, sus ojos se habían fijado allí compulsivamente, como si de pronto una llave mágica pudiera abrir esa puerta. El hambre se desataba a medida que pasaban las horas y se hacía más nítida la imposibilidad de satisfacerla. Los ojos de Violeta se cansaron de tanto clavarse en el Pamplona de Santa Cruz. Detrás, los tambores y las trompetas envenenando el aire, ese sonido cansado, gastado, aterrador en su monotonía.

—Violeta, quisiera hablarte de un par de cosas que he estado pensando —Gonzalo interrumpió desde su cama el silencio inmaculado del dormitorio.

—¿Sobre qué tema? —preguntó, sorprendida de que le dirigieran la palabra cuando su mente no estaba ahí.

—Sobre mi pintura. Sobre el tema de América Latina y de Europa y nosotros dos...

Violeta lo miró sin disimular su malestar. Reprimió la brusquedad con que espontáneamente le habría respondido.

—No, Gonzalo, tengo demasiada hambre para conversar... Por favor, dejémoslo para después.

Continuaban desfilando las comparsas bajo la ventana. Cada vez más pobres, con disfraces más desencajados, más sucios, más caóticos, más agotados. Y el aire en la habitación, cada vez más denso. El ventilador era insuficiente y ningún libro parecía capaz de distraer a Violeta de su cansancio enervado.

A las cinco de la tarde Violeta decidió salir. Tenía que encontrar algo para comer. Gonzalo, furioso, prefería el hambre a ese miedo oscuro y ambiguo, ese miedo maquillado de fiesta. Salieron. El sol caía sobre ellos, ese sol del oriente boliviano que opacaba una ciudad ya harta en su propio festejo. Violeta pensó en Graham Greene, en Malcolm Lowry. Las palmeras latinoamericanas, en su alucinación, se le confundían con las de Yakarta, las de Vietnam. El polvo, con ése de los pueblos mexicanos en el Día de los Muertos. La misma inquietud de no saber cuál es ni dónde está el límite.

Y de súbito, la lluvia.

El agua de carnaval.

Y el cuerpo empapado de Violeta no distinguía ya entre el sudor, las comparsas y el cielo.

Al fin, vio a lo lejos un pequeño almacén con su puerta abierta. Corrió hacia él. Un grupo la persiguió. La ensuciaron con el barro, volvieron a mojarla, algo le golpeó la espalda otra vez. No importaba nada: había alimento en un mesón. Era queso de cabra. También unas galleta de chuño, duras, añejas, de color pardo. Y cerveza. Violeta empatizó con esta mujer que se lo ofrecía, como una niña pequeña con su madre cuando la ha despertado de una pesadilla. Gonzalo, con la cara negra de pintura y adolorido por algún golpe, miraba como enajenado desde la distancia con que un loco puede mirar su propio manicomio. Violeta armó un paquete con la escasa comida y emprendió la aventura de regresar al hotel con su tesoro. Volvió a cruzarse con sus enemigos y empezaron a serle invisibles. Cientos de ojos vidriosos, cerebros escindidos por el alcohol, la coca y la música enferma avanzaban. La danza maldita, continuando como a pesar de sí. Se acercaba la noche y el agua que tiraban traía ahora piedras: deshechos los miembros de las comparsas, deshechos Violeta y Gonzalo, y esos tambores en sus oídos operando como un mal presagio.

Violeta extendió su desesperación y el mal a la ciudad entera, a todo ese pueblo. Un continente de males incurables, pensó, toda nuestra miseria hecha carne en estas calles y en estos seres embobados en su demencia.

Con las percusiones ya no en sus oídos sino en la mente, llegaron al hotel cayendo el sol. Empapados, lodo y suciedad pegados al cuerpo, al pelo, a la cabeza entera, a la fatiga inmensa, subieron a la pieza por los pasillos desiertos y allí, abriendo el paquete con las manos sucias, Violeta tragó queso y más queso y volvió a tragar. De un golpe le arrancó la tapa a la cerveza, dejando que el líquido la atravesara mientras los ojos de Gonzalo no se despegaban de ella. Gonzalo no comía.

Ella se tiró con todo su asco y su desolación encima de la cama. Fue entonces cuando él pronunció su nombre, como entre tinieblas.

—Violeta.

No lo miró, expectante. Había en ese tono una severidad que la alarmaba.

—¿Sí?

—Tengo algo que decirte.

—¿Ahora? —preguntó incrédula.

—Sí. Ahora y de una vez.

—...

—Me vuelvo a Europa.

—¿Cómo?

—Voy a dejarte.

Once

La nostalgia de tierras heridas y presentidas: Violeta respiró así su vuelta a Chile.

"Patria celeste", murmuró.

—Ahora empieza mi propia vida. Siempre supe que la historia de la mujer existe en la medida en que ella se cuela en la historia de los hombres. Si no lo hace, queda en el olvido. Y no pienso resignarme.

Eso fue lo que me dijo.

Y puso manos a la obra. Partió por lo más básico: una casa para Jacinta y para ella. Le pidió a su padre que le entregara la herencia de su madre.

—Las librerías son tuyas, papá, y tienes varios hijos a quienes no les corresponde el dinero de Cayetana. Lo quiero para mí: su heredera soy yo.

—Tendría que liquidar parte de mi capital... capital que también será tuyo en el futuro.

—No estoy interesada en el futuro. Las cosas son difíciles en Chile, papá, y voy a tener que estar muy atenta para que este sistema no me trague. Quiero hacerlo bien. Lo siento por ti, pero tendrás que liquidar alguno de tus bienes y darme lo que es mío.

Con el dinero en la mano —y con la sorpresa del padre, después de tantos años, ante una hija tan asertiva—, Violeta se abocó a la búsqueda de una casa.

En esos días me acompañó donde una costurera que vivía en los barrios periféricos. Divisamos, desde lejos, una escena que nos suena conocida, escena del barrio alto. Casa perfecta, pero en miniatura; antejardín, pero chiquito; balcón con flores, el perro al lado de los niños. Están bien vestidos, se ven tan impecables como la casa. A la distancia, la presencia de la mujer, los colores de la ropa infantil, todo resuena como el modelo requerido.

—Yo no recordaba así La Florida —me dice Violeta desconcertada ante el nuevo aspecto de ese sector de Santiago.

La visión va cambiando a medida que nos acercamos. La casa ya no es tan blanca, su pintura está descascarada. La mujer, que parecía lucir un buen corte en su pelo, lo tiene dañado y sus senos están muy caídos. El acrílico, no el algodón que semejaba ser, le da una nota estática a la ropa de los niños. El perro es un vulgar quiltro.

—Ésta es la parodia del barrio alto —digo—. Para ser imitada desde la miseria, imitan bien.

Violeta me mira angustiada.

—¿Y la identidad, Josefa? ¿Quiénes somos, después de todo?

Inquieta ante una ciudad cuya fisonomía apenas reconoce, vuelve a Ñuñoa, el barrio de su infancia.

Desde la Plaza Nuñoa caminó y buscó y averiguó. Hasta que dio con la casa de la calle Gerona, a tres cuadras de la antigua casa de Cayetana. Parrones, una palmera, dos aromos donde colgó la hamaca, molduras en los techos, mampara de pino oregón, vidrios biselados y su galería con los mil rectángulos de sol.

—¿Será lo adecuado? —no pude dejar de preguntar al ver las dimensiones.

—Nunca un metro cuadrado es inútil, nunca. Pregúntamelo a mí, después de mis ocho años en Via del Pavone. Los pobres europeos se mueren de sofoco en la avaricia de sus espacios.

—¿No pasarás miedo en esta casa tan grande, tú sola con una niña?

—Traje el revólver de mi papá.

—¡Violeta! No son los tiempos más adecuados para tener armas en la casa. ¿No será un desatino?

—Puede ser. Pero está inscrito a nombre de Tadeo, todo en orden, no te preocupes.

—¿Y sabes dispararlo?

—Perfecto —se rió—, acuérdate de que soy nieta de un mariscal.

Llenó su casa de música, de cuadros, de libros y de alfombras. Eran su único capital, no necesitaba más.

—Te pierdes muchas cosas —le dije un día.

—Ésa es mi libertad —me contestó—, dejarlas pasar... Tiene que ver con un cierto modo de mirar el mundo.

Había gestos de Violeta que me sorprendían por su contraste conmigo. Ella misma se cortaba el pelo, entresacándose rizos cerca del cuello, sin mirarse al espejo, sin ir nunca a una peluquería. Su odio por los muebles modulares, por los restaurantes de moda, por las revistas femeninas, por los centros comerciales, por las reproducciones, me hacía aparecer mundana sin serlo de veras.

(La primera vez que visitó mi casa tras su vuelta a Chile, me dijo directamente: "Es preciosa, Josefa, pero tienes que volar de aquí esas reproducciones. Son pretenciosas y vulgares." "¿Por qué?", le pregunté. "Si fueran afiches, solos en un bastidor, sin vidrio, respetando su sentido de anuncio, vale. Pero darle carácter de cuadro a una simple reproducción, no." "Exageras", le dije. "No, no exagero, lo único que merece ser colgado en una pared es un original." "Pero Violeta", reclamé, "no tengo plata todavía para comprarlos." "Entonces deja el blanco, es siempre más respetable. Y si no, tienes varias alternativas: una bonita fotografía, un género entretenido o un dibujo de los niños. No hay trazo infantil que no sea bello.")

Envidiaba su falta de interés en la ropa —claro, si con cualquier cosa se veía bien—, sus eternas faldas largas y sus botas: nunca un traje a medida, nunca un dos piezas, nunca un taco alto, nunca una mini en invierno. Violeta y yo habíamos sido siempre modestas para vestirnos. Nuestras familias no tuvieron dinero para lujos y así nos educaron. En ese estilo continuamos de grandes. Hasta que mi trabajo me obligó. El día en que compré mi primera prenda de quinientos dólares, se lo conté a Violeta. Era una chaqueta blanca, acolchada, hecha de muchas telas diversas: blancas, cremas, perlas, marfiles, un *patchwork* en rasos, brocados y satines. Ella tocaba la chaqueta, sorprendida, mientras se la probaba frente al espejo: ¡tanto dinero para algo que sólo se pone sobre el cuerpo! Cuando tuve el primer vestido de mil dólares, también se lo conté. Pero el día en que vio las lentejuelas para mi recital en San Francisco, no me preguntó el precio. Nuestra lenta diferenciación ya se había marcado.

Las preocupaciones de Violeta al volver fueron perfectamente definidas: el Chile de esos años, que le desgarraba el corazón, y el arte como cotidianeidad. Su sensación de protagonismo era intensa, algo que nunca sintió en Europa. Para defenderse de las calles peligrosas, adornó el interior. No encontró una forma más eficaz que el afecto, apostando a él como la única manifestación de arte posible.

—¿Por qué el afecto como forma de arte? —pregunté yo, la pragmática.

—¿Por qué el sicoanálisis como manifestación de amor? Por ahí va la idea —me respondió.

Pensé que leía en exceso a Julia Kristeva y no le discutí.

Todo lo de Violeta parecía ser romántico o patriótico.

Yo la miraba inquieta: el arte, los guetos, los amigos, el delirio, las energías divididas y despilfarradas en una especie de diletantismo. "Al fin, no hay arte sino en lo cotidiano", dijo, y puso toda su pasión al servicio del día a día. La casa de la calle Gerona floreció, las veladas allí eran un refugio para los suyos. Violeta como una reina, compartiéndolo todo, escuchando, concentrándose en cada otro como si fuese ella misma. Atiende a cada llamado. Sus oídos para todas las voces, desangrando su atención para responder a las diversas expectativas. Nadie le pregunta por ella misma. Violeta sin tiempo propio, dadivosa, regalándolo. ¿Hasta el momento en que quede vacía?, me pregunté un día en silencio. La mejor música uno la encontraba allí, escuchando a los *new-age* cuando aún nadie lo hacía, hablando de libros que todavía no llegaban al país, asistiendo a las funciones de cine-arte, tomando el café en cafetera de verdad. ("Tres cosas me han impresionado muy negativamente de este país al volver", dijo, "el Nescafé, la ausencia de calefacción central y el machismo, y en ese orden.")

Tanta vida dentro de ella. ¿Para qué la andaba prestando?

Ir al cine con Violeta era la mejor forma de conocerla. Daba casi bochorno su vitalidad frente a la pantalla, como un niño creyéndolo todo, asustándose, sufriendo, como si fuera real de principio a fin. Le dolía físicamente el cuerpo después de una película difícil o angustiante. Pues bien, así era Violeta en todo.

Fue su tiempo de máxima belleza exterior: su cuerpo y su casa como soportes. El disfraz, los colores de su ropa, la sensualidad, la vivificaban a ella y a su entorno.

(Ese domingo en la mañana la pasé a buscar, esperando verla en sus eternos bluyines dominicales. No, me explica. Debe aprovechar todo gesto para usurparle a la rutina el diario vivir. Ese domingo de mañana soleada deja de lado sus bluyines y abre su clóset, extrayendo y combinando ropas, negros con azul petróleo, se amarra un hermoso pañuelo entre rizo y rizo, rodea su cuello con un collar africano que guarda para las grandes ocasiones. "¿Y cuáles son estas ocasiones?", se pregunta de súbito, sorprendida por sus propias reglas. "Ninguna", se responde, "un domingo cualquiera de sol invernal que puede irse de las manos, y habrá menos tiempo cuando el domingo termine." Adornar el tiempo para que no se vaya tan rápido, se dice Violeta probando nuevos olores entre sus aceites orientales. Se mira en el espejo acariciando la plata y el cuero africano y vuelve a pensar en las grandes ocasiones. "Si no es ahora", me dice, "¿cuándo?")

Ser amiga de Violeta entonces era un don. Sus cariños parecían amplificados, honrados, bendecidos, poéticos. Yo misma me sentía una privilegiada, siempre importante ante sus ojos. Si uno le traspasaba una simple historia personal, de esas tontas historias importantes, en sus manos ésta quedaba libre de la trivialidad.

Pero Violeta se dispersaba y la energía se le iba en esos gestos. Nada que amalgamar. Era una vida bella pero desquiciada. Violeta, la seducción y su particular estilo: no, no era una coqueta. Sin embargo, resultaba terriblemente seductora. Los amantes la rodeaban y ella parecía quererlos a todos, todos le cabían, y al cansarse de ellos los despachaba con la ligereza de una pluma. Vivía al filo, con el riesgo como permanente opción.

Aquella escena en la hamaca: fue un verano en la casa del molino. Violeta jugaba con palitos de fósforos, tendida entre los dos castaños. Los alineaba sobre la cubierta de un block de dibujo que sujetaba en su falda, formando una larga hilera.

—¿Qué haces?

—Estoy en medio de una sesión de contabilidad —me contestó risueña.

—¿Cuentas palitos de fósforos?

—No. Hombres. Cada fósforo es un hombre con el que he hecho el amor. Estoy concentrada haciendo la lista, no quiero dejar a ninguno fuera.

—¿No te parece que ya son muchos?

Me miró:

—No, ¿por qué? Más bien me enorgullece.

Por pudor no quise contar y desvié la mirada. Pero serían, hasta ese momento, al menos veinticinco.

Más tarde, durante mi caminata diaria hacia los cerros, aparte de constatar que su visión de *pecado* y la mía eran muy distintas, pensé en los amores de Violeta: por muchos que fueran, nunca parecieron accidentales sino plenos, tiernos, comprometidos y deseados. Violeta y la vulnerabilidad. A los ojos de ella, probablemente, yo vivía una mesura vulgar. Y a los míos, ella ha vivido en la sistemática falta de cálculo. Bueno, no es raro, me dije, Violeta no conoce la palabra cálculo.

—Estoy llenándome de lugares comunes en este país: tragándolos, aspirándolos. ¿Qué podemos hacer, Josefa?

—Elige. Heroica o prudente, querida. Ambas cosas no pueden ir juntas.

—La cuestión es no perder la confianza en el mundo que nos rodea. No debemos perderla, por nada.

—Yo ya la perdí —le respondo.

—Tú no eres un ejemplo, Jose, tú ya claudicaste.

—No he claudicado, Viola. Sólo he olvidado.

Violeta se niega a conocer la opacidad del olvido.

Estacionamos el auto en Providencia, vamos a la librería con la lista que ella ha confeccionado sobre lo que no puedo dejar de leer. Figuran autores tan disímiles como Mishima, Carlos Fuentes y Christa Wolf. Sé que los encontraré, si algo le admiro al tío Tadeo es su capacidad de mantenerse al día.

Antes de cruzar la ancha avenida vemos un grupo de gente que se ha aglomerado, formando una pequeña multitud.

—¿Qué pasa? —le pregunto.

—No sé, veamos.

Nos acercamos. Al centro del tumulto se encuentra una muchacha, bonita y bien vestida, protegida por varias señoras las que tienen tiempo para pasear por Providencia un día cualquiera en la mañana bien arregladas y buenasmozas. Un hombre, probablemente el marido de una de ellas, sujeta a un chiquillo con franca violencia, casi desgarrando esos escuálidos brazos morenos. No tiene más de catorce años y está apenas vestido, si ropa pudiera llamarse a esos jirones que lo cubren. Nos explican que ha tratado de robarle la cartera a la muchacha, la bonita, y que han llamado a los carabineros para entregarlo. Pero el chiquillo grita que él no ha hecho nada, que no pretendía hacer nada, que no es un ladrón. Violeta le mira bien los ojos y no sé qué ve, pero la cólera la acomete y enfrenta al señor que lo apresa.

—¿A usted le consta que él iba a robar?

El señor se desconcierta. ¿Era posible que alguien con el aspecto de Violeta pudiese abogar por esta especie indefendible?

—No, no me consta, pero si ella lo dice...

—¿Alguien lo vio? —pregunta Violeta a gritos mientras yo me escondo, respiro profundo entrando el estómago; quisiera desaparecer detrás del grupo, esquivar todo este bochorno. No me importan ni el *pelusa*, ni el robo, ni la joven. Mi única preocupación es pasar inadvertida. Escucho el griterío de las señoras y cómo Violeta las increpa de vuelta. La veo arrancar al chiquillo, sin violencia pero con firmeza, de manos del señor, que ya no parece tan decidido, y caminar airosa entre el gentío llevándolo por los hombros con cuidado, casi con ternura. La mirada desafiante de Violeta mientras camina con el niño, esa mirada digna y segura, no es nueva, la conozco bien.

—Los pobres están desquiciados por su propia pobreza —fue toda la explicación que me dio.

He visto más de una vez esa mirada. La primera fue cuando tomó la mano de Marcelina en el pasillo de la iglesia del colegio, apretándosela, avanzando altanera, gritando con los ojos: ¡veamos si alguien se atreve a humillarla!

Era la ceremonia de la confirmación. Cada una de nosotras debía elegir una madrina. Nunca entendí qué sentido podía tener ese sacramento, salvo lo que me atrajo entonces: la madrina. No la del nacimiento, en cuya elección no se intervenía, sino una activamente escogida.

Marcelina Cabezas era una mujer del sur, mapuche, que había cuidado a Violeta desde su nacimiento. Cuando se trató de escoger una madrina, le pareció evidente: Cayetana era ya su madre, la abuela Carlota su madrina de nacimiento, ¿qué otra mujer, sino Marcelina, merecía tal distingo?

Todas las compañeras llegaron ese domingo al colegio de punta en blanco, de la mano de sus albas madrinas: tías, hermanas mayores, abuelas. Nadie dejó de volver la cabeza cuando Violeta se presentó con Marcelina.

Vestida con su mejor atuendo, toda de gasa celeste, con su pelo azabache orgulloso en su tiesura, Marcelina Cabezas entró a la iglesia tomando la mano de su niña, pero su caminar estoico pareció derrumbarse con las miradas que le dirigieron, marcándola, punzándola, apartándola, quitándole este derecho que la había honrado tanto. Violeta enrojeció; de furia, me diría más tarde. Le apretó la mano a Marcelina, no se separó un centímetro de su lado durante toda la ceremonia y se quedó al chocolate caliente con galletas, sola con su madrina, sin una compañera aparte de mí que se le acercase en el vasto refectorio. Cuando ambas hubieron bebido sus tazas, Violeta tomó otra vez a Marcelina de la mano y cruzaron juntas el enorme comedor, entre la espesura de ojos y murmullos.

"¿Sabes, Josefa?", fue el único comentario posterior de Violeta, "si algún sentido tiene haber nacido en esta parte del mundo, es evitar la humillación de la otra parte, que es harto más numerosa. Mientras yo exista, nunca una Marcelina se sentirá desprotegida. Lo juro por mi vida."

No dijo nada más.

(Muchos años después, el siquiatra que la atendía interpretó que su salvación ante tantas pérdidas había descansado únicamente sobre los hombros de Marcelina. Violeta sabía lo que era haber sido resguardada por su cariño y no le pareció raro que el asilo le fuese dado por la misma persona que le enseñó los elementos más básicos: el lenguaje, sus primeras palabras, sus primeros cuentos, su primera mirada al mundo. En las historias de Marcelina, en la explicación de su tierra y sus antepasados, en su tradición oral, Violeta aprendió de los espíritus tutelares. Y eso fue un arma que la ayudaría a resistir lo que iba a tocarle en sus próximas vidas.)

Me dice después, en la casa del molino:

—Era tan linda la revolución. Estaba tan a mano...
Además, participaba el que lo quisiera. ¡Su gran capital
es que cualquiera podía llegar a ser héroe! Y todos podían,
a través de ella, ser personas, hasta los más pobres. Hoy,
para ser *alguien*, el héroe debe empezar por el dinero, ése
es el único capital que vale. El requisito *sine qua non*.

Más tarde escribió con esos dedos siempre llenos
de tinta:

*La revolución / la gran hembra: lo llenó todo, dio todas
las respuestas. Era total.*

*

*Sin una dimensión utópica, lo efímero me envuelve,
me atrapa y me dice que la vida es apenas esto: lo que veo
y lo que toco. Nada más.*
¿Es todavía posible la utopía?

Los avaros años ochenta, los llamó.

Me trajeron un té de manzanas de regalo desde
Turquía. Invité a Violeta a compartirlo. Me acompaña
a la cocina y mientras hiervo el agua, saco las tazas del
aparador. He dispuesto la bandeja con el azucarero cuando mis ojos se fijan en la gruesa cerámica blanca de las
tazas, atravesada por algunas grietas incipientes. El amarillo rojizo de la manzana se me dispara frente a la vulgaridad de esa loza.

—Ven, Violeta, acompáñame.

—¿Dónde? Pero si íbamos a probar este té.

—No, no en estas tazas... Ven, vamos.

Nos subimos al auto. En diez minutos estamos
en los grandes almacenes y Violeta me mira atónita
mientras pido que me muestren un juego de porcelana.

—¿No te parece un poco exagerado? me pregunta.

—No, no hay exageración en la búsqueda de lo bello. Tú eres la primera en afirmarlo.

Pero no de esta manera, nunca he querido decir esto.

—No importa. Todo debe ser *perfecto*.

Llevábamos las décadas grabadas a fuego sobre la piel, como el ganado. Repitió: esos avaros ochenta. El reventón de la avaricia, los llamé yo más tarde, cuando los noventa me dieron la perspectiva.

Ella se mecía en la hamaca entre los dos aromos, recogía las bolitas amarillas de su pelo en el invierno, mientras yo subía peldaños y peldaños en la escala del éxito, me forraba de gasa para los estelares, acumulaba cuentas de ahorro —tanto dinero ganado en los ochenta— mientras cantaba y dejaba mi alma para poder hacerlo, recibiendo aplausos de gira en gira, firmando contratos con la televisión, grabando nuevos discos. Pero en los teatros cantaba a Joan Baez. Para no entregarme, me decía, y me entregaba igual, con la fantasía de que no había claudicado del todo.

Dementes, exitosos y complicados los ochenta para mí.

También vivíamos tontas escenas cotidianas.

Andrés y yo nos arreglábamos en nuestro dormitorio para asistir a un matrimonio, y Violeta, tendida en mi cama, hojeaba una revista.

—Dime, Violeta, ¿qué ropa te pones cuando vas a un matrimonio? —le pregunta Andrés mientras se echa agua de colonia.

—No tengo ropa *ad hoc* porque no voy a matrimonios —responde distraída.

—¿No te invitan o no vas?

—No, nadie me invita.

—Pero qué raro, Violeta. ¿Por qué?

—Porque no existen a mi alrededor. Nadie se casa. Ni mis amigos ni sus hijos.

—¿Y qué hacen, entonces?

—No sé, no lo había pensado.

Andrés se rió. Yo recordé a Violeta diciéndome pocos días atrás: "Mis necesidades sociales disminuyen a medida que las tuyas aumentan. Créeme, Josefa, las mías son cada vez más mínimas."

Y mientras Violeta luchaba por la humanidad de las viviendas populares y se embarraba los pies y comprendía el engorroso proceso del subsidio habitacional, aumentaba en mí la pasión por cantar. Era casi mi única pasión, y mi médico me empastillaba para que no sucumbiera ante el pánico de escena, y los sólidos brazos de Andrés me protegían. ¿A qué distancia estábamos? Lo que más sufrió ella de la modernización fue el sentimiento de pérdida de raigambre.

La famosa modernidad no nos hizo bien ni a Violeta ni a mí. A ella, por marginarla. A mí, por devorarme.

A veces pensé que ella pertenecía a una especie extinguida.

Y como siempre que Violeta hablaba del pasado lo hacía de manera inspirada, yo me colaba en esa inspiración. Y sabía que una sola cosa nos salvaba de perdernos: la casa del molino. Fue el único vínculo suficientemente sólido. Violeta y ese lugar innombrado eran casi una misma cosa. El espíritu de uno y otra convergían, la descripción de uno valía para la otra. Y al acogerme a mí allí, nos salvó.

Y este verano habrá dos ventanas vacías. Violeta no estará en la tercera. ¿Cómo imaginar el lago sin su presencia? ¿Qué le diré al señor Richter? ¿Qué haremos con esa casa?

¿Cómo le explico que Violeta no vendrá?

Doce

Busco el centro.

Así escribe Violeta cuando viaja a México. Inexorablemente, me acerco a las páginas en blanco de su diario, al final de esta historia. Han pasado sólo tres meses desde el último viaje de Violeta. ¿Cómo no comprendí que huía?

Para entender esta huida, necesito hablar de Violeta y la luz.

La buscaba incesantemente, incluso dentro de su propio ser. Por ello, sus vivencias siempre orillaron la transparencia. Exigente consigo misma, fijaba límites en su sed de experiencia. No permitiría que su vida —siempre un poco en el margen— se convirtiera en un juego sin reglas. Y la dignidad de su ser femenino era una parte importante del juego y de la luminosidad. Cada día vivido al lado de Eduardo fue una manera de vulnerar esa dignidad. Ella lo sabía. La luz decrecía. No se perdonó a sí misma esa entrada a las tinieblas.

No fue una sorpresa, entonces, que eligiese México —la región más transparente— para desprenderse de la oscuridad.

El mar infinito de las Bahías de Huatulco trajo el mar a los ojos de Violeta. Y la paz se asentó en ellos. Pero no duró.

Primer diálogo con el norteamericano que en silencio me acompaña por las tardes en la Playa de la Aguja:

Él: Aparte de las cosas que sabemos, ¿a qué te dedicas?

Yo: Depende de cuáles son esas cosas...

—Las usuales —me dice con una sonrisa.

—Es que a ésas no me dedico —le respondo sonriendo también.

La risa de su boca pasa a los ojos.

Él: Entonces, ¿de dónde vienes?

Yo: De Chile.

—¿Chile? —parece entusiasmarse de inmediato.

Sí, Chile —(esa profunda grieta, como la nombró la poesía).

Me acoge.

Es de Boston pero habla español casi como su lengua materna. Bien por mí, no puedo ser inteligente en otro idioma. Se llama Bob y es hermoso. Por fin me dirigió la palabra, hoy es la tercera tarde en que coincidimos en esta pequeña playa adonde no viene nadie sino los que se hacen acompañar por sus libros.

*

La fidelidad: ¿indispensable o necesaria?

Lo segundo es más hermoso, implica opción, no tiene la fealdad de la norma.

Entre lo indispensable y lo necesario corre un chorro de agua prístina que no sólo refresca, sino que arremete contra la rigidez, la ablanda, la amolda y la baña de una superficie que al endurecerse la convierte en confitura y no en piedra.

*

Hoy le describí a Bob una mesa puesta en una tarde de verano. El ají verde cortado en pequeños cuadrados dentro del aceite, la cebolla a la pluma mezclada con el tomate muy rojo, el choclo —que aquí llaman "elote"—, el queso generoso sobre la madera junto al cuchillo afilado, el jugo de frambuesa. Y en un canasto de mimbre, el pan amasado, su corteza dorada de pan nuevo y la miga blanda y suave. Todo esto sobre un mantel de cuadros azul y blanco, bajo el castaño.

Fue una antesala para hablarle de la casa del molino.

*

En Chile los días llovieron miseria, los días llovieron dolores, los días llovieron soledad. Y aunque las lluvias cesaron, temo al país desmemoriado.

Aquí estoy a salvo, entre estas hormigas rojas y los sapos que me saltan desde las escaleras, de noche, como en el campo.

*

Pienso en la dificultad de precisar el deseo, porque el deseo no tiene lenguaje.

*

Vuelvo a la fidelidad. ¿Qué sucede cuando en la pareja quedan zonas secretas, espacios de comunicación bloqueados y cristalizados adonde no se puede volver a entrar? ¿Qué sucede con esa intimidad que empieza a restringirse y a empobrecerse? ¿Adónde se va?

Vine a Huatulco. Elegí este lugar en el mapa con cuidado. Vine acá para no ser aquella mujer quejumbrosa y adolorida en que me estoy convirtiendo. Habituada a mi propia pertinacia, debo volver otra.

He visto a las iguanas arrastrándose bajo el sol, por los peldaños de las escaleras, paseándose como Pedro por su casa. Están mimetizadas con la piedra, son de piedra también las iguanas, blanca y negra una, gris la otra. Caminan como viejas ágiles, rápidas y cluecas como gallinas, con las patas excesivamente abiertas. La mimetización de las iguanas me sugiere un par de ideas que desecho porque no me gustan.

*

Le he enviado una postal a Josefa hablándole de Bob. Hoy le expliqué a él algunas cosas y las comprendió. Mis ideas vagas —la vaguedad inunda cada una de mis percepciones— son recibidas por él con exactitud. No le molestan. No pude

dejar de hablarle de la incertidumbre. La temo, expliqué,
me veo rodeada de ella. Así comenzaron para mí los noventa.
No la quiero, busco cómo refugiarme de ella. Éste no es el fin
de siglo que merecía.

Bob nació en Estados Unidos y es "políticamente
correcto". Aunque intelectualmente me acompañe, ¿sabrá de
lo que hablo? ¿Sabrá de la pena? Lo que sí he comprobado es
que sabe de la compasión.

*

Pasé un glorioso día en la ciudad de Oaxaca. A últi-
ma hora de la tarde, mientras me comía una sandía muy roja
sentada en los escalones de la plaza, me ordené, llamé a mis
diosas, las que siempre me acompañan. Perséfone me dijo,
muy sabia, que mirara en mi entorno actual.

Compré una cerámica para Jacinta: azul añil con un
Sol y una Luna jugando alrededor.

*

¿Es que Eduardo no leyó lo que alguna vez escribió
Pavese: que debe pagarse por cada lujo, y que TODO es un
lujo, empezando por ESTAR en el mundo?

*

Recuerdo cuánto le divirtió a Josefa que yo establecie-
ra, en la casa del molino, el momento de la queja. Media hora
cronometrada. Nos juntábamos las mujeres— cualquier edad
era aceptada— y se soltaba todo, todo lo que permanentemente
contenemos. Aparecían muchas cosas, inesperadas unas, fan-
tásticas otras. Luego yo miraba el reloj y, muy seria, inter-
rumpía los suspiros o los bufidos de rabia.

—Ya, ¡basta! Se terminó.

Y cada cual partía o retomaba su quehacer, aligerada.
(¡Que nos fuera más liviana la carga!)

Estoy muy sorprendida, y debo comentárselo a Josefa,
de no haber necesitado un momento de queja aquí en Huatulco.
Siempre he creído que la capacidad de revitalización de las

120

mujeres es única. La regeneración de sus células es mejor, incluso, que la de las culebras y —por cierto— que la de los hombres.

Huatulco como medicina. Aquí no hay nada que temer, ni una lista en papel amarillo un domingo en la tarde, ni un vaso de gin que explote en maltrato, ni un cuerpo ambiguo —el mío— que rechace y acoja sin ton ni son.

Por ahora, y ojalá por siempre, sólo la Bahía Tangolunga, y el agua verde que es verde cuando uno la toca, pero azul cuando uno la mira. Sólo esos peces que formaron un gran triángulo en su cardumen, de todos los tamaños pero exactos en su diseño, negro y blanco en los puntos y las rayas del cuerpo, amarillo brillante en las colas: un moderno dibujo japonés estos peces milenarios, cuando se acercan al coral, todos al unísono, obedientes, armónicos. Si pudiese traducirlo a una expresión tangible, haría un tapiz. (Prometo algún día aprender ese arte.)

Mi cuerpo está recordando lo que mi mente ha olvidado estos últimos dos años.

*

Siempre en la Playa de la Aguja, hemos conversado hasta que se fue el sol. Le conté una historia.

Fue sobre aquella mujer abandonada en su adolescencia. Partí con cierta timidez y, a medida que avanzaba, las palabras llegaban solas, nadie las habría podido detener, detalles olvidados, distintos ribetes, todos rugiendo en mi cabeza. Agotada, cierro mi cuento: "Esta niña, hoy adulta, no es que añore a esas mujeres de su infancia. No, no es que las añore. Es que siempre juguetean en algún recodo de ella. El olvido sólo hace su deber, como un manto que abriga o una brisa que refresca. Y los recuerdos… éstos pueden colarse, como un haz de luz. Pero añejos de pasado o luz, siempre palpitan. Ella vive en el espíritu de sus antepasados, y ahí están siempre, sus murmullos."

Termino de hablar. Bob pregunta:

—¿Estuviste mucho tiempo con esta mujer, a su lado?
—Toda la vida —le respondí.
Después de un largo silencio, me mira.
—Haremos un pequeño viaje tú y yo. Un viaje necesario.

Y partimos.

Trece

—Recuperé a Beethoven en el *duty free* de Buenos Aires, las nueve sinfonías por veintiocho dólares —me dijo Violeta cuando fui a verla a la vuelta de su viaje.

Eduardo me abrió la puerta y me llevó al dormitorio: la *Quinta Sinfonía* a todo volumen, Violeta en trance, envuelta en una toalla, sentada con las piernas cruzadas en el suelo. Una mano sujetaba la toalla sobre el pecho, la otra seguía la música, ¿dirigiendo la orquesta? Eduardo me la mostró, con ese gesto casual y desprendido que siempre tiene uno de los que forman la pareja, el que no sufre.

—Mírala. Es una loca.

Sonreí, pensando para mis adentros por qué los maridos de mis amigas me parecían casi siempre unos idiotas.

Violeta me saludó, alegre. Buen semblante el de su vuelta de México. Aunque han pasado sólo dos meses o algo así, los recuerdos se me arremolinan: los perros, la transición, la gran noticia, todo ello girando alrededor de esas canciones que debiera grabar en estos días, las que no le gustaron a Violeta.

—Espérame, me visto al tiro.

Se forró en hermosos algodones, largos algodones color rosa, se colgó tres diferentes collares al cuello y nos fuimos a la galería. Le pidió a Rosa que nos hiciera café y allí me entregó una pequeña bolsa de género negro. La abrí, miré su interior y me levanté emocionada para besarla. ¿Con este regalo me perdonaba? ¿Bajaban entre nosotras los niveles de reserva? Como Violeta usaba distintos lenguajes, probablemente un collar para mí era una forma de unirme a ella. Porque Violeta adoraba los collares, los buscaba, los perseguía, los acumulaba. Tocando las delicadas filigranas de plata, le pregunto si es mexicano.

—No —me responde y baja la voz—, es de Guatemala.

—¿Fuiste a Guatemala?

Vuelve a bajar la voz.

—Clandestinamente —acechada en su propia casa: es la impresión que me dio.

—Pero Violeta, eso no es trivial para ti... ¿Estuviste allá? ¿En Antigua?

Asiente con los ojos en forma casi fugitiva.

Entra Jacinta a la galería y nos interrumpe.

—Mamá, ven, no puedo con el suero.

—¿Qué suero? pregunto asustada.

—Es que la Amiga tuvo guaguas —me contesta Violeta—. El mundo al revés en esta casa, ella tiene nueve y yo ninguna. Acompáñame.

Entramos al patio de la cocina. Los nueve perritos están acurrucados en torno a la Amiga, pequeñas y suaves masas negras concentradas entre un poco de inmundicia.

—Nadie quiere limpiar los vómitos ni la caca —me dice resignada—. El veterinario trajo el suero y a Jacinta le dan nervios aplicárselo. Yo estoy de mamá de todos.

—Violeta, esto es un caos —protesto, aterrada de resbalarme sobre algún excremento.

—Pero mira lo dulces que son...

Toma a uno en sus brazos; el gesto me recordó a mis hijos, cuando recién los parí. Violeta parece dichosa entre ellos, como si cuidarlos no le exigiese ningún esfuerzo. Me siento en la cocina tratando de participar, pero los perros le devoran toda su atención. Me costó tanto encontrar un momento para ir a su casa. Sin mi mala conciencia por aquella discusión antes de su partida, sencillamente lo habría postergado. Aproveché la entrada de Eduardo a la cocina para irme. Violeta me acompañó por los largos pasillos hasta la puerta.

—Hazme una síntesis, ¿cómo te fue?

Sorpresivamente sus ojos se llenaron de recuerdo y me contestó, ensoñada.

—Bien.

Me he acordado mil veces en estos días de ese "bien" que no descifré en el momento: sensual, acompañada, misteriosa esa palabra cuando Violeta la pronunció.

—¿Me contarás de Guatemala después?

—Sí, después.

Ya en la puerta, me preguntó cuándo nos veríamos con más calma.

—No sé, me falta el tiempo... Estoy componiendo unas canciones, he estado en eso desde que te fuiste. Estoy muy concentrada.

—¿Puedo verlas?

—¿Te interesa?

—Mucho. Si tú quieres, paso mañana por tu casa después del trabajo y les echo un vistazo. ¿Te viene bien?

—Ya. Te espero —y agregué—: Estás con muy buena cara.

Me miró seria.

—Sí, me siento muy bien. México, un bálsamo. La distancia, otro bálsamo. Pero tengo un raro presentimiento.

Desde que éramos muy chicas, yo le atribuí siempre a Violeta un cierto carácter de bruja. Ella sostenía haberlo heredado de su abuela Carlota.

—Ando como poseída por una fantasía.

—¿Cuál?

—La del destierro.

Sonó como una sentencia. Me trajo a ese día de diciembre de 1989, el día en que nos aprontamos para votar en las primeras elecciones después de esos años que a ella le habían parecido eternos.

—Ya llega tu democracia tan ansiada, Violeta, ya llega.

Y ella me contestó con un tono solitario:

—Me pasa algo raro, Josefa. Todo lo de estos años me apena. Pensándolo bien, no se me va a quitar *nunca* la pena. Sin embargo, algo me dice que no estaré aquí para gozar esta nueva etapa.

Ciertos días yo amanecía llena de palabras. Eran días maravillosos, reconocibles por los más cercanos: abstraída, con el ceño apenas fruncido y los ojos como si fuera miope, como si fuesen los ojos de Violeta, no podía concentrarme en dos estímulos a la vez. Me deslizaba por los espacios de mi hogar, tocaba los muros del pasillo como si me bamboleara en una embarcación insegura. Mis paseos terminaban en la pieza de atrás, donde al fin había armado una especie de estudio: atrás, cerca de los patios, como corresponde. Siempre deteniéndome en la gran cocina cuadrada que era la fascinación de Violeta, la suya era rectangular y juraba que en su próxima reencarnación tendría una cuadrada, me sujetaba del blanco y brillante artefacto que nos horneaba el alimento, reposaba los dedos en sus quemadores, levantaba la tapa de alguna olla, siempre había alguna humeando. Algo sucedía esos días en que las interrupciones disminuían. Hablo de esas interrupciones endémicas a nuestro género: las que producen divisiones y subdivisiones de la atención. Como dictaminó Andrés, esos días yo entraba en trance.

Y en ese estado peculiar había caído mi alma cuando Violeta volvió de México.

La esperé en mi estudio con café y cigarrillos, ansiosa por conocer su opinión sobre mis canciones. Mil veces había pasado por este mismo rito, siempre mi oído respetuoso frente a su evaluación.

—Tienes que aprovecharme —se rió cuando le entregué los papeles ya pasados en limpio—. Al volver, Eduardo me tenía la gran tarea: el manuscrito casi completo de su novela. Parece que de verdad trabajó en mi ausencia.

—Pero si lleva años escribiéndola. Por lo menos desde que está contigo.

—Sí. Y ahora quiere que se la corrija, que le haga de editora. No sé por qué confía así...

—Ni tonto que fuera...

—Soy un carrusel de sinónimos. ¡Dios me guarde si cada página que sale de su máquina de escribir no es recogida inmediatamente por mí! Bueno, vamos a lo tuyo.

La dejé un rato sola. Ni siquiera levantó los ojos cuando volví a entrar. Siempre me fascinó su concentración, yo le decía que era su faceta masculina.

—¿Puedo ser honesta? dijo luego de un rato de silencio con los papeles en la mano.

—Por supuesto.

—Pareciera que tus sensaciones son tan escasas que tienes que agotarlas hasta la médula. Aquí hay algo inanimado, Josefa.

—Cuando canto, efectivamente agoto hasta el fondo toda sensación. Después, quedo vacía. Ésa es, básicamente agregué con una sonrisa, mi famosa indiferencia.

—No hablo de eso —estaba seria Violeta, comprometida con mis canciones, sintiéndose responsable frente a ellas—. Hay algo deshabitado en estas palabras. Son hermosas, pero das la sensación de no estar contaminada ni por la vida ni por la realidad.

Lo que no añadió fue que eso sólo lo logra la extrema frialdad. Su estado de ánimo al hablarme era una corriente alterna de impotencia contenida y de triste decepción.

—Es raro. Como si la normalidad, la democracia, te amordazara, nos amordazara a todos, y al revés, la dictadura, la urgencia, el vivir en el límite, nos vomitaba todas las palabras.

Se levanta, se acerca a la pequeña mesa y sirve un nuevo café para ella y otro para mí. Debe haber sido la última conversación coherente que tuve con Violeta. Retengo con nitidez su gesto un poco consternado cuando me dijo:

—Aquí no hay desborde, Josefa.

—¿Debería haberlo?

—Sí —sonaba rotunda—. No sé si es autocontrol o autocensura, pero sí sé que el miedo al desborde te está paralizando.

La miré pensativa. Ella continuó.

—Es el desajuste interno de esta época. ¿Qué nos pasó, Josefa?

No entiendo bien el plural que usa Violeta, pero intuyo un sentido en que es posible que ella y yo vayamos cuesta abajo.

—En esta sociedad abocada a la eficiencia de producir, a la voracidad de consumir, en esta transición chilena, la mirada se contamina de pura desazón... —aligera el tono—. Es desazonante esta forma de transitar de una sociedad pobre a una rica. La verdad, Josefa, es que éstos no son los momentos para la creatividad —enciende un cigarrillo lentamente. Aspirando el humo, continúa—: Siento mucha nostalgia de los tiempos en que creíamos... Los noventa carecen de toda idea. ¡Las ideas, Dios mío! ¿Dónde se nos fueron?

Se detiene. No quiero interrumpirla, temo discusiones mayores en las que no deseo enfrentarme con ella. No en este momento.

Volvió a los papeles, los miró con una atención distraída.

—No me avengo con estas mentes de hoy: el miedo a disentir, la falta de irreverencia, el pragmatismo... No me dirás que dan una bonita suma. ¿Sabes lo que siento? Que las relaciones inocentes dejaron de existir. Hasta las amistades pasaron de estar ahí, a la mano, a negociarse. Nada pareciera ser gratis ahora.

—No es raro, entonces, que yo responda a todo eso. Son los humores de esta época.

—Bueno, como época no me resulta hospitalaria. Te lo dije desde México, me siento en una tierra de nadie. No reconozco siquiera cuáles son nuestros propios deseos. El mundo está viejo y cansado, Jose.

—Nadie ansiaba tanto la democracia como tú, Violeta, y veo que a nadie le ha costado tanto vivir en ella como a ti medí el tono, controlando mis ganas de gritarle a la cara: ubícate, Violeta, pégate una ubicada, por favor, ¡estamos en otra!

—Es cierto. Y me censuro por eso, para que tú veas. Me siento culpable.

Le sonrío con ironía. Ella se expande, inocente.

—¡Cuánto quisiera que recuperásemos el sentido de lo sagrado! ¡Que *algo* volviera a ser sagrado! Buscar el encantamiento, recobrarlo, restaurarlo, redimirlo. ¿No pueden tus canciones ir por ahí?

Estaba pensando en sus palabras cuando la vi palidecer. Cambió de tono y me dijo:

—¿Sabes? Me siento mal. Sigamos otro día.

—¿Qué te pasa?

—No sé, me siento mal...

—¿Qué te duele?

—Todo.

—¿Te llamo a un doctor? ¿O te llevo a la clínica?

—No seas ridícula. Es sólo un malestar.

—Vamos a mi pieza, al menos tiéndete en una cama.

Mientras ella se acurrucaba, recordándome a los perritos negros, fui a hacerle una infusión de hierbas. Esperando a que la tetera hirviera, pensé en nuestra conversación interrumpida. Estábamos casi a fines de 1991. Era tan mal visto añorar el pasado que a Violeta le daba vergüenza reconocerlo. Y se armaba de una batería de ideas abstractas para disimular lo que lisa y llanamente le sucedía. Que le dolía el corazón.

Esa llamada a la semana siguiente fue de Jacinta: Violeta estaba embarazada.

Ahora sí se apuran los hechos.

Mientras riega los cardenales instalados limpiamente en sus maceteros rojos, todos iguales en diez maceteros sobre el balcón de la calle Gerona, me mira asorochada. Le noto un feo moretón en la mejilla.

—Me dio una fatiga. Me caí y me pegué contra el lavatorio.

—¿Qué dijo el doctor?

—Que debería vivir en un tono menor hasta cumplir los tres meses.

—Pero Violeta, ¿te lo esperabas a estas alturas?

—No. Mis ganas no más me hacían acordarme del tema, pero había perdido toda esperanza. Hace tiempo ya que dejé de sacar cuentas o andar pendiente de la fechas. Quizás por eso mismo resultó.

—¿Qué dice Eduardo?

—Creo que le importa más la novela que esto. Anda como desconcertado. No le va a gustar nada saber en qué condiciones tengo que vivir estos meses... No se lo he dicho todavía.

—¿Cuáles son esas condiciones?

—Parece que no es broma tener guagua a los cuarenta, Jose. Con Jacinta también fue todo muy delicado, acuérdate. Tengo que cuidarme, es la retención del feto lo que más preocupa al doctor. Hay que evitar espasmos o contracciones como sea.

—¿Me vas a decir que, de paso, te prohibieron los orgasmos? traté de tomarlo a la broma, pero ella me contestó muy seria.

—Efectivamente. Así me lo dijo el doctor.

—¿Por qué no pides una licencia, o un permiso sin sueldo, y te dedicas a cuidarte?

—Porque ya tomé mis vacaciones para ir a Huatulco —y agrega—: Y porque no quisiera estar todo el día en la casa. No con Eduardo trabajando aquí.

—Como si fuera un energúmeno...

—Lo es.

Pasaron varios días sin que supiera de ella. Una llamada telefónica rápida, no más, para saber de su salud. Yo estaba inmersa en los textos de mis canciones, puliéndolos luego de la conversación que tuve con Violeta. Me concentré a tal punto que hasta olvidé algo tan crucial para ella como su embarazo. A veces llegaban mis hijos, venían de estar con Jacinta y me contaban. No eran días fáciles, Violeta no se sentía muy bien.

Yo tenía que partir al norte, a dar unos recitales en Arica y La Serena. La noche anterior a mi viaje recibí nuevamente una llamada de Jacinta.

—Josefa, la mamá está con pérdidas.

—¡Mierda! ¿La vio el doctor?

—Sí, pero está encerrada en la pieza, ha llorado todo el día y no me deja entrar.

—¿Y Eduardo?

—No llegó anoche... No sé dónde está. Ven a verla, sé buena.

Estaba haciendo la maleta, y me preparaba para ver a Andrés terminada esa tarea. Siempre me costaba separarme de él. Necesitaba que me regaloneara y me reafirmara cada vez. Además, era meticulosa para hacer mis maletas. Nada podía faltarme: desde los antidepresivos a las sales de fruta para mi porfiada acidez, de los tapones para los oídos hasta los támpax (varias veces me había sucedido que se me adelantara la menstruación por el estrés de subir al escenario). Del vestuario y el maquillaje se ocupaba Mauricio, quien me acompañaba en cada gira (era una condición de mi contrato). Pero aun así las maletas requerían toda mi concentración.

—Parto mañana al alba, Jacinta. Ya sabes, los horarios malditos de los vuelos nacionales...

—Hazte un tiempo, Josefa, apuesto a que a ti te abre la puerta.

No había notado la presencia de mi hijo Borja en la pieza. Seguía atentamente la conversación telefónica. Y su mirada —el juicio que encerraba esa mirada— bastó.

—Voy al tiro.

Debería haber cancelado mi recital. El cuadro que me encontré donde Violeta me espantó. ¿Por qué no la traje a mi casa? ¿Por qué no la rescaté?

Efectivamente, me abrió la puerta de su dormitorio. Me repelió el aire denso, encerrado, fétido. Volví a pensar en los perritos de la Amiga cuando la vi agazapada, buscando refugio y calor. Pero a ella ninguna madre nutritiva iba a acogerla. La pieza y la cama estaban desordenadas. Su cabeza, despeinada. Ni el ámbar ni el marfil: su rostro, sucio por el llanto —como el de un niño—, de nuevo amoratado.

—Violeta, ¡te volviste a golpear!

No me respondió, como si bastara con las evidencias.

—No perderé esta guagua, pase lo que pase —dijo por fin. Me pareció positiva su determinación.

—¿Estás sangrando?

—Sí. Sé que nunca más me voy a embarazar, lo sé. Por eso quiero conservarla aunque sea lo último que haga en la vida.

—¿Por qué estás con pérdidas? ¿No te has cuidado?

Guardó silencio y escondió la cara en la sábana.

—¿Qué pasa, Violeta? ¡Cuéntame!

—Eduardo. Es culpa de Eduardo... Me cuesta hablar, Jose, me siento desleal...

—¿Por qué crestas le guardas las espaldas? ¿Hasta cuándo juegas a la sometida? ¡No te viene ese papel!

—No me agredas... —apenas un hilo de voz, y yo no podía con mi propia dureza.

—¿Qué pasó?

—Fue anoche... Me entregó unas páginas de su novela para que se las corrigiera, yo estaba muy cansada, le dije que al día siguiente, que quería dormir. Se quedó

133

en el escritorio, enojado, y yo me vine a acostar. Entre sueños lo sentí salir. Volvió tarde. Me despertó, venía con trago. El gin se olía desde la puerta. Quiso hacer el amor, le dije que no debíamos. Se puso obsceno, tú sabes... Luego, muy violento... —a Violeta le temblaba la voz, iba soltando las palabras con dificultad, con vergüenza—: Me dijo que este embarazo era una estupidez... Le dije que por eso me había casado con él. Se enfureció.

—Es un concha de su madre... —la rabia me subía por el cuerpo—. Te violó, ¿cierto?

—Sí.

—Y tú, ¿qué hiciste?

—Lo que hace cualquier mujer frente a la fuerza bruta: resistir y resistir. De repente pensé que eso le haría peor a la guagua y me entregué... Fue como si no estuviera ahí. Cuando ya todo había pasado, le dije que si esto volvía a suceder yo lo mataría.

—¿Y te tomó en serio?

—Me pegó.

—Hay que denunciarlo a la policía.

—Es mi marido, Josefa, no llegaríamos muy lejos.

Le tomé la cabeza, le arreglé el pelo, como a una criatura dejada de la mano de Dios.

—¿Qué vas a hacer, Violeta?

—Conservar esta guagua. Lo demás, lo voy a pensar después. Por ahora sé que volverá arrepentido y avergonzado, y eso me dará una tregua.

—Voy a hablar con Andrés. Él puede ayudar.

—¡No! No abras la boca. Te lo digo en serio. No le he contado nada a nadie, Eduardo no es sólo mi marido, será también el padre de mi hijo. No quiero que se sepa nada. No hables con Andrés, por favor.

—Está bien, está bien. Si tú quieres...

Y me fui al norte.

Catorce

Las últimas páginas del diario de Violeta no tienen fecha. Ha cambiado el color de la tinta y pienso en sus dedos siempre sucios, con el rastro de lápices y lapiceras. La tinta de las últimas páginas es color café.

Son frases cortas, pequeños párrafos... Nada de lo que escribe se aparta de la abstracción. ¿Fue a propósito? ¿Su propia finura le impidió un testimonio más carnal? Quién sabe cuántas cosas no incluyó en su diario; quizás esa misma omisión fue lo que sugería —debiera sugerirme— la acción que no estaba descrita.

Menos mi vientre.
Que se profane mi cuerpo, que se profane la existencia
misma.
Menos mi vientre.

*

Busco la luz cantarina, la del amanecer. Si ella me
limpiara... ella nunca me ha fallado.
Las horas transcurren él con él, yo sin él.

*

En el sexo se está muy sola.

*

En mis horas de extravío acaricio mi estómago,
tomándolo, aprehendiéndolo, anidándolo. Hubo un instante
de una eternidad bendita: el instante en que se gestó. Aquello
es lo que mi corazón tiene presente.

Ya no queda un solo demonio en el infierno. Se fueron todos a mi cabeza.

Toda sangre termina por llegar al lugar de su quietud, dice el Chilam-Balam. Debo creerle.

*

Uno a uno rompió los pétalos: el deshojador.

*

Introducirse en lo interior de un espacio. Introducir un cuerpo en otro por sus poros. Con exceso, con atrevimiento, con osadía. Lo que ha hecho no es sólo penetrar. Ha desmigajado.

*

Supongo que habrá alguna conquista —alguna que sea— que se haga de una vez para siempre, ¿o es que todas deben requerir nuestro esfuerzo diario para retenerlas?

*

Le tengo miedo a la pesadilla. Vuelve y vuelve. Sueño que estoy pariendo culebras, pequeñas serpientes resbalosas saliendo de mi vagina. No, no son niños, son culebras.

*

Estoy vigilante. Estoy en alerta. Estoy en la víspera de.
Pienso obsesivamente en la muerte y sus aliados.
No le temo al peligro heroico. Le temo al peligro feo.

*

Presiento al espíritu malo, al Invasor. Busco mi refugio. El último bosque: el lugar del cobijo, donde las sombras nos sugieran la utopía del sol que se colará por las copas y nos calentará algún mediodía, donde nos burlemos de las lluvias con la certeza de que no han llegado para quedarse, donde habrá techo para todos, donde nadie dejará de guarecerse, donde la geografía será más solidaria que temerosa. El lugar de la compasión. El lugar donde no aceche la añoranza.

Más que a nada, le temo a la orfandad ética.

*

Las mujeres son diosas al parir. El poder de dar vida es el poder total. Soy todopoderosa.

Invoco a la diosa Deméter, que me auxilie.

Estoy preparada. Ya se secó la última flor rosada de la azalea, ya puedo cerrar.

*

El cuerpo es una trampa, es una trampa, es una trampa.

*

*EL ABUSO MATA ALGO MUY VALIOSO:
LA MISERICORDIA.*

*

Y en la página anterior a la página en blanco, con una letra enorme y desquiciada, leo su último dolor, el último que escribió:

Que su hija ha perdido la razón. Dile a Cayetana que me lleve.

Quince

Aunque en los sueños no se habla mucho, anoche soñé con Violeta, y Violeta me habló. No como suele hablar ella; esta vez sus palabras y la atmósfera que las rodeaba eran solemnes.

Me contó:

He sido todos los momentos este verano. En momentos oscuros, hice lo que hice. Y en momentos soleados, me transformaba en Reina, y Eduardo era Rey. Y luminoso fue ese instante, el del trayecto de tu casa a la mía esa noche, Josefa.

Los brillos en mi rostro, el arreglo de mi pelo, el parecer otra, me hicieron sentirme un ángel. Guardé en el bolsillo la mejor mirada de todas las que le conocí a Eduardo, y sujeta a mi cuerpo, bien sujeta, partí a su encuentro. Para abrirme, para mejorarlo todo, para reconstruir.

Soy un ángel, me digo.

Paso levemente mis dedos por mi cabeza adornada. Cintas de colores cuelgan. Me pregunto de dónde se sujetan, parecen tan firmes en mi nueva fachada de arlequín. Ésta será una noche loca, me sonrío a mí misma. Quiero perdonar. Quiero ser radiante, como fui antes, como he sido tantas veces. Mi exterioridad, en las manos casi sagradas del maquillador, ha tramado para mí una afortunada noche de fiesta.

Eduardo será recuperado para mis encantos.

Se me fue Violeta, envuelta en telas color de rosa, se me fue y no pude sujetarla. Algo como una nube se la llevaba, no pude hablarle, no alcancé a preguntarle.

Quedé despierta, desvelada como tantas noches desde aquélla. Hasta mis sueños se llevó Violeta. Me fui al living, la estufa Bosca aún llameaba. Había copado mi cuota de cinco cigarrillos ese día, pero decidí que no importaba. Con una copa de Amaretto y mi sexto cigarrillo, la atención entera se me fue hacia Eduardo. Un puzzle transformado en pesadilla. El gran escritor. Así lo llama la prensa ahora, después de los hechos.

¿Por qué se abstrajo tanto de Violeta? Ella le recordaba el cuerpo, algo que él prefirió pensar como externo. Cómo les sobra este cuerpo a los hombres, descontando el momento exacto en que buscan desahogarse de él. No pueden experimentar la pasión sino en cantidades limitadas, restringidas. Aun de ese límite vuelven con miedo y agotados, por eso se duermen. La fusión es demasiado para ellos. Nuestros cuerpos no son más que un reposo en el camino, un reposo entre un antes importante y un después todavía más importante. Entre el arte y el poder, nosotras ejercemos la capacidad vulgar de atraerlos hacia la tierra. Ese es el gran problema, ellos nos ven como un reposo ya conocido y excesivamente habitado. Acostumbrado y cotidiano. ¿Reposo que pide fusiones? Debo seguir, piensa el hombre, debo apurarme hacia las cosas importantes (que nunca son los *sentires*): la gran novela, la política, el dinero, diversas y exactas empresas, al fin. No importa *hacia qué*, pero se apura.

Nuestro cuerpo de mujer como intervalo. ¡Cuánto sintió eso Violeta! Agotador intervalo que les recuerda que están vivos. Vivos en sí mismos, no para las grandes causas; vivos y punto. Abandonan esos cuerpos, aterrados de cuánto les interrumpe la disolución de su persona.

Siempre hay que partir. El sueño como la más conocida de las partidas, dormir para reponerse de ese instante tan abyectamente vivo, ese instante en que sintieron y no pensaron. Ni analizaron.

La pasión, siempre, como proyecto a corto plazo, es sólo un intermedio en el flujo de lo importante... que nunca está en nosotras, sólo en un más allá del mundo. Nuestros cuerpos y sus demandas quedan atrás, son superfluos.

Quizás, Viola, de verdad ellos nos desean. Pero para resistir esa verdad, deben considerarlo un deseo banal. No pueden soportar que seamos un deseo en nosotras mismas.

Una rara característica de Violeta era que se le olvidaba el origen de sus cicatrices. "No seas tonta", le decía yo, "¿cómo no te vas a acordar de qué te pasó en el brazo, qué te hizo esa marca?" "No, no me acuerdo", contestaba ella, cándida. Así es como olvidó cuál es el Infierno.

Violeta y su Infierno: la Fragilidad.

(La de los principios, la del afecto y la más pavorosa: la de la vida.)

Y llegamos, inexorablemente, al presente.

Mediados de noviembre.

Volvemos a la escarcha fucsia sobre su cuello, a Mauricio engolosinado con su maquillaje, al oro en sus mejillas, a la noche de la fiesta.

A ese gesto de Violeta que abolió la impotencia de tanta mujer viva.

—Hablo sola —me dijo esa noche durante la fiesta—. Hace dos años que hablo sola.

Le ofrecía a Eduardo un camarón envuelto en masa de hoja, pero él siguió conversando con Andrés y no respondió.

—Todo se echó a perder. Llegué alegre a buscarlo, pero mi atraso le desencadenó quizás qué... Estaba hosco, agresivo. Partimos mal. Es una lástima, yo estaba tan contenta.

Casi no había visto a Violeta desde mi gira al norte. Llamados rápidos: todo iba bien, los comienzos de pérdida cesaron, Eduardo no había vuelto a tomar y cada día que avanzaba jugaba a favor de Violeta y su proyecto. Le está ganando al tiempo en esta batalla, me dije en mi apuro, y quedé tranquila.

Vi de reojo cómo Eduardo le pedía a Andrés que le alcanzara la botella de gin. Miré a Violeta, ella se estremeció.

—Dios mío, ¡no! —la oí murmurar.

—Dile que no...

—Me da miedo... es capaz de armar un escándalo aquí mismo, delante de todo el mundo.

—¿Quieres que haga algo? una extraña valentía se apoderó de mí en ese instante.

—No, no. Podría ser fatal.

Violeta se desencajó. Sólo alguien que la conociera de toda la vida podría haberlo notado bajo las máscaras de su disfraz.

—Violeta, estás temblando...

No hubo respuesta.

—¿Qué temes? ¿Perder la guagua?

—Sí. Pero tengo un temor adicional...

—¿Cuál? —tuve que interrogarla, tanto vacilaba. Me miró con los ojos ennegrecidos:

—Jacinta.

No comprendí bien qué me decía. Se lo habría preguntado si Andrés no nos hubiese interrumpido para pedirle un baile. Partieron juntos. Ella parecía aliviada y yo me contenté con mirarlos. Se veían hermosos en la

pista, Andrés disfrazado de mosquetero, los globos jugaban con las alas de su sombrero y las serpentinas los abra-
zaban. La música era alegre, las risas estruendosas, había
abundante comida y bebida. Una estupenda fiesta, me
dije, y me felicité por haber invitado a Violeta. Fiestas así
no se daban en su ambiente y pensé que para ella sería
entretenido venir, mirar rostros que ha visto en la pantalla o en las revistas. Violeta se divertía con esas cosas
y después las relataba con mucha gracia.

Me acerqué a Eduardo. Seguía, con su gin en la
mano, los pasos de los bailarines. Andrés y Violeta muy
juntos, algo le decía ella al oído y ambos se reían.

—Se entienden bien, ellos dos.

—Muy bien —le respondí.

—¿Sabías que te tiene pensada para madrina?

—No me ha dicho nada —me emocioné: yo, la
menos maternal, de madrina, me pareció un lindo homenaje—. Me encantaría si me lo pide.

Me sorprendió la avidez con que vació el contenido del vaso y cómo de inmediato lo volvió a llenar.

—Cuidado —le dije, tratando de que sonara a
broma.

No me escuchó, o no le importó. Dio un trago largo y volvió, ante mi estupor, a vaciar el vaso. Fue entonces que me dijo lo que ha martillado en mi cabeza desde
esa noche, taladrándome.

—Tú que cres tan amiga de Violeta, ¿sabías que
esa criatura no es mía?

—¿Qué dices?

—Cuando perdí a mi mujer y a mi hijo en el maremoto de Corral, decidí esterilizarme.

—¿Hablas en serio? ¿Lo hiciste?

—Sí. Era la forma de evitar que volviera a pasarme
algo así.

143

—¿Y Violeta lo sabe?

Escuché una risa siniestra, desconocida.

—Nunca se lo dije. Ella quería casarse para tener hijos, ¿cómo se lo iba a decir?

—¡Fuiste deshonesto! —no pude evitar que se traslucieran mi desconcierto y mi desdén.

—Tan deshonesto como aspirar a que me cuiden —dijo él con furia contenida—, a no terminar botado en la acequia, a escribir en paz, a que me mantengan económicamente... y a aguantar que esta hija de puta llegue embarazada de un viaje y me haga creer que el padre soy yo. Pero no se lo diré... el vínculo de la paternidad es sagrado para ella, eso me protege.

—¿Y por qué me lo dices a mí?

—Para que sepas la laya de amiga que tienes, para que no la protejas tanto. A veces podrías aliarte conmigo.

—Yo podría contarle esto a ella.

—No, no lo vas a hacer. Te conozco. Tú no te meterías en problemas ajenos, no tienes tiempo.

Volvió la risa, corta y extraña. Y sin darle mayor importancia, agregó:

—Ven, bailemos, a ver si lo hacemos tan bien como ellos.

Me tomó por la cintura. Yo no quería bailar con él. A pesar mío, sufrí la violencia de su abrazo.

Algo se había desatado en Eduardo. Toda la fraternidad de nuestra relación pareció esfumarse, y sentí cómo sus manos y piernas presionaban todo mi cuerpo. En la algarabía del baile, buscó abiertamente mi sexo con el suyo. Entonces mi instinto lo comprendió antes que mi mente: Jacinta. A esta edad, la intuición es sólo un asunto de experiencia. La rabia sacudió mi cuerpo. La rabia, Dios mío, la rabia: la enfermedad de la mujer de fines de siglo. No debiéramos dirigirla, me dije, nadie con nombre y apellido es el culpable. Pero mi racionalidad no duró. Busqué los ojos de Andrés y los inundé con la más desesperada de las miradas. Vi que se desconcertaba, pero su reacción no tardó: soltando a Violeta, le propuso amigablemente a Eduardo cambiar de pareja. Creo que Eduardo apenas se dio cuenta. En los brazos de Andrés me cobijé. Nunca separarme de esos brazos, que nunca me toquen otros brazos. "¿Qué pasó, Jose?", susurró. No fui capaz de contarle. "Después, mi amor, después." Y bailé adherida al único lugar posible para mí.

Sólo una vez la mirada mía y la de Violeta se encontraron. Me recordó a la Violeta mariposa, la de la infancia. Su dolor, como el aria final de *Madame Butterfly*. Pero no había —ningún— amago ninguno de muerte en el marfil categórico de sus ojos.

No la vi irse. Repito, luego de todo lo ocurrido, no la vi irse. La limpieza del olor del cuello de Andrés barría de mí la suciedad de Eduardo; olvidé a Violeta.

¿Era mi responsabilidad distinguir entre una historia de amor y una de error? Las consecuencias no eran previsibles. Esta mujer, con su cuerpo embarazado y meritorio, esa noche subrayó, despuntó, mostró su reverso. Y yo no tenía cómo saberlo. Nunca vimos, ninguno de nosotros vio, cuáles eran los ribetes de ese corazón. ¿Podía yo sospechar, entonces, que faltaban sólo instantes para que cesara en Violeta el latido de la piedad?

El resto lo supimos en la madrugada.

Rosa llamó a la policía a las tres de la mañana.

A las tres de la mañana, Rosa estaba despierta porque Jacinta había olvidado sus llaves y la llamó por teléfono desde su fiesta —otra fiesta— para que le abriera la puerta. "La mamá va a llegar más tarde que yo, no se dará cuenta", le dijo la muchacha, y Rosa, para cubrirle las espaldas, la esperó.

A las tres de la mañana, Celeste escribía en su cama —sólo la luz del velador prendida— una carta de amor. Aprovechando la ausencia de sus padres, escuchó a Bob Dylan a todo volumen para ver si el regalo que le había hecho Violeta valía la pena. Compuso siete distintos borradores. A las tres de la mañana, escribió la carta final.

A las tres de la mañana, Borja bailaba el último rock con Jacinta mientras ésta miraba la hora y le decía: "Me van a retar." "No", le contestaba mi hijo, "yo sé cómo es esa fiesta, no van a volver hasta el amanecer. Tranquila, Jacinta, tranquila."

A las tres de la mañana, Jacinta bailaba el último baile con su amigo Borja. A las tres de la mañana, le preguntó por qué no le había comentado su chaleco nuevo. "Es precioso", le respondió él, "¿de dónde lo sacaste?" "Me lo trajo mi mamá del último viaje." "Pero no parece mexicano", le contestó Borja. "No", dijo Jacinta, "es guatemalteco." Jugó coquetamente con sus muchos collares de mostacilla en el cuello y siguió bailando. A las tres y cinco, le dijo: "Ya, Borja, vámonos por favor, no quiero hacer pasar rabias a mi mamá, que ya está harto mal la pobre."

Poco antes de las tres de la mañana yo le decía a Andrés: "No doy más, vámonos." "No seas fome, si nunca bailamos", me contestó. "Es que no me gustan los fines de fiesta, no quiero ver todo en el suelo, los globos reventados, la serpentina marchita, los vasos boca abajo. No me gusta ver a la gente con trago luego de haberlos visto llegar tan compuestos." "Está bien, el último baile", me dijo Andrés. Era una canción de los Beatles; Violeta siempre la citaba: *Life is very short and there is no time for fussing and fighting, my friend.*[*] Se la canté a Andrés al oído.

[*] La vida es muy corta y no hay tiempo para quejarse y pelear, amigo mío.

Terminó el último acorde y le dije: "Vamos a lo nuestro, *life is very short*, no perdamos tiempo, mi amor." Andrés se entusiasmó con la perspectiva, miró la hora y me dijo: "Son las tres, vámonos."

Cinco para las tres, Rosa oyó el disparo. Rosa había salido en puntillas al pasillo cuando sintió llegar a la señora. Se alarmó pensando que Jacinta aún no estaba en casa. El dormitorio de la niña tenía dos puertas. Una daba al pasillo: era la que todos usaban para entrar o salir de la pieza. La otra daba al baño de Jacinta, y este baño, a su vez, tenía su propia puerta hacia el pasillo. Rosa, siempre en puntillas, entró al dormitorio y cerró con pestillo la puerta oficial, saliendo luego por la puerta del baño. Si la señora va a darle las buenas noches, se dijo, creerá que duerme y no se enterará. Fue entonces que sintió gritos en el dormitorio principal. No distinguió las palabras, pero sí las voces de Eduardo y Violeta. Y los golpes. Ese sonido, me dijo ella más tarde, nunca lo confunde una mujer del pueblo. Muy asustada, fue a esconderse a su pieza. Pasada media hora, sintió el disparo. Salió de su cobijo y sus ojos no pudieron creer lo que veían: el cuerpo de Eduardo botado en el pasillo frente a la puerta de Jacinta, la sangre, y Violeta a tres metros de él, hincada en el suelo, con la cabeza gacha, sujetando un revólver con ambas manos.

La policía llegó inmediatamente. Detrás de ellos, Borja y Jacinta. Los alarmó ver la puerta de la casa abierta y los autos de los carabineros. Entraron y la escena era exactamente la misma que describió Rosa. Como si se hubiese congelado en un instante fotográfico.

—¡Mamá, mamá! —gritó Jacinta—. Mamá, ¿qué has hecho?

Fue la primera y única reacción de Violeta, que no había acusado recibo de la presencia de la policía, ni de los gritos de Rosa, ni de nada que sucediera a su alrededor: levantó la mirada, cansada e inerte, hacia su hija, y con la voz muy baja dijo las únicas cuatro palabras que habría de pronunciar:

—Los espíritus no funcionaron.

El estrépito y el tiro: el revólver de Violeta impregnó el aire de pólvora y en ella recogió silenciosos lamentos milenarios.

Violeta disparó por todas nosotras.

Intermedio

Nosotras, las otras, acompañábamos a Violeta esa noche, hace muchos años, cuando sola en casa de su padre hurgaba entre los libros del estante de madera de coigüe. La vimos, nítidamente, avanzar hacia la sección de poesía, alzar su mano y tomar una edición de tapa dura, forrada en gris: *The Fact of a Doorframe.**

Adrienne Rich murmuró para sí misma y repitió dos veces el nombre de la autora. Gracias al marco de una puerta existo, fue su evidente reflexión, y partió con el libro. Nunca lo devolvió.

Lo anotó en su diario, ya no recordamos en cuál de todos sus cuadernos. Pero anotó lo del marco de la puerta.

Más adelante, visitando los poemas uno por uno, encontró "Poem of Women". Volvió a tomar su cuaderno de apuntes y escribió dos versos del poema, con mayúsculas:

MY LIFE IS A PAGE RIPPED OUT OF A HOLY BOOK
*AND PART OF THE FIRST LINE IS MISSING***

Y cierra con su caligrafía característica: "Esto fue escrito para mí, lo sé. Debo encontrar esa primera línea que falta."

---

* *La realidad del marco de una puerta.*
** Mi vida es una página arrancada de un libro sagrado/ y parte de la primera línea se ha perdido.

Escuchamos desde siempre a Violeta opinar, enfática: "La soledad de mi madre quedó sellada un día martes, a las once de la noche, el 24 de enero de 1939, el día del terremoto de Chillán."

The fact of a doorframe
means there is something to hold
onto with both hands. *

Cuando copió en su diario las tres líneas del primer poema de Adrienne Rich, "The Fact of a Doorframe", pensó que otros poemas podrían definirla mejor que aquél, pero lo dejó para más tarde, cuando la poesía adquiriese su real dimensión, mayor que el temblor de la tierra.

Porque la tierra tembló. (Y a pesar de este hecho indesmentible, Violeta iba a escoger mucho después una zona de volcanes. ¿Desafiándolos? También el mar tembló para Eduardo, y el agua se lo llevó todo.)

Pero fue real, nosotras lo vimos. Era de noche ese verano de 1939 cuando Oscar Miranda decidió ir al club. Un partido de dominó y un par de copitas, nada más, le prometió a su esposa Carlota. Ella, combinando paciencia con indiferencia, lo despidió en la puerta y, sin otro pensamiento, se dirigió al dormitorio a acostar a su hija Cayetana.

Oscar Miranda no regresó a su hogar ni volvió a ver a su mujer y a su hija de diez años. El cuerpo de Oscar Miranda quedó atrapado bajo un muro de la fuente de soda que él llamaba "el club". La tierra se abrió, cayeron las paredes y la ciudad se vino abajo.

Cuando el movimiento comenzó en casa de Carlota, ella no dormía aún. Las pequeñas lágrimas rosa-

* La realidad del marco de una puerta/ significa que hay algo a qué aferrarse/ con ambas manos.

154

das de su lámpara empezaron a bailar mientras Carlota fijaba los ojos en el techo, preguntándose para qué la habría puesto Dios sobre esta tierra. Sin alarmarse de inmediato nunca perdía el control, esperó a ver si las lágrimas rosadas detenían su movimiento. No se detuvieron. Entonces se dirigió al dormitorio de su hija. Sin despertarla, la levantó y, sujetándola contra su cuerpo grueso, avanzó hasta la entrada, hacia el marco de la única puerta grande de la casa. La pequeña abrió los ojos; desconcertada al verse bajo el alero, abrazó a su mamá mientras el mundo se bamboleaba como la nieve en su bola de vidrio cuando ella la sacudía. No, no tenía esa suavidad. Este movimiento era más fuerte y más brusco. Hasta que la pared del pasillo que daba a los dormitorios se empezó a resquebrajar, hasta que los cimientos cedieron y la casa se partió en dos.

Ambas recordarían toda la vida los gritos en las calles, esos aullidos perdidos y lejanos, como una música de fondo para lo inmediato: la caída. Primero, de todos los objetos que las habían rodeado, y luego de las murallas de la casa que habitaban.

Carlota y Cayetana, bajo el marco de esa puerta, no se movieron, no respiraron, no hablaron, no lloraron. La casa cayó y ellas se salvaron.

Carlota miró su entorno, bombardeado por una guerra sin mano del hombre, y corrió con su hija a la única otra casa que significaba algo para ellas en toda la ciudad. Estaba en el suelo. Sólo al día siguiente lograron penetrar en sus escombros y rescatar a sus habitantes; esa noche, entre las dos, no pudieron hacerlo. Ningún sobreviviente. Carlota los miró: su madre y su padre muertos. Y no tenía más. Ya había pasado por la fuente de soda: también Oscar Miranda estaba muerto.

Carlota miró por última vez su ciudad y la abandonó. Las pertenencias a salvar fueron ínfimas y se preguntó si valdría la pena llevarlas. Luego de pensarlo dos veces, las apiló en un baúl de mimbre, barnizado entre amarillo y castaño, y aspirando a que su carga fuera la más liviana las mandó en un tren al sur. Con una mano tomó una maleta y con la otra a su hija, y luego de sepultar a los suyos, partió.

Su rumbo fue el mar. Descendieron cuando el tren se detuvo en Concepción.

Ya instaladas en la pensión que pudieron pagar —y lo hizo orgullosamente por adelantado—, compró para su hija un cuaderno a cuadros y un lápiz a mina, se los entregó y le dijo:

—Dibuja. O escribe. Pero no te quedes ahí sin hacer nada. Te he preparado un almuerzo frío, cómetelo a la una. No antes, para que no te venga el hambre muy luego en la tarde. Voy a buscar trabajo.

La primera jornada fue descorazonadora. Se ofreció en tiendas y almacenes. A oficinas no se acercó; ¿para qué, con la poca preparación que podía demostrar?

Al cuarto día llegó de vuelta a las diez de la mañana. Cayetana escribía un poema sobre los volcanes.

—Listo. Tengo trabajo. No podemos quedarnos en esta pensión con el sueldo que voy a ganar. No importa, vamos a arrendar una pieza para las dos en un barrio más barato.

—¿Dónde te contrataron?

—En una paquetería. Voy a vender de todo, desde botones hasta lápices.

Se trasladaron a Chiguayante. Lograron, luego de mucho pedir e insistir en su condición de damnificadas, un lugar en la escuela pública del barrio para Cayetana.

Ni Cayetana ni Carlota se consideraron infelices. Tenían techo y comida. Se tenían la una a la otra.

La pieza que arrendaron era amoblada y Carlota mantenía su limpieza impecable. Lo único propio era el baúl de mimbre, que las siguió a cada casa en que vivieron. Sólo había una mesa, una cama que ambas compartían, dos sillas y una cocinilla a carbón en un costado. El baño era común. La bacinica bajo la cama ayudaba en la noche. Cayetana echó de menos la tina de su casa de Chillán, pero no lo dijo: la tina hundida bajo los escombros del terremoto era menos importante que el cuerpo de su padre también hundido.

Todo funcionó hasta el día en que a la cajera de la paquetería no le cuadró la caja y acusaron a Carlota. Ella, ofendida, renunció de inmediato.

Vino entonces un tiempo feo. Corto, pero feo. Así lo recordamos nosotras, y también ellas dos. Los empleadores pedían referencias. Carlota no las tenía. Había pasado un tiempo desde la tragedia de Chillán y ya no era válido —como fue en la escuela y en la paquetería— presentarse como damnificada. Y sus jefes anteriores no le darían recomendación alguna si la habían acusado de robo.

La casera fue comprensiva. Un tiempo de fiado, pero un tiempo no más. No tenían amigos, sólo algunos conocidos. Comer se tornó difícil.

(Muchos años más tarde, nosotras escuchamos a Cayetana decirle a su hija, a la que parió cuando esta historia que relatamos estaba ya en el olvido: "Yo conocí el hambre; tú no sospechas lo que es esa ansiedad. Creo que la humanidad debiera dividirse en dos: los que han pasado hambre y los que no. Ahí radica toda la diferencia. Tengo disculpas para un par de traumas que nunca tendrás tú.")

En la pieza vecina, la familia que arrendaba tenía una hija de siete años. A veces Cayetana jugaba con ella, aun considerándola una niña chica. Si la ayudaba a hacer las tareas, la madre le ofrecía quedarse a tomar el té. Preparaba una marraqueta entera de pan para cada una. Cuando esto sucedía, Cayetana podía saltarse la comida y, de paso, aliviar a Carlota.

Pero no duró. Carlota encontró trabajo en una fuente de soda. Debió aprender a servir y a preparar diversos tipos de sándwiches. Los horarios variaron. Entraba tarde, eso le daba tiempo para hacer aseo de mañana y preparar la comida. Pero nunca volvió antes de las nueve de la noche, y el peso del invierno aumentaba la densidad de esa hora. Muchas veces llegó a casa encontrando a Cayetana acostada, a veces medio dormida. En esos momentos, se acurrucaba en la cama luego de sacarse los zapatos de taco alto que le dolían, y abrazaba a su hija. La apegaba a su pecho por largos y eternos momentos, únicos e irremplazables, jugando con ese pelo castaño que crecía rebelde.

Una vez la niña preguntó.

—¿La vida va a ser así para siempre?

—No, no —le contestó, definitiva, la madre—. Si fuera así, Dios no nos habría puesto sobre esta tierra. Y si lo hizo, fue por algo. Espérate, ya sabremos sus razones.

Dios era una figura vaga para la niña; probablemente, lo era también para su madre. Como un amigo que nos acompaña desde lejos, pensó Cayetana, pero que no nos hace mucho caso, ni nosotras a él.

Ambas se sentían solas con este nuevo horario. Pero pudieron pagar el arriendo y comer tranquilas. A veces, Carlota llegaba de la fuente de soda con jamón y queso que permitían a los dependientes llevarse cuando se añejaban.

—No me gusta que trabajes así —le decía Cayetana a su madre.

—Son sólo los pies que me duelen. Me obligan a usar esos zapatos altos para gusto de los clientes y termino con los dedos acalambrados.

Hubo domingos —el único día libre de Carlota— en que no tuvo fuerzas para salir de la cama.

—Debiera llevarte al parque, como hacen las otras mamás —decía culposa.

—Te cambio el parque por cuentos. Cuentos largos y entretenidos. Así no te mueves de la cama ni yo tampoco.

Fueron esos mismos cuentos los que avivaron y acicalaron la imaginación de Violeta años más tarde. Cayetana nunca dejó de contárselos, y luego Violeta a Jacinta. "Una familia de cuenteros", decía Carlota.

Un día Cayetana, exhausta en su encierro, decidió irse del colegio a la fuente de soda. No quedaba a más de veinte cuadras de la casa, y las caminó gustosa. Nunca andaba en micro, no tenía dinero para eso. Y cuando entró, algo olió en el aire. Había casi puros hombres. No tomaban té a esa hora, sino cerveza. Le gritaban a su madre como si fuesen sus dueños. Le dio pena ver a Carlota ahí.

Estudiaré y estudiaré, se prometió a sí misma, me educaré para tener de grande un trabajo decente. Y mi mamá descansará.

Una noche Carlota llegó muy enojada. Se enojaba poco y esto sorprendió a su hija, que para ese entonces había juntado ya muchos cuadernos cuadriculados —chicos, de hojas ordinarias— con poemas y dibujos. Apartó su atención de las palabras que al fin se habían encontrado en una rima.

—¿Qué pasó?

—Un cliente se sobrepasó conmigo. Le reclamé al jefe y no me dio la razón.

No especificó nada más, pero el pequeño corazón de Cayetana se encogió. Contó los días. No fueron más de diez hasta que la cesantía las acechó otra vez.

—¡Eres una parada en la hilacha, eso es lo que pasa contigo! —le había dicho el jefe.

—Y a honor lo tengo —le contestó Carlota, cuando le retiró con fuerza las manos al jefe mismo, ya no a un cliente, de sus nalgas—. Págueme lo que me debe, yo aquí no vuelvo.

Y no volvió. No tuvo duda. Se fue, con la misma seguridad con que el día del terremoto abandonó su ciudad natal.

—Somos de una estirpe de sobrevivientes, Cayetana. Tú y yo. Y también lo serán tu hija y la hija de tu hija. Lo presiento.

Al día siguiente fue a buscar a Cayetana al colegio. Lo hizo con tiempo, respirando el aire, mirando a la gente en las calles, deteniéndose frente a las vitrinas. Caminar así es un lujo, el tiempo es el lujo mayor, se decía en silencio. Fue en el escaparate de una pastelería que vio el anuncio: *Se necesita empleada doméstica, puertas adentro. Buen sueldo. Hablar aquí.*

Carlota no pudo apartar los ojos del aviso. Luego prosiguió su camino a la escuela y recogió a su hija.

Al día siguiente hizo el mismo recorrido. El aviso aún estaba allí.

Al subsiguiente, entró.

Esa misma noche, Cayetana le dijo a su madre: "No te vayas a morir, mamá. ¿Qué pasaría conmigo? Me quedaría sola en el mundo." Y Carlota le respondió, segura: "No tengo para cuándo morirme, soy una mujer fuerte. El día que me muera seré vieja, estaré ya cansada y moriré de pie sobre mi cama, como corresponde a la gente curtida. Verás que es cierto lo que te digo."

Carlota y Cayetana se instalaron en una buena casa junto al Parque Ecuador, vecino a la Universidad de Concepción. Don Jorge Gallardo —el patrón de Carlota— enseñaba filosofía en la Escuela de Derecho. Era un hombre solo, también viudo, padre de una única hija. Lo que más temía Carlota al presentarse al nuevo trabajo era plantear la existencia de su Cayetana. Pero no fue motivo de problemas. Por el contrario: dada la situación del dueño de casa, la niña fue bienvenida.

Transcurrieron dos largos años sin sobresaltos, madre e hija muy juntas. Lo único que pesaba sobre Cayetana era pronunciar: "Mi mamá trabaja como empleada doméstica." Y le costaba porque sabía que algo en Carlota estaba roto. ¿Será la esperanza, que siempre puede recuperarse?, se preguntaba Cayetana mirando a esta mujer, valiente al servir la mesa, al lavar la loza ensuciada por otros, al limpiar los baños de la casa.

No lavaba ni planchaba la ropa. Para ello don Jorge empleaba a una joven huérfana —de madre mapuche y padre mestizo— a quien le daba este trabajo para aumentar sus ingresos. La muchacha se acercó mucho a Carlota; la trataba con enorme respeto, como a la madre que había perdido, sospechando que esta mujer no vivía lo que le correspondía. Durante dos años, todos los martes y los viernes, almorzaron y comieron juntas.

—Usted es muy sabia, señora Carlota.

—En la vida, mujer, las penas la ponen sabia a una.

Cayetana fue la más beneficiada con la presencia de esta joven. Tenía, por fin, quien la sacara a pasear, la acompañara al cine y la ayudara en pequeñas diligencias. Y estaban los cuentos. Cayetana, sentada junto al fogón, escuchó historias de su raza y aprendió de ellas. La joven mapuche le hablaba de los espíritus tutelares, de los antepasados a quienes la *machi* llama con la rama de canelo, echándole *mudái* —licor de trigo bendito—, del marido elegido para la *machi*, el que debe proveerla de todo para que ella haga su trabajo. "Eso me gustaría ser a mí, una *machi*", le decía Cayetana. "No puedes", le contestaba la muchacha, "tú no eres mapuche." "Pero mestiza soy", contestaba orgullosa la niña, "¿o tú crees que los españoles sólo tuvieron hijos entre sí?" Le hablaba del *pillán*, explicándole que no es el diablo como creen los blancos, sino el espíritu que los cuida. Llamaba al cielo *la tierra de arriba*, y eso Cayetana nunca lo olvidó. Tampoco el respeto a la tradición oral, a las voces de los mayores, los padres, los abuelos, los bisabuelos. Cayetana escuchaba sobre los sueños posibles de la muchacha: "Elegimos el vuelo del cóndor arriba o de la oruga que no ha movido una hoja pero que será la mariposa que moverá la imaginación." (Mucho más tarde Cayetana le diría a su hija: "Lo mejor de esa cultura, Violeta, es que las emociones y las ideas van unidas en las mismas palabras. Ésa es nuestra gran diferencia con ellos." No nos consta si la niña lo comprendió o no.) Y Cayetana, cuando hubo asumido el significado de la palabra *lamién*, pensó mucho en la hermandad. Le preguntaba a Carlota: "Mamá, ¿por qué los mapuches entre ellos son hermanos y los blancos no?"

La muchacha que contó tantas historias a Cayetana se llamaba Marcelina Cabezas.

Dos años decíamos que duró la tranquilidad, hasta que llegó el pirata aquél, el que surtía a don Jorge de mariscos y harina. Era un hombre de mar. En alguna revuelta partió con su barco de la Armada, tomó la radio por donde recibía las instrucciones y, por considerarlas confusas y contradictorias, la tiró al mar. Desapareció con barco y todo. Volvió a los cuatro años, con dinero. Consciente de su delito, se entregó a la justicia y pagó con la cárcel. Cuando salió libre, se compró un molino: éste fue el único lugar donde hubo pan en la época de la depresión.

Don Jorge le profesaba una mezcla de admiración y cariño.

Un día, mientras Carlota le servía un té en el living, él le preguntó a boca de jarro:

—Usted, señora, ¿por qué hace este trabajo?

—Porque es un trabajo honrado y debo educar a mi hija.

—¿Nunca se ha preguntado por la injusticia?

—¿Para qué? Me tocó lo que me tocó y tengo que apechugar, sin hacerme preguntas.

—Bueno, no le vendría mal hacerse unas pocas. Usted sabe tan bien como yo que este trabajo no le corresponde...

—En no habiendo otro...

—¿Cuál es su día libre?

—Los jueves en la tarde y domingo por medio.

—Bien, el próximo jueves la vendré a buscar y la voy a llevar donde unos amigos, a una reunión. Para que conozca un poco de mundo y para que se haga esas preguntas que no se hace.

Carlota lo miró. Alto y fornido, ¿cuánto medirían esos hombros? Sí, era vigor lo que trasuntaba, como un aroma. Los ojos negros, muy vivos, iban y venían sin intranquilidad. Sus manos, anchas al tomar la taza de té, anchas y ásperas, parecían tan firmes. Se fijó, el primer día que lo vio, en un anillo que usaba en su dedo meñique. Era una piedra con una cruz, negra y café, y la cruz nacía de la piedra misma, no era un dibujo ni un relieve.

Por su hermosura y su originalidad, esa piedra conmovió a Carlota. Debían haber hecho muchas cosas esas manos. Y fue por eso que accedió, no por reuniones ni preguntas.

Carlota temía olvidar lo que eran las manos de un hombre.

Así fue como conoció a los compañeros, las manifestaciones y las ideas del socialismo, todo muy lejano para ella. Y claro, cómo no, su pecho se insufló de aires libertarios. Quiso estudiar, leer sobre algunos temas en libros que este pirata le facilitaba, y muchos jueves, en vez de salir al Parque Ecuador o a pasear por la calle Barros Arana, se quedaba con su hija estudiando. Lo hacían juntas, con tanto interés una como la otra. A veces le leía párrafos —alguna idea que le parecía bonita o inspirada— y su hija los comprendía mejor que ella.

Pero los humos no se le fueron a la cabeza. Los compañeros la provocaban, incitándola a buscar mejores horizontes, y ella decidía cada día quedarse con don Jorge: allí no pasaba frío (el sur es inclemente en sus inviernos), ni hambre (Cayetana se alimentaba con la misma equilibrada dieta de la hija del profesor), nadie las trataba mal y la niña —su única niña, la de sus ojos— podía estudiar tranquila.

Hasta que un día Antonio Sepúlveda —así se llamaba el pirata— le preguntó cuál era su sueño.

—Llegar a la capital —fue la respuesta resuelta de Carlota.

—Nada original, viniendo de una provinciana —opinó él.

—Pero ése es mi sueño.

—A la capital llegarás, mujer, si te casas conmigo.

Una semana más tarde, el anillo de la piedra cruz fue puesto ceremoniosamente en el dedo anular de Carlota. Y Antonio Sepúlveda le contó la historia de esta prenda, para que ella supiera *qué* le estaba regalando.

Los Sepúlveda eran once hermanos. Vivían en Talcahuano. Un día, la fiebre del oro acometió a uno de ellos, Guillermo, e impulsado por ella partió. Pasaron los años y Guillermo no volvía. Cada hermano, todos ligados al mar, tuvo como tarea buscarlo. Todas las redes de todo tipo fueron dispuestas tras este objetivo. Nada... Guillermo había desaparecido.

Pasados ya cinco años, el menor de los hermanos, Antonio, fue enviado por el padre a Nueva York, tras una pista fidedigna, con la misión de encontrarlo. Al despedirlo, refrendando la solemnidad de la ocasión, el patriarca Sepúlveda le entregó una medalla. Esta medalla colgaba de una cadena de plata, y enchapada en la plata se incrustaba una piedra cruz. Era una de aquellas piedras de la zona, de un río cercano, el Laraquete, que traen una cruz en ellas, en colores tierras, entre negros y cafés, y que sólo existen en dos ríos del mundo. "Es la cruz de la buena suerte", le dijo a su hijo menor, "que ésta te acompañe."

Partió el undécimo de los hermanos. Tras mucho deambular y luego de algunas penurias, supo de un pequeño lugar en Harlem, perdido en medio de la pobreza, al que llamaban Chile Chico. Era un margen de la marginalidad donde se agrupaban los chilenos. Fue conducido donde el patriarca del barrio: "Él es el que da las señas, él es el único que puede ayudar e informar."

Lo recibió un hombre grande y grueso, con un vistoso tatuaje en el brazo izquierdo. Junto a un vaso de vino escupió Antonio, cansado, la historia de su hermano. Con atención y amabilidad fue escuchado. Pero no.

Guillermo Sepúlveda no ha pasado por aquí. Nadie con ese nombre. No. Sabemos de todos los chilenos que han cruzado esta parte del mundo en los últimos cinco años. Nadie con esas señas. Nadie.

Al levantarse Antonio, defraudado y descreído, el hombre grande le dijo: "Espera." Fue y volvió al instante con una pequeña caja de cartón. Estaba cerrada. "Un obsequio para quien te envió", le dijo.

Volvió a Talcahuano el hermano menor y entregó a su padre la caja. Éste la abrió. Dentro había, convertida en anillo, una piedra cruz.

Un año más tarde, cuando Cayetana tenía ya catorce, el abuelo Antonio —como lo llamó siempre Violeta— compró una casa en la capital, en Ñuñoa, el barrio donde vivían sus amigos y sus compañeros. Se instalaron muy cerca de la plaza principal de la comuna.

Era una casa propia. Muy grande, tenía dos pisos, muchas habitaciones, patios y parrones.

Los molinos y los barcos pesqueros de Antonio Sepúlveda rendían frutos. Dejó a uno de sus hermanos administrando sus bienes y partió a Santiago a encontrarse con su gran pasión: la política.

Pasado el primer mes, Marcelina Cabezas tomó el tren rápido a Santiago y se vino a vivir con ellos.

De esa casa Cayetana nunca más quiso salir. Hasta que se fue del todo, de toda casa posible.

Allí nació Violeta. La primera vez que supo de la palabra "mudanza" fue a los doce años, cuando juntó todos sus papeles en una caja de cartón y los escondió bajo la cama de su amiga Josefa hasta que la casa nueva estuviera lista. Pero eso fue mucho más tarde. No debemos nosotras, las otras, faltarle el respeto al orden de este relato.

166

La vida en el hogar de Ñuñoa era lo más parecido a una vida feliz que nosotras hemos conocido. El abuelo Antonio llenaba cada espacio de la vida y de la casa, Cayetana como su hija verdadera, Carlota como su mujer a toda prueba. Iba y venía entre Santiago, Concepción y Talcahuano, siempre con las manos llenas. El buen material nunca faltaba para que Marcelina lo transformara en espléndidas comidas: el pescado, los mariscos, las longanizas, el arrollado.

Había música.

Había libros.

El abuelo Antonio le compró a Cayetana todos los libros que ella quiso: novelas, poesía, historia.

Siempre había gente.

El abuelo Antonio no le cerraba las puertas a nadie.

Tampoco se las cerró al joven extranjero Tadeo Dasinski.

Tadeo era hijo de un mariscal polaco que peleó contra la dictadura de Pilsudski entre los años 1926 y 1935. Daszynski, como se escribía originalmente el apellido, era un socialista. En un momento de crisis política decidió sacar a su hijo menor del país. Temporalmente. Lo envió a Buenos Aires, donde vivía un hermano suyo. Allá llegó Tadeo en 1931, cuando no tenía más de dieciséis años. (En ese país se encontró llamándose Dasinski; para simplificar, le explicó su tío.) Terminó sus estudios básicos a duras penas en Buenos Aires. Como el mariscal había insistido en lo temporal de ese exilio, su hijo no estudió ni hizo nada contundente, esperando el llamado del padre que nunca llegó. Y aunque olvidó a casi todos los de su patria, la imagen del dictador Pilsudski, con sus negros y tupidos bigotes, se grabó para siempre en su memoria.

A raíz de desavenencias de dinero, se peleó con su tío argentino y se vino a Chile.

—Es un poco desadaptado —fue el comentario de Antonio Sepúlveda al conocerlo.

—Eso es lo que me gusta de él —replicó Cayetana.

Y lo barrieron para adentro, integrándolo a las tertulias, a las discusiones políticas, a las sopaipillas en los días de lluvia y a la harina tostada en los días de sol.

Tadeo Dasinski tenía un color ámbar y parecía ser un buen dueño de su cuerpo. Contenía en él la languidez y la belleza europeas, el temor y el desarraigo. Cayetana se enamoró de él.

Se casaron bajo una condición puesta por ella: vivirían en la casa de Ñuñoa. Era tan amplia que había espacio para todos. Podrían arreglar el segundo piso como un departamento privado para ellos. Pero por ningún motivo Cayetana viviría lejos de Antonio, de Carlota y de Marcelina. Y ante la menguada situación económica de Tadeo, esto resultó para él más un alivio que una carga.

Antonio no quiso que su hija sufriera ninguna penuria económica por casarse con un hombre pobre y sin profesión.

—Yo tampoco la tuve y no me ha ido mal, es todo cuestión de trabajo y esfuerzo. Pero en esa oficina donde trabaja no llegará a ninguna parte. Va a ser un empleaducho toda la vida. Y el hombre no es nada tonto. Yo les pondré su negocio propio.

Dos cosas llegaron de regalo de bodas: el anillo de la piedra cruz, que la madre sacó de su anular para ponerlo en el de su hija, y el capital —tan ansiado por Cayetana— para instalar una librería.

—¡Podré leer todos los libros que quiera!

—Pero con una condición —advirtió Antonio—: que no dejes tus estudios. Tadeo la manejará hasta que termines tu carrera.

Influida por don Jorge Gallardo, el antiguo patrón de Carlota, que advirtió desde el principio el vivo interés de Cayetana por aprender y que le enseñó muchas cosas, ella entró a la Universidad de Chile a estudiar filosofía.

—Te vas a morir de hambre con esa carrera —le decía Carlota, sin sentirlo muy en serio.

—¿Y para qué estoy yo? —replicaba el ancho y grande Antonio Sepúlveda. ¡Que estudie lo que le parezca! Quizás con una carrera así se dedique después a la política.

Entonces, Tadeo se hizo cargo de la librería y Cayetana siguió en la universidad.

Nosotras, las otras, acompañamos a Cayetana, muy poco después de su matrimonio, en su embarazo. El único que tendría. Lo vivió con jovialidad e ilusión, y la casa de Ñuñoa entera se esmeró en agasajar a la futura madre. Las discusiones sobre el nombre eran un juego que a todos divertía.

—Un nombre polaco, ¡de ninguna manera! —exclamaba Cayetana cuando Tadeo pretendía meter baza—. Basta con el apellido que lleva. Al menos en el nombre deberían percibirse sus raíces del sur. Del sur de Chile, Tadeo.

Toda sugerencia fue desechada por Cayetana.

Hasta una noche en que, al volver a casa, corrió donde su madre.

—¡Ya tengo el nombre para mi hija!

—¡Tan tozuda, niña! ¿Y si te sale hombre?

—Va a ser mujer, estoy segura. Déjame contarte, mamá. Fuimos con un grupo del Pedagógico a una quinta de recreo en la Gran Avenida.

—¿Y por qué tan lejos, mijita?

—No hay quintas de recreo en Ñuñoa, pues mamá. Para pasarlo bien hay que ampliar los barrios.

Llegamos hasta el paradero 22, todos metidos adentro de un mismo auto, porque uno de mis compañeros había estado ahí y quería que escucháramos a un dúo de mujeres, dos hermanas que cantan boleros y corridos. La quinta se llama Las Brisas. Y una de ellas me llamó la atención.

—¿Por qué?

—Porque, ¿sabes, mamá, lo sorprendente? La reconocí. Esta mujer, de pelo muy largo y despeinado, y con una voz robada a los ángeles, me recordó a alguien que yo conocía. Pensé y pensé mientras la escuchaba, de dónde la conozco, he oído esa voz antes... algo me sonaba a infancia. Hasta que desperté. ¿Te acuerdas de cuando vivíamos en Chillán y trabajó con nosotras esa vieja fantástica, la Pancha? ¿Te acuerdas de que era una payadora?

—¡Cómo no me voy a acordar de la Pancha, pues mijita!

—¿Y te acuerdas de que a veces iba a verla una mujer joven, que andaba con una guitarra al hombro, y la Pancha le mostraba sus payas?

—Me acuerdo del orgullo de la Pancha, no de que una folclorista se interesara en sus payas...

—Es ella, mamá. Es una de las hermanas que cantan. A la salida me acerqué y le pregunté si sería la misma persona de mis recuerdos. Y me lo confirmó. ¡Debieras oírla cantar! Es puro talento, pura tradición popular. Créeme, mamá, que me inspiró.

Carlota se sorprendió ante el entusiasmo de su hija.

—¿Y cómo se llama esta mujer?

—Violeta Parra.

Hubo un silencio corto, como si los acordes de la guitarra cruzaran el entendimiento de la futura madre.

—Mi hija se llamará Violeta.

170

—Contrata a alguien que te lleve la administración y las platas chicas —le sugirió el suegro a Tadeo—. Y tú, aprende de libros en serio. Que llegue a convertirse en tu oficio.

Así fue como Carmencita llegó a la familia. Chiquilla inteligente, empeñosa, discreta, muy pronto pasó a compartir almuerzos dominicales y tomó a Violeta en brazos apenas ésta nació. Un año después del nacimiento de Violeta, Carmencita parió también. Era soltera. Antonio Sepúlveda, como buen librepensador, prohibió que se le hicieran preguntas y acogió a este hijo de padre desconocido con toda la naturalidad del mundo. Fue compañero de juegos de Violeta desde la más temprana infancia. Dos años después, otro embarazo de Carmencita volvió a sorprenderlos.

Ante la insistencia de Cayetana, que la acogía y la compadecía, el sueldo de Carmencita fue aumentado. Una jefa de hogar con dos hijos a cuestas no es broma, opinó. Como esta vez era una niña, toda la ropa, los juguetes y, más tarde, los uniformes, todo lo de Violeta, Cayetana se lo pasaba a Carmencita.

Así la familia parecía ampliarse y ampliarse, y todos encontraban en ella un espacio.

Cayetana, por esos tiempos, decidió visitar a una vidente. Una especie de bruja que veía nítidos futuros. Lo primero que hizo fue preguntarle por el destino de su Violeta.

—Su hija tendrá dos vidas —le vaticinó la mujer.

—¿Qué significa eso?

—Tendrá dos vidas, es todo lo que veo.

Cayetana llegó a casa con esta profecía, y entre todos hicieron mil conjeturas e interpretaciones.

—Mientras me quieras mucho a mí en cada vida, no importa cuántas tengas le dijo Cayetana a Violeta.

—¿Y qué te dijo de ti, mamá?

—Poco, muy poco.

Nadie pudo sacarle más palabra que eso.

La única pelea fuerte que se recuerda de esos años fue a propósito de la entrada de Violeta al colegio.

Cayetana creía en la educación pública y pensó enviarla a un liceo —dependiente de la Universidad de Chile— que quedaba a una cuadra de la casa. Varios de sus amigos habían elegido para sus hijos ese colegio mixto, laico y de excelente nivel académico. A Cayetana le parecía el lugar natural para Violeta.

Pero, por primera vez, Tadeo no estuvo de acuerdo y alzó la voz, sin dar su brazo a torcer.

—Quiero un colegio privado para mi hija, donde aprenda idiomas y haga contactos para el futuro. No quiero que a Violeta le suceda nada de lo que me ha sucedido a mí, que he sido siempre un excluido, o a ti, que debiste soportar ser hija de una empleada doméstica. Exijo la vara más alta para mi hija.

—Tal vez tenga razón intervino Carlota, presa quizás de qué recuerdos.

—Eso es arribismo —opinó el abuelo Antonio—. La van a desadaptar. Además, por principio yo estoy en contra de los colegios burgueses. ¡Y más encima católicos!

—Somos todos bautizados, aquí no hay ni un moro en esta casa —le respondió su mujer.

La discusión siguió por un buen tiempo.

—Debe absolutamente hablar inglés —insistía Tadeo. El mundo del futuro es el inglés, Cayetana. Mira la falta que nos ha hecho a nosotros saberlo.

Ese argumento la ablandó. Pensó en su pasión por la lectura y en la posibilidad de no verse obligada a leer traducciones, y tener acceso a los originales. Al fin, decidió que le daba lo mismo: la verdadera formación era la de la casa y el colegio era secundario.

—¿Cómo lo vamos a pagar?

—La mandaremos al liceo de la esquina los tres primeros años, hasta que yo junte ese dinero —dijo Tadeo—. El negocio va bien, confía en mí.

Así se hizo.

Mientras los hijos de Carmencita siguieron para siempre en el liceo de la esquina, y también los hijos de los amigos de Cayetana, tres años más tarde Violeta fue enviada a un colegio de monjas del barrio alto para que aprendiera inglés.

A Cayetana le parecía extraño, pero estimulando su buen humor, que lo tenía con creces, terminó por divertirle la idea.

Carlota estaba contenta.

Antonio siempre dijo que era una estupidez.

Tadeo, cada vez que iba a ese colegio, se henchía de orgullo.

—Mi niña no tendrá problemas en la vida —se atrevía a conjeturar—. Será culta, refinada, digna nieta de un mariscal, y se podrá adaptar a lo que sea..

A las lágrimas también, pensó Marcelina en silencio, ya que nadie le preguntó su opinión.

La diversión en los ojos de Cayetana.

A pesar de sus estudios, que prosiguió eternamente, y de una vida agitada llena de actividades, Cayetana desplegaba una ternura incontenible frente a su pequeña Violeta, confiando en que el papel tradicional de madre lo compartía con Carlota y Marcelina. La llamaba "mi manzanita" y la mascaba. La niña se miraba al espejo de noche y se preguntaba si se parecería a una manzana. Su mamá la hacía reír y fue esa risa, reflejada en los ojos de Cayetana, lo que más amó: Violeta siempre buscaba sus ojos.

Uno de los peores recuerdos de su infancia fue el episodio del jarrón polaco. Era un enorme jarrón floreado, muy fino, una de las pocas posesiones del pasado de su padre. A veces Violeta jugaba a *marearse* en el salón: daba cien vueltas sobre sí misma con los ojos cerrados y los brazos abiertos, hasta perder el equilibrio. Su padre insistía en que no lo hiciera, podía caerse arriba del jarrón o pasarlo a llevar con sus brazos extendidos. Hasta que ocurrió. Quebró el jarrón. Tadeo estuvo a punto de perder el control. Violeta, aterrada, buscó los ojos de su madre: en ellos encontró una mezcla de confianza y liviandad. Sin decir Cayetana una sola palabra, esos ojos relativizaron en Violeta el mal que había hecho. Así, el quiebre del jarrón polaco se mantuvo dentro de la niña como un error, una fea travesura, no una maldad. Gracias a los ojos de Cayetana.

Violeta llegó un día llorando porque en el nuevo colegio su compañera Carmen Brieba la había acusado de ser polaca, diciéndole que todos los polacos eran comunistas y que los iban a excomulgar de la Iglesia por eso, a ella y a su papá. Cayetana se largó a reír.

—¿Y cómo lo sabe la Carmen Brieba?

—Se lo dijeron en su casa. El problema, mamá, es que ella siempre sabe todo.

—¿Por qué?

—Porque es prima de la reina Isabel.

Cayetana no pudo menos que soltar la carcajada.

—¿Prima de la reina Isabel?

—Te juro, mamá, siempre lo cuenta en el curso.

—¿Y ustedes le creen?

—Sí, Josefa y yo le creemos.

La abrazó y su risa llenó el corazón de la niña, que ya no volvió a preocuparse sobre los polacos, ni de si serían todos comunistas o no.

Nosotras, las otras, quisiéramos ser respetuosas con los recuerdos de Violeta, que a partir de cierto punto comienzan a ser fragmentos. No es nuestra memoria la fragmentada, es la de ella.

Algo empezó a enrarecer el aire de la casa de Ñuñoa. Violeta lo percibe pero no sabe qué es. Ya está próxima a ser una adolescente y sabemos que sus ojos han registrado la imagen de Cayetana llorando en su pieza porque el abuelo Antonio ha sido duro con Tadeo. Le han pedido que les preste el dinero necesario para ampliar la librería, y él lo ha negado. Violeta sabe que el abuelo no niega nada sin tener una buena razón. Algo se encoge dentro de ella.

Su siguiente recuerdo es el tercer embarazo de Carmencita. Cayetana decide hacerse cargo de esta nueva criatura.

—Seré la madrina —anunció, y Carmencita soltó una lágrima ante la oferta.

Fue durante el embarazo de Carmencita, casi hacia el final, que celebraron esa comida con visitantes latinoamericanos en la casa de Ñuñoa. Se produjo una mezcla rara: dirigentes socialistas, intelectuales, funcionarios internacionales y hasta algunos guerrilleros, según decían. El abuelo Antonio los conocía a todos, él tenía sus redes y sus contactos. Algunas noches sentaba a Violeta en sus rodillas y le hablaba del más famoso de estos personajes, uno al que llamaban "el Che". Y hablándole del Che exaltaba el valor de la solidaridad y la generosidad. Este médico, que había rechazado una vida cómoda y estable para jugarse por los pobres, y no sólo por los de su país sino por los de todo el continente, era para Violeta como una estrella... Aprovechaba entonces el abuelo Antonio para hablar de cómo toda Latinoamérica debía ser una, compartiendo un mismo destino, y que los hombres buenos debían jugarse por él. Citaba a José Martí: "Es un crimen el no ser un hombre útil." Violeta escuchaba muy seria, absorbía las palabras del abuelo. Se realizó entonces esa memorable comida, y Violeta recuerda su propia figura hecha un ovillo al lado de la chimenea, tratando de pasar inadvertida, cuando advirtió que los ojos de su madre se dirigían con frecuencia a los ojos verdes, entre feroces y acogedores, de un guatemalteco. Violeta percibió algo que no supo configurar en su conciencia, pero no pudo abstraerse de las ondas casi magnéticas que expelía aquel hombre. Era joven y muy apuesto. Su mirada quedó fija en él, temerosa de si habría de recordar ese rostro, temerosa de las vibraciones del cuerpo de su madre.

Unos días después vino el ataque: el corazón del abuelo Antonio falló sin previo aviso. Una mañana, sencillamente, no volvió a abrir los ojos. El duelo las embargó de la cabeza a los pies. La vida sin Antonio no era la vida. Cayó sobre la casa una lluvia de opacidad, algo que Violeta juró combatir esas noches sin consuelo en que lloraba al abuelo en su dormitorio. El brillo no puede venir de afuera, no puede dártelo otro, debe ser propio, concluyó.

Carlota decidió entregarse. O empezó a hacerlo, de a poco. Violeta se enojó mucho. "¿Por qué no peleas, abuela, tú, la más fuerte de todas?" "Por que no me interesa, mijita; ya cumplí, ya estoy vieja, quiero ir a reunirme con él."

En el intertanto nació la guagua de Carmencita. Como Cayetana sería la madrina, la casa tuvo que despertar. Marcelina cocinó varios días; Carlota encontró fuerzas para participar, y Cayetana para entusiasmarse.

El bautizo se hizo con todas las de la ley, y Violeta podría reconocer, todavía hoy, el vestido rosado que le compraron para la ocasión.

La noche del bautizo fue la noche más oscura, luego de la ida del abuelo. Violeta recuerda a Carlota y a Cayetana encerradas en la pieza: Cayetana gritaba y Carlota la consolaba dentro de su debilidad.

—Gracias a Dios que Antonio se fue —suspiraba Carlota—. Nunca le gustó del todo, algo sospechaba de él.

Violeta escuchaba con el oído pegado a la puerta.

—Por eso no les prestó el dinero para la ampliación de la librería.

Violeta fue donde Marcelina a preguntarle qué pasaba. No obtuvo respuesta.

Al día siguiente Tadeo dejó la casa. Se despidió de su hija y le prometió verla muy seguido.

—Cuando seas grande comprenderás y lograrás perdonarme.

Inmediatamente, Cayetana partió de viaje, no sin dar la explicación correspondiente a su hija sobre lo sucedido. Fue honesta, como lo era en todo; no intentó dibujar sombras en realidades que ya eran evidentes.

—El día del parto yo esperaba en la sala de afuera. Al demorarse el nacimiento, me acerqué al pabellón para ver si había algún problema. Y ante mi asombro, siento los gritos de Carmencita que llamaba a Tadeo. ¿Sabes lo que me pasó, Violeta? Recordé una novela rusa de espionaje en que la heroína, que se hacía pasar por alemana y a la que todos creían alemana, en el momento del parto grita en ruso. Quedé nerviosa. Más bien, sospechosa. Pero teníamos el bautizo por delante y mi palabra de apadrinar a este niño. Así es que el día del bautizo, observando la relación de Tadeo y Carmencita ya sin inocencia, y descubriendo pequeños elementos que antes había pasado por alto, lo entendí todo. Hablé con él esa tarde en cuanto se fueron los invitados. Le saqué con mentira verdad, un juego horrible que una se permite sólo en circunstancias que sean horribles también. Y le conté que Carmencita, en la sala de parto, con miedo en ese momento de morirse (a las mujeres les pasan cosas extrañas en el momento de dar a luz), me había confesado toda la verdad para proteger a sus hijos. Por lo tanto, yo ya sabía que él era el padre. La palidez de Tadeo hizo inútil la confesión. Sí, manzanita, ésa es la verdad. Tu padre está con Carmencita desde que tú naciste. El engaño ha sido feroz. Pero a pesar de eso es tu padre, te ama, y te corresponderá a ti perdonarlo algún día. No a mí.

Violeta escuchó esta historia como si le hubiese sucedido a otra. Con los sentimientos paralizados, ya no ponía atención cuando su madre concluyó.

—La perfecta pieza de ajedrez: el hombre protegido por mujeres, al amparo del amparo para destruirlas.

Violeta pensó que se iba a volver loca. Que si el abuelo Antonio no hubiese muerto, nada de esto habría sido posible. Que su padre era una buena persona. ¿Cómo convencerse de que se había quedado con su madre sólo porque le convenía? ¿Cómo podía no querer a su madre, a esa mujer adorable, irresistible a los ojos de su hija? "Uno puede amar a dos mujeres a la vez", le contestaría Tadeo mucho más tarde.

Y Cayetana partió, dejando a Violeta con Carlota y Marcelina. "Latinoamérica", dijo cuando le preguntaron por su rumbo, así de vago. La niña recibió algunas tarjetas postales que guardó por mucho tiempo. Recuerda una de Colombia en que su madre se refería al Tequendama, a un jardín de orquídeas y a una plantación de café. Nada más. De Lima el recuerdo es más nítido:

su madre la llamó "la ciudad tres veces coronada, la lumbrera del gran océano Pacífico". Recuerda un altar en la iglesia San Francisco de Jesús de Lima, el del Patrón de los Imposibles, y le dice que la ha atraído ese nombre y que ha rezado por ella frente al santo de los imposibles. Guardó siempre una tarjeta escrita en Guadalajara, México. La espléndida construcción que aparecía en la fotografía se llamaba Hospicio Cabañas. Cayetana le habla de los veintitrés patios, de los naranjos y la cal, de la generosidad de la luz y del espacio, de los frescos de Orozco y de haber encontrado allí un lugar sagrado. *Tus ojos verán algún día esta luz, manzanita*, le dice a su hija, *y te subyugará como a mí*. Hubo también una tarjeta desde Guatemala, y la niña negó su contenido, sin saber por qué. Sólo sabe que no recuerda nada de esa parte del viaje de su mamá. Nada más, hasta el regreso apresurado de Cayetana porque Carlota ha decidido que le llegó el momento. Cayetana alcanza a llegar y la atiende amorosamente. Al día siguiente, durante toda la noche, Carlota murió. Y a la hora señalada se levantó en la cama para morir de pie, como se lo había prometido a su hija. Le copió al abuelo Antonio el instrumento: el corazón. Pero Violeta sabe que Carlota ha muerto de amor.

Entonces sobreviene el caos en la cabeza de la niña. A los pocos días se ve instalada en casa de su amiga Josefa, porque Cayetana ha decidido desarmar la casa de Ñuñoa, venderla y partir. Le deja a Violeta el baúl de mimbre. Cuando ya está preparada, le pide a Marcelina que se quede a cargo de su hija en casa de Tadeo, prometiéndole que muy pronto mandará por ella. Muy pronto. Que la espere un poquito.

Marcelina no quiere instalarse en el departamento de Tadeo. Es chico y apretado. Pero la verdadera razón es que teme la presencia de Carmencita. ¿Cómo la va a resistir? "Por Violeta", le contesta Cayetana, "por Carlota y por mí."

Tadeo, contento de recuperar a su hija y haciendo planes futuros para todos, arrienda una casa grande e instala a Violeta en su propio dormitorio. "Pero si esto es pasajero, papá", le dice ella. "No importa, quiero que estés bien. No sabemos cuánto puede demorarse tu madre en venir a recogerte." Fue entonces que Violeta hizo la primera mudanza de su vida; y en medio de aquel desorden llevó sus papeles donde Josefa.

El día que partió Cayetana, al abrazar a su hija, hizo un gesto que la traicionó porque podía parecer definitivo (¿intuyó su destino?, se preguntaría mil veces Violeta, después). Se sacó el anillo de la piedra cruz y lo puso en el dedo de su hija.

—Te queda un poco grande, pero no importa. Éste es el anillo para las manos de todas nuestras mujeres, las de la familia. A través de él vamos pasándole lo mejor de nosotras a la que viene. No lo pierdas, te lo dejo en prenda porque es lo que más quiero. Me lo devolverás cuando nos volvamos a encontrar.

Violeta esperó y esperó. Adquirió el hábito de pararse en la puerta de calle de la nueva casa de su padre y mirar todo el largo de la vereda, buscando esa figura flexible, ese pelo castaño y largo que las otras mamás no usaban. Recibía cartas alentadoras: *Ya estaremos juntas, mi amor, espérame un poco más.* Cuando cumplió los trece, recibió una carta que no entendió mucho ni le interesó. Siete años más tarde, cuando cumplió veinte, ese mismo día de su cumpleaños, la carta apareció dentro de un libro. Le impresionó la coincidencia y le pareció muy de Cayetana. Entonces la leyó y la guardó, para pasársela más tarde a Jacinta:

Quiero recordarte algo, bella mía, en el día de tu cumplea-
ños: tu condición de privilegiada. Hoy cumples trece y estas pala-
bras te sonarán raras, pero necesito que las recuerdes más adelante.

Tus iguales probablemente no te necesitarán, ellos saben
cómo cuidar de sí mismos. Son los otros los que tendrán necesidad
de ti. Y esto, Violeta, no se aplica sólo a tu carrera y a la profesión
que algún día tendrás, sino al mundo.

La gente normal, Violeta, es gente simple. No son par-
ticularmente inteligentes o interesantes, ni especialmente edu-
cados, ni exitosos, ni destinados al triunfo. O sea, mi amor, no
son nada especial. Esta gente común ha entrado a la historia a
través de sus vecindarios; como individuos, sólo en los registros
de nacimiento, matrimonio y muerte. Una sociedad en la que
valga la pena vivir es aquélla destinada a estas gentes, no a los
ricos, los brillantes, los excepcionales; aunque una sociedad que
no les diese espacio a éstos sería sofocante.

El mundo no está hecho para nuestro beneficio personal
ni estamos en él para beneficiarnos en lo propio. Un mundo que
clame que es ése su objetivo no es bueno, y no debiera ser un
mundo duradero.

No quisiera que al crecer lo olvidaras.
Feliz cumpleaños, mi amor.

Hasta el día en que llegó la noticia que iba a trun-
car todas las esperanzas de Violeta. Ya no salió más a la
vereda a esperarla. Desde ese momento hasta siempre:
nunca más buscar los ojos de Cayetana. Nunca más.

—La guerrilla —le dijo Tadeo—. Murió en su
propia ley.

Los ojos verdes del guatemalteco volvieron a
Violeta. ¿Estuvo con él todo este tiempo?

—No lo sé —fue la escueta respuesta de su padre.

Tadeo partió a Guatemala a buscar el cadáver de
Cayetana. No aceptó que su hija lo acompañara, porque

entendía el asunto como un trámite a ser despachado cuanto antes. Volvió sin él. La suma de decepciones iba a matar a Violeta: así lo sintió ella. Ni siquiera el cuerpo. Las explicaciones de su padre le parecieron insuficientes. Que trasladaron los cadáveres a una pequeña ciudad en Guatemala, que los enterrarían ahí, confusa la causa de la muerte... Las autoridades insistieron en una fiebre maligna; otros decían que los acribillaron. El ataúd estaba sellado. Nada más.

No volver a ver tu cara, mamá.

Para no volver a ver tu cara nunca más.

(Violeta pasó años buscando en casa de su padre objetos que hubiesen sido tocados por Cayetana. Violeta necesitaba tocar las cosas que hubiese tocado ella.)

Violeta sabe, y también lo sabemos nosotras, que su salvación entonces fue Marcelina. Su mundo desgarrado fue sostenido sólo por ella. Los fragmentos confluían en su solo cuerpo oscuro, herencia del padre mestizo y la madre mapuche. El equilibrio que Violeta conservó, surgió de las raíces mismas de esta mujer, como las medicinas de hierbas con que la curó tantas veces en su infancia. Es de ella de quien se declara eterna deudora.

Cuando Marcelina sintió a Violeta capaz de batírselas sola, dio por terminada su misión. Pero antes de partir, debía liquidar dos asuntos con su niña.

Lo primero:

—Iremos a un lugar que habría sido importante para tu madre. Ella te habría llevado ahí de todos modos si hubiera estado viva.

Tomó a Violeta una noche y la llevó al barrio de La Reina, a escuchar a una folclorista que cantaba dentro de una carpa.

—Se ha hecho muy famosa —le explicó Marcelina—, incluso en el extranjero. Todos vienen a escucharla. Una voz robada a los ángeles, eso dijo tu madre.

Violeta escuchó embelesada.

Te llamas Violeta por ella.

(Cuando Violeta ya era grande, visitó muchas veces la casa larga de la calle Carmen, en pleno centro de Santiago, donde se instaló oficialmente la Peña de los Parra. Mientras tomaba el vino caliente, nunca dejó de pensar en la primigenia carpa de La Reina y en cuánto les habría gustado este nuevo lugar a Marcelina y a Cayetana.)

Lo segundo:

—Su nombre era Rubén Palma, por si nadie te lo dice. El guerrillero, el de los ojos verdes. Murieron juntos. Vivió el amor y en él murió. Recuerda siempre eso, mariposa.

Y partió.

Violeta reclamó, pataleó, lloró, pero Marcelina, muy quieta, le dijo: "Mis tierras son lo único que me salvará de tantos dolores. Para allá debo ir. Una debe volver siempre a sus orígenes. Ya es mi hora."

(Marcelina Cabezas murió durante el sueño, plácidamente, en su tierra. Fue unos diez años más tarde, cuando Violeta vivía en Roma. Volvió a llorar, a patalear, y sólo se conformó evocando la última frase que escuchara de Marcelina.)

El nombre de Cayetana se borró de la casa donde Violeta vivió con su nueva familia. Nadie hablaba de ella, a todos les parecía sano no recordar cuánta turbiedad los había rodeado en el pasado. La apariencia de felicidad y normalidad sólo era posible sin su recuerdo. Tadeo le rogaba a su hija que protegieran todos juntos esa tranquilidad que les era tan preciada.

Un día en que Tadeo fue severo con ella, pidiéndole que no hiciese más preguntas sobre su madre, Violeta le prometió que ésta sería la última.

—Por lo menos dime una cosa: ¿dónde, exactamente, está enterrada?

—En la ciudad de Antigua, en Guatemala.

Entonces, cierta ya de que la poesía iba a tener en su vida más espacio que los temblores de la tierra, Violeta volvió al libro de Adrienne Rich, a su "Poem of Women". Hizo una nueva anotación bajo los nombres "Carlota, Cayetana y las demás".

> *The faces of women long dead, of our family,*
> *Come back in the night, come in dreams to me saying:*
> *We have kept our blood pure through long generations*
> *We brought it to you like a sacred wine.**

Luego releyó lo subrayado años atrás.

MY LIFE IS A PAGE RIPPED OUT OF A HOLY BOOK
AND PART OF THE FIRST LINE IS MISSING

Y entendiendo que su adolescencia había terminado, partió a buscar esa primera línea que faltaba.

---

* Los rostros de mujeres muertas hace mucho tiempo, mujeres de nuestra familia,/regresan en la noche, vienen a mí en sueños, diciendo: / hemos conservado pura nuestra sangre a lo largo de las generaciones/ y te la hemos traído como un vino sagrado.

Segunda parte

El último bosque

"...yo bordo mis blusas con dos cabezas. Durante la noche, una de mis cabezas sueña con diseños, dibuja colores o puntadas, y durante el día mi otra cabeza piensa en todas las demás cosas que tiene que hacer una mujer: arrear a los animales, guisar, echar tortillas y además bordar la blusa que soñé. Una cabeza es para mí y la otra es para mi pueblo."

Manuela, india náhualt,
en *Sueños y diseños*, de Jill Vexler.

Somos nosotras, las otras, las que observamos a Violeta frente a la silla vacía de su madre. La escuchamos repitiéndole a su ausencia: "No puedo perdonarte, no puedo."

Somos nosotras, las otras, las que miramos a Josefa con su vestido de lentejuelas ceñido al cuerpo, su figura extática, inmóvil en el canto, el micrófono en su mano, mortal el silencio que la escucha, y sabemos que Violeta no asistirá a este recital, ni al próximo, ni a los que vienen, y Josefa necesita que Violeta le diga que todo va bien, que todo está bien, que todo irá bien.

Uno

Soy yo quien debería llevar por nombre Violeta, era yo la depositaria del canto. Pero no fue así.

Mi padre me bautizó como Josefina Jesús de la Amargura.

Perdí largas tardes de mi vida soñando con ser la dueña de un nombre especial, sonoro, pomposo, como los de tantos músicos de los continentes antiguos. Rimsky-Korsakov. O Sergei Rachmaninoff, por ejemplo. Rach-ma-ni-noff. ¡Qué bellos pueden ser los nombres rusos, qué evocadores! Y yo me llamo Ferrer.

A los tres años aprendí a recitar el "Prendimiento" y la "Muerte de Antoñito el Camborio". ("Algún día volveremos, estaremos todos en el Guadalquivir", pronosticaba mi padre mientras nos leía el "Llanto por Ignacio Sánchez Mejía" en la cama, mi hermano y yo entre las sábanas escuchando.) Ya a la edad de tres yo recitaba a García Lorca de memoria y soñaba morir de perfil y con saltos jabonados de delfín, palabras misteriosas que llegué a comprender mucho después de recitarlas. Quedé rotulada como *niña inteligente*. Años más tarde mi terapeuta diagnosticó que eso no era un buen signo ni revelaba inteligencia: sólo una marca de tristeza y de muerte en tan temprana franja de vida.

A pesar de eso, mi infancia fue segura.

Seguridad que hoy ya no me sirve.

Jesús Ferrer nació en el sur de España, en un pequeño pueblo cercano a Sevilla, en las tierras de Andalucía. Vivió la Guerra Civil combatiendo por los republicanos y cruzó el Atlántico a bordo del legendario Winnipeg, el barco de refugiados españoles que organizó el poeta Pablo Neruda. Eran tres hermanos. Mi tío Marcos quedó en las cárceles de Franco, para luego pasar al exilio en Francia, y mi tío Senén acompañó a mi padre a este país remoto.

Dicen que Jesús conservó el ardor durante los primeros años de su vida en Chile. Violeta se aprovechaba de esto para insistir en que yo era genéticamente una revolucionaria. No son ésos los recuerdos de mi padre que priman en mí.

Tengo la impresión de que fue lentamente entregándose. (¿No serían más bien *ésos* los genes que me trasmitió?) Al cabo del tiempo, el Winnipeg y la Guerra Civil quedaron atrás, como si un poderoso instinto de sobrevivencia lo alejara de la maldita marginalidad, situándolo en la comodidad de lo central. Nunca más escuchamos su voz gruesa diciéndonos (¿o contándonos?): *"No pasarán."* La marginalidad ya lo había herido irreversiblemente. ¿Por qué no peleó? Se adaptó al país y los cambios de la situación política chilena le fueron indiferentes; se mantuvo aparte de esos vaivenes. Prefiero pensar que esa actitud le nació espontáneamente, sin ser calculada.

Eligió por esposa a Marta Aliaga, lo más clásico de la mujer chilena neutra, de la clase media, ajena al océano, a la República o al Quinto Regimiento. No fue una elección casual. Mi madre era todo lo que él necesitaba para pasar inadvertido y ser *uno más* de la gran normalidad ciudadana. Para que ninguna *idea*, como idea, fuese relevante. La mezcla de insipidez y disimulada ambición de mi madre resultó seductora para él.

Mi padre era contradictorio. O quizás solamente un hombre débil. Ésta sí era una característica familiar. Me salta a la vista por sus dos hermanos.

Senén participó un tiempo en la política chilena, trabajando arduamente con los radicales. Uno de sus grandes amigos llegó a ser Presidente de la República. Cuando esto sucedió, el hombre llamó al tío Senén y le ofreció, literalmente, lo que él quisiera. "Es sólo cuestión de pedírmelo", le dijo. Y el tío Senén le respondió: "Lo he estado pensando cuidadosamente, sabía que llegaría este momento. Quiero ser el Secretario del Ropero del Pueblo." Su amigo lo miró asombradísimo: "¿Secretario del Ropero del Pueblo? Pero, Senén, te puedo hacer embajador... te puedo dar cargos importantes. Lo que me pides es muy fácil, no lo pide nadie porque no hay *nada* que hacer, es aburridísimo." "Por eso mismo lo quiero yo", le contestó Senén.

Luego de muchos años de exilio en París, a la muerte de Franco, el tío Marcos volvió a España por primera vez. Es otro país, no es más aquél que tú conociste, le dijeron sus amigos, pero ya no está la dictadura. Partió a su pueblo natal y luego de saludar a los pocos miembros de la familia que sobrevivían, se fue a la plaza. Olió, reconoció el aire que le había faltado, se le amplió el pecho. Súbitamente advirtió una sombra desconocida a su izquierda, al fondo de la plaza. Vio una estatua ecuestre que no estaba antes allí. Intrigado, se acercó. Francisco Franco arriba del caballo. ¡Una estatua de Franco en su pueblo!

Se volvió inmediatamente a París.

Ésa es mi familia paterna. De ahí vengo.

Sólo debo agregar que Jesús, hasta los setenta años que vivió, me quiso mucho.

Nunca me ha gustado el término "famosa" aplicado a mí misma. Me ha ido bien, así es como prefiero definirlo. Pero a mamá le fascina esa palabra.

—Mi hija no necesita saber de quehaceres domésticos —fue la frase de mi madre que determinó mi educación—. La estoy criando para que sea una reina. ¿Desde cuándo las reinas tienen que aprender leseras?

Su apuesta era que yo no fuese invisible. Un día me contó una pequeña e insignificante historia.

Ella era la penúltima de varias hermanas. Las dos mayores compartían un dormitorio y, siendo ya adolescentes crecidas, el mundo de esa pieza producía en ella una gran atracción. Todo era vivo, entretenido, lleno de secretos; y en esa pieza los roperos tenían buenos olores. Una de ellas, tía Juana, se arregla para su novio que viene de visita; tía Adriana le ayuda. Se ha probado al menos cinco vestidos, con las respectivas exclamaciones de admiración de Adriana.

—¿Me pongo el vestido celeste?

—Sí —le contesta Adriana—. Víctor no te lo conoce.

—¿Y con qué blusa debajo? ¿Me habrá visto con la blusa lila? ¿Qué blusa usé la semana pasada?

—Usaste la blanca, así es que hoy ponte la lila.

—Ya.

Desde un rincón, mirando esta fiesta juvenil que a sus ojos infantiles significa importancia y libertad, Marta pregunta:

—Y yo, ¿me puse esta falda la semana pasada?

Ambas hermanas se dan vuelta, como si recién se percatasen de su presencia.

—¿Tú? ¿A quién le importa la ropa que hayas usado tú la semana pasada? Si a ti nadie te ve.

A partir de ese momento, Marta juró convertirse en una coleccionista de miradas. No sobre sí misma, porque lo consideró imposible; pero cuando yo nací, ya supo sobre quién. No importaba la calidad ni la intensidad de la mirada, sólo la cantidad.

Víctor se casó con tía Juana y ante el bochorno familiar la devolvió al poco tiempo. Nunca se supo bien por qué. Pasado este suceso, una extraña beatería hizo presa de mi abuela. Beatería, insisto, pues era meramente formal, no esa fe o piedad que uno lleva dentro. Y mi madre la heredó, con su misma superficialidad.

—Mire, mijita —me dijo mil veces durante mi juventud—, en la vida es mejor ser respetada y admirada que ser amada. Métaselo bien dentro de la cabeza.

Claro, la abuela Adriana lo decía y ella lo repetía. El problema es que todas las tías quedaron solteronas. La menor, la tía Chela, vivió varios años con nosotros, y cuando ya no cupo en la casa se fue a un convento. Víctor había *amado* a la tía Juana y miren lo que pasó. Y si no es por ese español medio loco y medio desubicado en un país desconocido, el destino de Marta habría sido el mismo de sus hermanas. Al menos, así lo creía ella. Logró casarse, a pesar del sonsonete de la abuela en sus oídos: "Entre santo y santo, pared de calicanto. Porque el hombre es fuego, la mujer estopa y el diablo sopla."

Una tarde yo estaba estudiando en la casa de la abuela, con mi cuaderno de religión en la falda y rodeada por todas mis tías —cada una afanada en algún menester—. Anotaba, uno tras otro, los pecados capitales; alarmada ante tanto mal, pregunté por las *virtudes capitales*. Nadie las conocía. Esto las retrata de cuerpo entero, concluí: se saben todos los pecados y ninguna de las virtudes.

(Arriba de mi cama, en la pared, había un crucifijo. Un día apareció un grabado antiguo, en blanco y negro, colgado bajo mi Cristo. Decía en grandes letras

L'ORGUEIL, junto a la respectiva ilustración de ese pecado. "¿Acaso no estás estudiando los pecados capitales?", me preguntó agresivamente mi hermano Patricio: "Te lo colgué bien cerca de tu cabeza para que no se te olvide cuál fue el que la mamá inventó para ti.")

Debo decir en defensa de mi madre que nunca le ocurrió conmigo lo que a mí con mi hija Celeste. Cuando Celeste fue creciendo, no supe situarme, no supe cómo verme. El crecimiento de la niña me obligaba a dejar lo que aún quedaba de niñez en mí, empujándome a crecer de una vez por todas y a jugar el papel de madre que el mundo y mi hija esperaban. Yo me sentía tan joven y ese rol me quedaba grande. Me costó mucho adecuarme a ser yo —la mujer emprendedora y llena de vitalidad— y la madre de Celeste, todo al mismo tiempo. Borja nunca cuestionó en mí identidades perdidas, pero Celeste, por su sexo, sí lo hizo. Que yo creciera, en cambio, no desestabilizó a mi mamá. Ella era intrínsecamente *madre*, como si hubiese nacido solamente para esa tarea en la que se sentía a sus anchas. No se pasaba ninguna película de juventud, como yo frente a los micrófonos o al cuerpo delicioso de Andrés. El modelo que yo recibí, por tanto, fue perfectamente claro, traspasado limpio y exacto hacia mí. Peores en tantos otros sentidos, esos modelos fueron ciertamente más nítidos que los de Celeste.

Mi padre instaló, junto a un socio español, una panadería. Comenzó como un negocio modesto en el barrio del Club Hípico, donde vivíamos, y las ganancias eran más bien escuálidas. En ese barrio pasé mi primera infancia y me acuerdo con alegría de la cercanía del Parque Cousiño —hoy Parque O'Higgins, que mis hijos apenas conocen—. Fue también la época en que mi padre me enseñó a dormir con ambas manos arriba de la cama, hábito que mantengo hasta hoy. Cada noche papá entraba a mi dormitorio y levantaba mi mano entregada al sueño, botada al borde del colchón. Para que no me la comieran los ratones. "En la guerra los ratones también tenían hambre y se comían las manos de los niños." Cada una con su trauma: Violeta debía dormir con el camino despejado hacia la puerta, siempre lista para arrancar de los temblores.

El día veinte de cada mes se acababa el sueldo de papá. Empezaba la comida mala, las papas con chuchoca, el guiso de mote, el charquicán. Papá pedía dinero prestado al tío Senén. El día primero, puntualmente, le pagaba. Y el día veinte estábamos de nuevo sin un peso y volvía a comenzar el ciclo.

La panadería se amplió y empezó a haber más dinero y más necesidades. Un colegio caro para Josefina, dijo mi madre. Ésa fue su prioridad. Sus premisas: "Debemos criarla para que sea alguien en la vida", "Josefina no será una mujer cuyo destino pudo ser la grandeza y la vida se lo achicó".

Nos mudamos al barrio alto, porque no podía ir a un colegio caro viviendo junto al Club Hípico. Nos fuimos a Las Condes, a una casa más chica en la Villa El Dorado. Los dormitorios eran pocos y pequeñísimos, y no hubo más espacio para la tía Chela. De la noche a la mañana desapareció ese personaje fundamental de mi vida, que me esperaba todas las tardes a la vuelta del colegio para contarme las atrocidades que habían sucedido en la ciudad: los asaltos y los accidentes eran su tema favorito. Pero, aparte de eso, usaba unas preciosas enaguas antiguas. Le pedí que me las regalara cuando se fue al convento; a Andrés le parecieron muy sexy años más tarde, con esa onda retro... ¡Cuánto se habría escandalizado ella, de saberlo! Aún existen, imbatibles, las enaguas de la tía Chela. El tiempo no pasaba por ella, siempre exacta, los años haciéndola cada vez más parecida a sí misma. Era la única de la casa que tenía sentido común, y eso nos dio un cierto equilibrio a todos.

La tía Chela y la Vieja de la Suerte. Ésta era una vagabunda de pelo gris a la que le faltaban ambas piernas y andaba por las calles arrastrando lo que quedaba de ellas —unos chongos envueltos en trapos— con dos muletas. Una imagen aterradora, puro torso y trenzas arriba de la cabeza, ojos ladinos y una mano siempre extendida, intentando atraer a los transeúntes para verles la suerte. Me producía un temor irracional; si la veía desde lejos, era capaz de caminar cuadras y cuadras para no acercarme a ella. El maleficio se consumaba con su sola presencia. Un día llegó a la puerta de mi casa pidiendo comida. Yo grité y ella respondió con insultos espantosos. La tía Chela me consoló y, sorprendida ante la intensidad de mi miedo, me formuló la pregunta más lúcida de toda mi infancia: "¿No será, mijita, que tu problema con ella no es más que el susto de llegar alguna vez a ser así?" La Vieja de la Suerte fue siempre una obsesión, como tantas otras que he tenido. Pero creo que ésta se ligaba a una intuición muy profunda sobre mí misma: el pavor al desborde, a la caída. La Vieja de la Suerte habitaba en mí bajo la forma del miedo a traspasar los límites.

La tía Chela era la esencia de una vida mínima. De alguna forma se alegró por el cambio de casa: por fin daba con algo que se arriesgaba a perder. Pero yo nunca les perdoné a mis padres que por subir de categoría de barrio nos hubiésemos deshecho de ella.

Una vez nos pidieron, en mi nuevo colegio, que llenáramos un formulario sobre nuestros antecedentes familiares: número de hermanos, actividad del papá, de la mamá, etcétera. En el casillero que decía *profesión del padre*, yo escribí *panadero*. Mis compañeras se rieron de mí. Todas lo habían llenado, orgullosamente, con los títulos de abogado, ingeniero, médico... ¡El papá de la Josefina es panadero! Se secreteaban y me miraban de soslayo. Cuando le conté a mi madre, palideció: le temblaba el labio superior como sólo le sucedía en momentos de mucha ira.

—¡Cómo se te ocurre poner eso! *Empresario*, deberías haber escrito. ¡*Empresario*!

No volvió a dirigirme la palabra en toda la tarde. Estaba atosigada con esa furia impotente que no va dirigida a nadie, sino a la vida en general, cuando las cosas no son como uno quisiera.

La diferencia entre mi madre y yo frente a la pobreza es que a mí no me deshonraba; yo la veía como un estado pasajero, una enfermedad que no deja rastros.

Cuando empecé a mostrar dotes musicales, pedí clases en el Conservatorio de Música. Mi padre lo consideró un capricho y riéndose me dijo: "¿Y de dónde, Josefina? ¿Con qué dinero?" Mi madre, en cambio, lo tomó muy en serio. Lo que hoy me apena es que, si se esforzó, no fue por amor a la música o por hacerme feliz. No, su afán estaba dirigido a vislumbrar la posibilidad de un camino por donde yo podría llegar a ser "alguien". Durante tres años mi madre vendió huevos y queso, casa por casa, para pagar el famoso Conservatorio.

¡Marta Aliaga le puso tanto empeño para que yo me deslizara suavemente hacia el mundo de los ricos! Pero su empeño y su ansiedad producían en mí tropezones y no deslizamientos; me ponía en guardia, me hacía sentir que era un privilegio estar allí. No era algo natural.

Cuando gané ese primer premio en el Festival de la Canción de Viña del Mar sin que nadie lo esperase —menos que nadie, yo—, y salté a la "celebridad" de la noche a la mañana, lo agradecí casi exclusivamente por mi madre: era mi regalo para su voracidad. Tambien fue para ella mi pensamiento cuando tuve la carátula de mi primer disco en las manos. Bien por ella, me dije. Podría haber dicho, lisa y llanamente, bien por su arribismo. Pero... no es nada fácil para una hija reconocer los defectos de su madre, menos uno tan feo.

En mi opinión, le he retribuido con creces. No me siento en deuda con ella. Primero fue el canto. Y luego, lo que coronó todas sus ambiciones: Andrés. Muy en el fondo, pienso, la fama sola no le bastaba. Era la suma de esa fama con el prestigio lo que la llevaría, por fin, a la serenidad. Y eso le regalé al casarme con Andrés Valdés.

Por fin la he hecho feliz.

Y por fin ya no me paso ninguna película: somos nuestros padres y las circunstancias que nos tocó vivir, nada más. (Jesús Ferrer y Marta Aliaga, el Festival de la Canción de Viña del Mar.) La suma de lo que nuestros padres pusieron allí y lo que se ha moldeado a través de las circunstancias. Nada más.

Cuando le insinué esta idea a Violeta, hace años, ella me preguntó:

—Entonces, los maridos y los hijos, que se supone nos definen tanto, ¿qué serían?

—Circunstancias repliqué, nada más que circunstancias.

Dos

Violeta.

Corazón maldito
Sin miramientos, sí, sin miramientos
Ciego, sordo y mudo
De nacimiento, sí, de nacimiento
Me das tormento.

Violeta, casi la otra mitad de mí misma, ha cometido un asesinato. Violeta fue llevada a la cárcel. Violeta fue más tarde absuelta. Violeta partió.

Se mezclan una con la otra nuestras historias. Hoy llego a la sorprendente conclusión de que soy yo quien depende de ella, y no al revés, como pensé muchas veces. Violeta mató y se salvó. Entonces, exactamente ahí, comenzó mi descenso.

Llegó el verano, ése de fines del 91, pero yo seguía en el invierno, en mi propio invierno interior del que no he vuelto a salir.

Cuando Violeta partió, sentí que el mismo material del presente construía mi porvenir y que éste no me traería ningún crecimiento. Las eternas ganas de Violeta de impulsar futuro partieron con ella. Ya no habría voz alguna que me dijera: Josefa, Josefa, ¡imaginemos lo venidero! Ya nadie me pediría que dejara mi pensamiento a la deriva. Y cuando algún día, algún día de los días, me

199

preguntara: ¿qué rastros te ha ido dejando la vida, Josefa?, yo no tendría respuesta.

Me lo dijo ella: será débil todo lo que no encuentre sitio en tu corazón. Si lo que Violeta me dejó en prenda fue eso, mi corazón está vacío. Inmune para asumir ninguna realidad, como diría el filósofo, por estar al margen de las utopías. ¿O debo entender que la prenda de Violeta fueron sus duelos, que le dieron por fin cauce a los míos?

Debí desapegarme de todo lo que derrotara la energía, y no pude. Es que el demonio inquieto, ése que la poseía a ella, se prendó de mí.

Cualquier cosa para ella, menos la trivialidad sin sobresaltos.

Así fue su juicio.

Tenías razón, Violeta, al citar a Hernández: *menos tu vientre*, todo fue oscuro.

Yo nunca habría aprobado un exceso semejante: el asesinato. Eso ha hecho ella. Recuerdo haberle preguntado, muy seria, a Andrés:

—En el estricto sentido de la convención, ¿no te parece que Violeta es francamente inmoral?

—Puede ser —me respondió—, pero no es ése el sentido que prima en mí.

Sin embargo, el tiempo y los hechos me han llevado a concluir, luego de analizarlo mucho, que *toda* mujer —en el límite, entrando en el desborde tan temido— es capaz de matar a su hombre.

Y, ante mi asombro, no fui la única que llegó a esa conclusión.

La sociedad chilena se alborotó bastante con este asesinato. Si hubiese pasado en una población marginal, comentó Violeta más tarde, habría sido un caso más. Y es cierto. El escritor conocido asesinado por una mujer profesional, "de colegio caro", como dijo mamá. Nadie quedó indiferente. ¡Cuántas fotografías de Violeta en los periódicos! ¡Cuántas especulaciones! ¡Cuántos ataques y cuántas defensas de los movimientos sociales! Virulentos unos y otros, hasta el extremo de pedir la pena de muerte, aquélla, la ejemplarizadora. El escándalo no paraba, parecía no tener fin.

Hija de la rebeldía
la siguen veinte más veinte.
Porque regala su vida
ellos le quieren dar muerte.
Correlé, correlé, correlá.

Andrés asumió su defensa. Violeta confesó su culpabilidad desde el primer momento y eso facilitó mucho las cosas. La llevaron a la cárcel. Prohibidas las visitas al principio, fueron estrictos con ella. Todos fuimos a declarar y yo hice uso de sus diarios, entregué parte de ellos al juez, bajo secreto del sumario. Sé que el diario la ayudó. También jugó a su favor el embarazo. ("De la sangre le fluirán letras y líneas. Y si tú eres su madrina, Jose, también notas musicales. Será un artista mi hijo.")

Aparte de Andrés —su abogado—, Jacinta fue la primera en verla. Me cuenta lo que ha hablado con su madre en la cárcel. Violeta le ha pedido que mantenga la confianza en ella, a pesar de lo que ha hecho. ¿Confianza? Jacinta la mira con dureza. Pero luego de una pausa, resistiendo esos ojos implorantes, le responde: "No tengo más remedio. Confiaré en ti tan sólo porque en la vida hay que confiar en *alguien*."

Jacinta no quiso volver a pisar la casa de la calle Gerona.

"No puedo mirar nunca más la puerta de mi dormitorio", dijo. Aunque estuviese instalada donde su abuelo, mi casa fue su paradero cotidiano, como para Violeta la casa de mis padres cuando desapareció Cayetana. Borja pasó a ser el caballero andante de esta princesa desvalida, que tuvo que vivir, además de sus propios dolores y los de su madre, el acoso público y los correspondientes insultos y humillaciones.

Una editorial avispada publicó, con la rapidez de un rayo, la novela de Eduardo. Esto contribuyó a la publicidad del caso y no hubo un solo escritor que apoyara la causa de Violeta. Todos, como gremio, la maldijeron, salvo un par de mujeres. No necesito explicar el éxito de la novela del autor asesinado. Por fin logró dejar de ser el narrador del maremoto de Corral y volvió a ser leído por todo el mundo. Si Eduardo lo hubiese sabido, quizás le habría pedido a Violeta que lo matara antes.

Recuerdo la noche en que Andrés se encerró en el escritorio para estudiar la defensa de Violeta. A las dos de la mañana entró al dormitorio con una mirada triunfal.

—Josefa —me dijo—, he revisado códigos y leyes hasta la saciedad. Y es un poeta el que me ha dado la respuesta. Nada menos que Shelley. Dice: "El gran secreto de la conducta moral es el amor."

Ésa fue la tónica.

El caso de Violeta pasó a ser un paradigma para todos los sectores.

Todos sacaron la voz.

Muchos apoyaban racionalmente a Violeta, pero nadie quería estar con ella. Era una rara ocasión en la cual todos tenían alguna bandera que levantar. Desde las feministas, que encontraron el perfecto encaje para denunciar la opresión masculina sobre las mujeres, hasta los antidivorcistas, que consideraron que la mejor defensa contra el abuso, el maltrato y el crimen era la familia bien constituida.

Si esta tragedia le hubiese sucedido a una mujer popular, la crítica habría sido más benigna. Entre los sectores más conservadores, el tema central fue la liberalidad de las costumbres en las capas intelectuales. Chocaban entre ellos, pues los antiabortistas —aunque les repelía la imagen de Violeta— no se atrevieron a condenarla: había actuado, después de todo, para salvar al hijo de su vientre.

La misma Iglesia Católica pidió mesura en la pena: mal que mal, ella había defendido una vida.

Los organismos del Estado hablaron de la violencia intrafamiliar.

Todos, absolutamente todos, tenían algo que decir, y muchas veces esos "algo" eran contradictorios.

La prensa hizo lo suyo. El sensacionalismo no tuvo límites. Gracias a Dios, nunca tuvieron acceso directo a Violeta. Trataron, por tanto, de llegar a mí. Les fue pésimo.

El primer síntoma de la reacción de las mujeres fue la aparición de una importante intelectual en la televisión, en un programa de alto *rating*, diciendo: "Violeta Dasinski habló desde la camisa de fuerza que es el lenguaje de nuestro género."

"¡Violeta mata por la vida!", fue el grito de muchas mujeres enardecidas ante los tribunales, hasta donde habían llevado pancartas exigiendo *Libertad para Violeta*.

Unas sociólogas elaboraron la siguiente tesis: lo que le sucedió a Violeta Dasinski fue que *bajó la guardia*, como siempre les sucede a las mujeres en el momento en que la plenitud de lo femenino las invade.

Una importante revista femenina apareció con el siguiente titular: "Violeta Dasinski no sólo ha invadido los bastiones masculinos; en el proceso los está transformando."

Una historiadora muy prestigiosa se fue a los orígenes y denunció desde allí: "¿No nos contó el propio Vicuña Mackenna que el punto de partida de la educación moral e intelectual de la mujer chilena durante la Colonia era la sospecha?"

Una cantante, ni feminista ni intelectual, pero muy popular por su audiencia, le dedicó su último disco.

Algunos la llamaron "la hechizada".

Yo giraba junto a la mañana, imaginando su prisión. ¿Cómo son las madrugadas de Violeta en la cárcel? Fue siempre obsesiva con los amaneceres. Ya no la entibiará el tubo del baño de la casa del molino. Un ulmo en flor. ¡Si pudiesen sus ojos mirar un ulmo en flor camino a Puerto Octay!

Por fin pude verla.

Me dirigí al paradero 10 de Vicuña Mackenna, a la Cárcel del Buen Pastor.

Era un cuarto chico, húmedo y desnudo, y sólo había dos sillas, una frente a la otra. Violeta daba la espalda a la puerta, enfrentando la silla vacía. Se levantó al verme. Nos miramos un instante, anonadadas. Abrí los brazos —ven, Violeta, ven, gritaba por dentro—, la envolví, apretándola, sujetándola.

—Iba a violar a Jacinta... iba a violar a Jacinta... y la pieza de Jacinta estaba vacía... yo no sabía... él iba a violarla...

—Ya sé, Violeta, ya sé. No tienes que explicarme nada.

Le tomé la cara con mis manos, necesitaba mirarla.

Tenía el pelo tomado hacia atrás. Estaba pálida y ojerosa, y si nunca usó mucho maquillaje, ahora su cara se veía lavada, sin un solo artificio. Vestía sus faldas largas, como siempre, pero sin aros ni pulseras ni collares. Sólo el anillo de la piedra cruz, con el que no cesó de jugar los diez minutos que duró la visita. Parecía no estar ahí. Y supe que no era ella la que había partido, sino su nostalgia.

No la culpé. Tus ojos, Violeta, se equivocaron de cielo.

Me habló de su raza maldita.

Cuando el tiempo de visita se cumplió y me dispuse a partir, me dijo con voz plana:

—Volvería a hacerlo, Josefa. Hoy la única diferencia entre Eduardo y yo es que él no volverá a abrir los ojos.

Violeta siente que ha muerto. Es evidente que los tiempos nuevos no fueron los adecuados para que ella defendiese la mejor parte de sí misma.

En mi segunda visita a la cárcel, que también duró diez minutos, le pregunté por su futuro hijo. No sabía bien cómo encarar este asunto, era tan delicado. Mi conversación con Eduardo esa última noche me obsesionaba.

¿Cómo lo llamarás?

—Si es un hombre, Gabriel. Como el arcángel.

Guardamos un precioso minuto de silencio; recordé los pistachos que le llevaba y los saqué de la cartera.

—No es hijo de Eduardo —anunció, evitando así mi pregunta. Y agregó—: ¡Gracias a Dios!

—Lo sabía. Me lo dijo él mismo esa noche.

—Bueno, por eso empezó la pelea, la última.

—¿Entonces?

—Es de Bob. ¿Te acuerdas de él?

—Sí, sí me acuerdo.

—Igual pienso hacerle la prueba de ADN, por si Eduardo mintió. Pero en el corazón, que es el único lugar donde uno sabe realmente las cosas, sé que su padre es Bob. No he dejado de pensarlo desde que me encerraron.

—Pero, Violeta, ¿cómo no tomaste precauciones?

—Porque pensé que ya no podía embarazarme. Había esperado tanto y nada... En todo caso, Josefa, hubo sólo una noche loca, como podrías calificarla tú, sólo una en que no tomé precauciones. Fue la primera vez que hicimos el amor. Al volver a Chile y enterarme del embarazo, me pareció evidente que era de Eduardo. ¡Nadie se embaraza con una sola noche! Menos a esta edad.

—¿Fue en las Bahías de Huatulco?

—No. En Huatulco me contuve, me reprimí y me costó. Cuando conoció mi historia, Bob quiso llevarme a Guatemala. Sentí que no había ninguna razón para negarme a amar a un hombre que era capaz de eso por mí.

Llegó la gendarme. Había concluido mi tiempo.

—Fue en Antigua —me dice Violeta, a través de la gruesa figura uniformada.

—En Antigua... —le sonreí y nos abrazamos.

Estando ya en la puerta, volvió a mirarme.

—Me equivoqué con la profecía. Creí que mis dos vidas eran el antes y el después de Cayetana. Ahora comprendo que si le gano al horror, Josefa, ésta será mi segunda vida.

Ella sabe, sin ninguna duda, que es el fin del tiempo que respiró hasta el momento en que apretó el gatillo. Que todo el resto, venga lo que venga, será diferente. Que para siempre su existencia quedará dividida en dos: la anterior al disparo —a ese preciso instante— y la que ella llamará su "segunda existencia".

"Su hija tendrá dos vidas", le dijo la vidente a Cayetana. Ya terminó la primera.

—Gracias por los pistachos.

En mi tercera visita le noté por fin abultado el vientre. La maternidad se hacía evidente. Ya le habían levantado las restricciones y hacía la vida de una presa cualquiera. Las visitas eran reguladas, al aire libre, podíamos caminar y conversar con bastante tranquilidad, pero siempre rodeadas de gente. En cuanto se abrían las puertas a la hora fijada, llegaban varias personas a visitarla. Nunca más pude verla a solas. Ésa fue la última vez.

Me habló de las mujeres de la cárcel.

—La diferencia entre los delitos de hombres y mujeres es que los hombres matan por robo, por peleas callejeras, por alcohol, y sus víctimas son casi siempre personas que nunca vieron antes ni supieron de ellas. Las mujeres, en cambio, no matan a alguien ajeno a sus sentimientos. He conversado con ellas y no he sabido de ninguna que haya asesinado a un desconocido. Ellas matan amantes, hijos, maridos... sólo lo que han amado. No soy ninguna excepción.

La noté pesimista.

Al despedirnos, ocultó la emoción con una sonrisa y me dijo:

—Jose, si las cosas salen mal, ¿sabes cuál sería mi último deseo? Que te vinieras la noche anterior con tu guitarra y no dejaras de cantar hasta que todo hubiese concluido.

Andrés me trajo un día, desde la cárcel, unas notas de Violeta: eran letras de canciones para mí. Sus largas horas de ocio no transcurrían en vano. Las leí. Mi primera reacción fue encerrarme un día entero con Eric Satie y con Philip Glass, escuchándolos, absorbiéndolos. Siempre surtía un efecto mágico: la creatividad me invadía, partía tras de mí, me perseguía. Ponerles música a esos versos me nació de las entrañas mismas, con una espontaneidad y un frescor que hacía mucho tiempo no sentía. Recuperé un gozo que casi había perdido con mi último disco, ése que Violeta criticó tan duramente. En menos de un mes tenía listas las canciones. Nunca había trabajado en creación colectiva. Elaboré la música con meticulosidad, pero con un extraño apuro interno. La producción de este disco se salió de todas las reglas: pobres músicos, pobres sonidistas, no les permití detenerse un minuto antes de concluir el trabajo. Es que mi apuro tenía que ver con Violeta. Para mí era vital entregar el disco a la luz pública antes de que fallaran su caso. Sabía de mi propio poder.

Tuve problemas con mi agente. Su primer reparo fue que las canciones eran tristes, que eso no vendía. Que eran sesgadas. Lo obligué a decirme la verdad, y ésta explotó con la obviedad de todo lo relacionado con la venta y el mercado: Alejandro consideraba que ligarme a un hecho delictual podía ser el fin de mi carrera. Ensuciaría toda mi imagen, tan limpia y bien trabajada. Él estaba dispuesto a aceptarlo solamente si manteníamos en el anonimato a la autora de las letras. Me enfurecí, lo traté de cobarde y ambiguo. Usé frases calcadas de las que en algún momento Violeta me había espetado a mí. Lo amenacé: no acompañarme en esta aventura sería considerado una causal para romper nuestro contrato. "Me cambiaron el personaje", me respondió, desconcertado, "eres otra, nunca habías reaccionado así por nada ni por nadie." "Bueno", le sonreí, "¿quién dijo que era tarde para empezar?"

Para Alejandro soy lo más importante de su vida. Y como ésta no es justa, él es sólo uno más en la vida mía. Ninguna simetría.

Cuando se estaba imprimiendo la carátula, me preguntó:

—Josefa, con todo este apuro no hemos hablado del título...

—No te preocupes, ya lo tengo; también lo tiene el equipo de producción.

—¿Cuál es? —no le hacía ninguna gracia sentirse marginado.

—*VIOLETA DASINSKI, o una historia de añoranza.*

Presenté el nuevo disco en la televisión, frente a todo el país, con enorme espectacularidad. Yo misma me preocupé de que hubiese un gran despliegue publicitario. De repente, en medio del set, caí en cuenta de que era la primera vez que estaba en la televisión sin un tranquilizante en el cuerpo. Se me secó la boca. Simplemente, con tanta excitación, lo había olvidado. Pero el *show* debía continuar. Tomé el micrófono.

—Cuando le preguntaron a Peter Gabriel sobre qué trataba su último álbum, respondió: "Buena parte de este disco es sobre los lazos." Quisiera hacer mías sus palabras.

No hablé más. Sólo canté.

Nunca se había escuchado, vendido y publicitado tanto un disco mío. *La cantante y la asesina,* decían los diarios sensacionalistas. Por primera vez, la palabra *compromiso* se ligó a mi canto. Yo, que la había evitado cuidadosamente. Para el reverso de la carátula elegí el texto de Violeta Parra que encerraba todo el sentido del álbum.

Yo no tomo la guitarra
por conseguir un aplauso,
yo canto la diferencia
que hay de lo cierto a lo falso;
de lo contrario no canto.

Lo que no le mostré a Andrés, ni a nadie, fueron dos hojas que equivocadamente se le deslizaron a Violeta entre las canciones que me envió. Era su letra, su conocida escritura, copiando unos poemas quechuas. Su título estaba en ambos idiomas:

Sank'ay / Cárcel perpetua

¿Para esto, Padre,
Me has engendrado?
¿Para esto, Madre, me has parido...?
Cárcel corrupta
Devora —¡oh, pecado!
Mi solitario corazón...

¿Mi corazón?
¡He aquí mi canto de expiación,
Casa de los cautivos!
¡Casa de las cadenas,
Dame la libertad...!

En la segunda hoja, bajo el título *Harawi*, Violeta escribe una explicación:

"Según Waman Puma de Ayala, el delincuente, que era suspendido de los cabellos en el borde de una peña llamada *yawar-qaqa* (peña de la sangre), experimentaba el cruel castigo entre exclamaciones de dolor, hasta morir, y en esos últimos momentos de su vida cantaba tristemente un *harawi* elegíaco, invocando a las aves de presa para que le hicieran la gracia inmensa de avisar a su padre y a su madre."

¡Padre cóndor, llévame!
¡Hermano halcón, condúceme!

¡Avísale a mi madre
Que ya estoy cinco días
Sin comer
Ni beber!

Padre mensajero, anota
Lleva mi mensaje
Mi voz caminante
Mi corazón.

¡Llévame a mi padre!

¡Llévame a mi madre...!

Después del nacimiento de Gabriel, de aquel verdadero milagro, Violeta fue absuelta y puesta en libertad.
Partió de inmediato, con su niño en brazos: tomó un
avión a México y prometió que nos avisaría su destino
final. Le pidió a Jacinta que la esperara: mandaría a buscarla muy pronto.

Y así, la doncella sepulcral despegó, desarrancando.

Tres

No es que yo fuera una persona fácil, no.

Soy una mujer fóbica.

Antidepresivos en ínfimas dosis, para toda la vida. Al menos no tienen efectos colaterales.

Las fobias no se vencen. Sólo se aminoran.

La cerrazón de puertas al mundo que he hecho, ¿no es una fobia más?

Recuerdo un relato de Violeta, una vez que me defendía frente a Pamela, una amiga común. Todo porque ella me había hecho la siguiente pregunta: "En el fondo, Josefa, ¿odias al mundo?" Y yo le respondí, tajante: "En el fondo y en la forma, querida, sin empacho."

—Ni siquiera podemos detestarla de frente —se quejaba Pamela delante de Violeta—, porque tiene suficiente dolor a cuestas como para que la perdonemos. ¡Me carga la gente exitosa con pasados tristes, porque una se inhibe de odiarlas!

—¿Pero no te desarma su franqueza? —le había preguntado Violeta.

—Es verdad, ¡pero tan autocomplaciente que es con su propia neura! Dime tú lo bien que le ha ido. No le bastó ser la mejor cantante, además se pinchó al mejor marido. Y más encima tiene hijos bonitos... Como que le va bien en todo y se da el lujo de ser neurótica.

—Josefa es muy audaz —le dijo Violeta—, tiene un gran valor que no todas las mujeres públicas pueden mostrar. No fue inventada por otros, como tantas famosas. Ella se inventó a sí misma.

Siempre Violeta defendiéndome.

Como Pamela, seguramente todas mis amigas pensaban algo parecido. Pamela era una mujer estupenda y divertida, y a veces deseé su cercanía. Pero yo estaba condenada: inevitablemente proyectaba distancia. (Igual le conseguí trabajo a Pamela con Andrés, en su bufete. Estaba desesperada después de su separación y necesitaba mejorar su sueldo.)

Luego de que gané el Festival de la Canción, me empezaron a llover ofertas para presentaciones y recitales. No sabía cómo lidiar con tantas cosas y recurrí a Phillipe, mi siquiatra. Ahí empezaron las pastillas. Hoy me divierte recordar esas conversaciones telefónicas, que él, a pesar de ser el médico más ocupado de Santiago, nunca dejó de responder.

—Phillipe, tengo un programa en el Canal 7 dentro de dos semanas y uno en el 13 la semana que viene. ¿Qué hago?

—Ya estás tomando los *Aurorix* y deberían hacerte efecto dentro de unos diez días. Para el programa del 7 estás salvada. ¿No puedes correr ese programa del 13 un par de semanas?

—Pero, Phillipe, ¿cómo voy a pedirle al canal que cambie las fechas y se adapte a mi pánico? Son programas establecidos.

—Tendremos que cambiar la dosis, entonces.

Me di cuenta de que era "una estrella" la primera vez que vi una fotografía mía sin reconocerla: o sea, sin saber la circunstancia en que me la habían tomado, quién, por qué, cómo ni cuándo. Le comenté esa extraña sensación a una cantante ya experimentada que fue muy cálida conmigo desde mis comienzos. Estamos sentadas en el living de su casa, ella con una bata de gasa blanca, el pelo teñido y varios *liftings* en el cuerpo. Me parece prototípica y me proyecto en el tiempo: no, yo nunca seré así. Me consuela, me habla de los hábitos que se adquieren con la práctica, del entrenamiento: es como en cualquier otra profesión. "El único problema, mijita", me dice, "es que con los años es más lento pasar de un hábito a otro; pero se puede, créeme." Estamos en la mitad de la conversación y estira su dedo para apretar un timbre. Aparece la mucama.

—Irene, las anfetas por favor.

Al minuto vuelve Irene con una pequeña bandeja de plata. Sobre ella un platito con cuatro o cinco pastillas blancas y un vaso de agua.

—Servida, señora.

Y desaparece mientras mi amiga engulle con los ojos cerrados: es su forma de pararse frente a esta "profesión".

Vuelvo donde Phillipe.

Mucho se habló de mi estilo, de ese aire hierático que me daba en el escenario mi postura estática, pétrea, casi estoica. No fue una opción; el terror me paró de ese modo la primera vez y ya no pude —ni las piernas ni la columna me lo permitieron— cambiar la pose. Aun así, alguna vez adjetivaron mi gracia como "andaluza". Claro, andaluza soy. Pero, ¿la gracia? Ésa no la conozco. Quizás de Andalucía heredé lo que los críticos exaltaron como mi "versatilidad", el modo en que mi voz se adecuaba a diversos tonos como si fuesen genuinamente míos. Grabé un álbum de boleros y dijeron que yo parecía nacida de las honduras mismas de la América Latina, como si hubiese cantado boleros mi vida entera.

Y cuando grabé otro de rancheras, lo mismo se me atribuyó con México. Sí, esa gracia debe ser andaluza. Pero mi postura, definitivamente, no.

Fue en ese verano, el del Festival de la Canción de Viña del Mar, que mi transpiración cambió de olor.

El pánico pasó a ser parte de mi transitar por el mundo. No sólo frente al escenario, también frente al cumplir. Pánico de llegar tarde a una grabación, pánico de que Mauricio se atrasara con mi vestido en el set y yo no estuviera lista a tiempo, pánico de perder los aviones y no llegar a una actuación. Adrenalina gastada en tanto pequeño gesto, jugándome la vida las veinticuatro horas del día.

Comencé a necesitar auditorios, como si mi único objetivo fuese derramar sensaciones sobre mí misma... pero estaba siempre tan ocupada que apenas alcanzaba a cumplirlo. Violeta no me perdonó cuando dejé de llamarla por teléfono y empecé a mandar a mi secretaria a hacerlo por mí. Es que no tenía tiempo. Entonces ella le puso nombre a una cierta actitud mía: "Cuando-Josefa-Saca-Su-Sonrisa-De-Gioconda." El momento en que empecé a entrar en mí misma y a usar esta sonrisa como el enigma: nadie sabía qué sucedía detrás de ella. Tampoco lo sabía yo. Sólo una cosa me era nítida: el goce de cantar, la pasión de elevar mi voz, el delirio de componer una canción. Ese goce, Señor... ¡no lo habría cambiado por nada! Y cuando Celeste se acercaba a mí para quejarse del comportamiento de su profesora de matemáticas, ¿cómo explicarle que yo habitaba otro mundo, donde no existían las profesoras de matemáticas y donde a duras penas —con gran esfuerzo mío cabían— las hijas adolescentes?

—Josefa tiene sueños de raso brillante dijo un día Violeta.

—Te equivocas —le respondí con dureza—. *No* tengo sueños.

Parte de mis fobias tiene que ver con la comida. Con razón Celeste está en la que está. Yo odiaba a cualquier ser humano que comiese en mi presencia. Si se trataba de alguien cercano, el odio era más intenso. Lo observaba comer —fuera quién fuera— y comenzaba el proceso de detestarlo, de considerarlo un bruto, un inadecuado, un obsceno. Las únicas veces que he comprendido el acto de matar ha sido en esas circunstancias. No me sucedía en lugares abiertos o en restaurantes, más bien tenía relación con la intimidad. Una persona masticando chicle se me desfiguraba hasta el punto de que la descartaba humanamente. Hablo en pasado porque, tomando antidepresivos, algo he mejorado; pero no del todo. Nunca pude tomar desayuno románticamente, en la cama, con un hombre. La primera tostada me descomponía. Tanto Roberto como Andrés lo entendieron como una enfermedad y no me provocaban. Siempre había música de fondo donde quiera que yo comiese. Instintivamente, fui armando una infraestructura que me permitiera vivir con mi fobia. Espeluznantes, por su maldad, han sido los pensamientos que he llegado a tejer sobre personas comunes y corrientes en el momento en que han realizado el inocente acto de comer. Si veo en la televisión una escena de gente comiendo, pongo inmediatamente el *mute*, más aun si es una de esas películas yanquis donde hablan con la boca llena. Conozco minuciosamente la forma de comer de cada uno a mi alrededor, el sonido preciso de sus mandíbulas, la forma de tragar y de utilizar la lengua. He llegado a pensar que comer debiera ser tan privado como orinar o defecar; ojalá los comedores se convirtieran en baños para nunca más ser el testigo obligado de tan repugnante actividad.

Mi último almuerzo con Pamela fue espantoso, y lo fue además por tantas otras razones. Mi amiga comía con avaricia, lanzándome miradas nerviosas y apologéticas, mascando impúdicamente, triturando como sólo puede hacerlo una mujer obsesiva. La detesté para siempre.

Otra de mis fobias eran los miedos nocturnos. Si me dejaban sola en una casa, por más protegida que estuviese, me nublaban las fantasías de sangre y cuchillos. Cuando me quedé sola con los niños y no tenía dinero para servicio doméstico, mi pobre hermano se veía obligado a alojar en mi casa. Si no, lo hacía mi mamá. Violeta vivía en Roma entonces, y sólo Dios sabe cuánta falta me hizo.

Al menos, frente al dinero no sufro de fobia alguna. Saco los saldos de mi cuenta bancaria sólo cuando debo esperar en una consulta médica o en la antesala de alguien importante. Por lo tanto, los calculo para aprovechar el tiempo muerto. Si no, no me importa en absoluto. Con esto quiero explicar que no necesito restar y sumar, porque tengo suficiente dinero.

Mi slogan personal pasó a ser: *No, no estoy, no estaré, no deseo estar.*

Definitivamente, nunca sentí el llamado impetuoso y caritativo de salvar a las multitudes, o a nadie en particular. La gente me daba lo mismo. Ni siquiera he sentido caridad hacia esta mujer que llevo en mis huesos. Mis ojos siempre han apuntado al próximo acontecimiento. No podía perder tiempo en lo trivial. He tenido poca sensibilidad para entender el funcionamiento simple del ser humano que se me ha puesto al frente. El porcentaje de la humanidad que solamente come, trabaja y duerme es demasiado alto. ¿No estamos destinados, después de todo, a hacer algo más?

Según la letra de mis canciones, yo les cantaba a las personas y al amor. A medida que el escepticismo se fue apoderando de mí, comencé a sentirme mentirosa: engañaba a mi propio público. Se lo comenté a Violeta durante el último verano de la casa del molino. Me propuso que confeccionara una lista de mis cariños, anotando allí a quienes no deseo dejar de querer, y que hiciera el chequeo de esta lista el próximo verano. "Si empieza a disminuir", me dijo, "debes preocuparte; si no, debes atribuir este descariño generalizado sólo a la selectividad que viene con la edad y que después de todo, Josefa, es un signo de madurez."

No hice la lista, por si acaso. De todos modos, habría sido muy corta.

Comprendí, a poco andar, lo difícil que iba a ser que me tomaran en serio con el canto. Siendo mujer, ¡por Dios que cuesta que la tomen en serio a una en cualquier campo!

Escuchaba a Marlene Dietrich una tarde. Terciopelo y ronquera su voz, y ni siquiera en su propia lengua: esa leve torpeza con el inglés de las canciones de los años treinta, transformándose en sensualidad pura. Me interrumpe Celeste:

—No tenía idea de que la Dietrich cantó alguna vez.

—Por favor, siéntate conmigo y escúchala —le pido yo.

—Ay, mamá, tengo cosas más serias que hacer.

Un día se filmaba un video documental en mi casa, con un gran equipo de producción. Me entrevistaban sobre el tema de la discriminación de la mujer en el arte. Como ya he contado, las cámaras me producen angustia; por lo tanto, pedí que me hicieran la entrevista en mi casa, no en el set, para estar más relajada. En pleno rodaje, un ruido: la aspiradora. Ahí, a metros de nosotros, Zulema trabajaba feliz de la vida. El director, con paciencia, dice: "Ya, todo de nuevo." Yo miro a Zulema con ojos asesinos, preguntándome si se atrevería a pasar la aspiradora durante una reunión de Andrés. Desaparece.

—Cuéntanos, Josefa —dice el periodista—, ¿en qué sentido te sientes discriminada frente a un equivalente masculino?

Empiezo con mi discurso, explicando por qué a las mujeres no nos toman en serio. Y siento las risas de los camarógrafos. En ese momento Andrés salía del escritorio y, al abrir la puerta, pasó a llevar uno de los trípodes.

—Perdón, se me había olvidado que estaba la tele...

Miré al equipo.

Relaten esta escena en vez de entrevistarme —les dije, vencida—. Resulta bastante menos teórico que mis palabras.

No sacaba nada con enfrentar a Andrés. Sus intenciones nunca dejan de ser positivas.

Esta imagen de las nuevas mujeres que somos nos llevará al derrame cerebral. Además de llevar una casa, de parir y criar a los hijos, de trabajar (¡de autofinanciarnos!) y —ojalá— de alimentar también el espíritu, debemos ser inteligentes y sexualmente competitivas... Pero no sólo eso, también debemos darle la oportunidad a nuestra pareja de sentirse *alguien* diferente del proveedor —dicho sea de paso, y se sienta como se sienta frente al tema, objetivamente ya *no es* el proveedor—; esto es, dejarle espacio para su *ser afectivo*. Pavimentamos el camino para ese nuevo *yo* de los hombres y gastamos energías en lograr que se lo crean, cuando en nuestro fuero interno sabemos que es sobre nosotras, y solamente sobre nosotras, que recae la responsabilidad de toda la vida afectiva.

El afecto, en la familia y en todos lados, sigue dependiendo ciento por ciento de nuestras recargadas espaldas.

Las mías tuvieron más peso del que normalmente le toca a una mujer en la vida.

Veníamos del campo, Roberto y yo. Él manejaba, yo ponía en la casetera una cinta de Satie. Era una tarde de sol. Habíamos dejado a los niños con mis padres y planeamos esta arrancada como un par de adolescentes. Ni necesitábamos verbalizarlo: éramos jóvenes y felices. Roberto tenía el brazo descubierto, la camisa era de manga corta. Tuve un impulso irrefrenable. El mismo brazo, esos miles de pelos cortos, claros contra el sol de la tarde y, como siempre frente al volante la mano atenta a los cambios del auto, ajena a mí. El impulso erótico: lo toqué. Es todo lo que recuerdo antes del camión que se nos precipitó encima.

A mí no me pasó nada. Roberto murió.

Nunca más pude volver a olerlo.

A partir de ese día la fragilidad pasó a ser mi más lacerante obsesión. La he disfrazado de mil maneras para no vivir con la conciencia de ella en la mente. Pero me envuelve, me estrangula, como si su presión en mis cartílagos me amoratara, me asfixiara, me matara.

Mantener a mis dos hijos fue una tarea ardua: miles de horas de clase en tres diferentes colegios, padre y madre a la vez... La música, olvidada. Suspendidos todos los placeres, porque sacar adelante esa casa y esos niños era el mandato. Oscuros fueron esos tiempos, muy oscuros. Y mi aspecto no lo desmentía. No volví a arreglarme, ni a comprarme ropa —no tenía un centavo—;

nunca más cuidé de mi cuerpo, corría de un lado a otro de la ciudad pasando a buscar niños y tratando de llegar a la hora para mis clases. Entremedio, inventaba resquicios para pasar por el supermercado, cocinar escuálidas comidas (no dejaban satisfecho a nadie), lavar platos, preparar uniformes y mochilas, y finalmente dormirme, exhausta. Sonreía poco en ese entonces.

Me apegaba a Celeste como a mi única cómplice. Las mujeres nacimos —¿o fuimos criadas así?— atentas al acontecer de los otros, y muy poco al propio. En el lenguaje de lo no dicho, siempre pendientes, preparándonos para "el otro final": la maternidad. El niño hombre no ve nada, simplemente juega a la pelota; en cambio, la niña se preocupa porque la cara de la mamá está triste: ella sabe desde siempre cuáles son los gestos de la tristeza.

Lo supieron mi abuela Adriana, mi madre Marta; lo supe yo, y lo supo mi hija Celeste.

Ese tiempo no tiene color en mi memoria. Permanentemente nublado. Fue tan largo. Pensé que ya nada placentero me aguardaba en la vida. Que todo sería eternamente así. ¿Por qué una nunca tiene lucidez para entender que las crisis —o los tiempos malos— pasan?

(Domingo, media tarde en casa de mis padres. El tedio va tiñéndolo todo. Estoy aburrida, los niños miran la televisión, aburridos también. Mis padres le arrancan al mismo tedio durmiendo la siesta. Tomo una revista de espectáculos. De repente, mirando la vida de los artistas, pienso: yo estaré ahí algún día. ¿Cómo o por qué? "Arranquémonos de lo opaco, Jose, arranquémonos", me dijo mil veces Violeta. Mi vida no puede ser esta chatura y nada más. El deber cumplido entre cuatro paredes: las de mi casa, las de los tres colegios, las de mi ciudad. No resisto la oscuridad de mi destino, y temo que así será eternamente si yo, con mi voluntad, no lo doy vuelta. Las alumnas, el sueldo exiguo, la misma materia año tras año, la pequeñez de mi entorno. *No*. Volví a mirar a los privilegiados de la revista. Al menos han hecho algo que amerite una noticia, una fotografía. Me levanto del sillón, inquieta. Algo me ha sucedido. Una luz: la indicación de que puede eventualmente existir otro mundo, y que de mí depende.)

Entonces, por unos instantes, la planura se quebró gracias al vestido verde. Sólo por unos instantes. Yo no conocía el tacto de la seda, de la verdadera seda. Una amiga me prestó este vestido para un matrimonio. Me lo probé frente al espejo en la soledad de mi dormitorio, también a media tarde. Algo fuerte pasó frente a ese reflejo. Hay gente que puede esperar toda la vida para tener una visión y nunca le llega. No se improvisa, no es llegar y tener una visión. Y frente a ese espejo yo la tuve. Vi que el mundo era amplio y me sentí voluptuosa en él. Las alas. El mundo se develó ancho en mi propia imagen e intuí cosas fastuosas, sensuales, fantasías posibles de encarnar. Era absurdo sentir aquello con la vida que llevaba. Sin embargo, tocando la seda de ese vestido verde, mirando mi cuerpo envuelto en ella, supe con certeza que en el futuro me aguardaba algo extraordinario.

Sólo en las noches me permitía recordar a Roberto.

Me pellizcaba los brazos hasta hacerme daño. A veces las piernas: dejaba en ellas rastros morados. No por masoquismo; lo hacía para estar segura de que estaba viva.

De que era cierto que Roberto no lo estaba.

Mi vida sexual empezó con él, lo anterior fueron juegos sin importancia. Sentíamos mutuamente una gran dependencia física. Había sido poseída por él, con toda la envergadura e infinitud que puede llegar a representar ese término. Nunca por nadie más. Su contacto era irremplazable. Llegué a pensar, en ciertos momentos, que el contacto lo era *todo*. Lloraba esas noches, pensando que jamás volvería a ser carne con otra carne, que ningún cuerpo en el mundo podría volver a darme lo que me dio el suyo.

Hasta que apareció Andrés. ¡Qué fragilidad la del sexo! La primera vez que Andrés me besó, caí en cuenta de que mi piel se quemaba. Nunca más lo sentiría, eso me había dictado el cuerpo; y sin embargo lo sentí. Cuerpo traicionero. Ningún tacto es único y definitivo, ésa fue mi lección. Es el eslabón más débil, por ahí se corta toda cadena, a la larga. Y la mujer que no lo cree así, que encierra su sexualidad creyendo en el imbatible círculo de un solo cuerpo, está —¡gracias a Dios!— equivocada.

Violeta vivía en Roma cuando gané el Festival de Viña. El país, en manos de los militares. Probablemente, a ella le pareció mal que me presentara, cuando tantos otros cantantes estaban en el exilio, muertos o desaparecidos. Estrella de la dictadura. Fue un amigo músico el que me convenció, y él mismo me acompañó con la guitarra (y lo ha hecho mil veces después). Y comenzó esta espiral. Fue en medio de ese ir y venir que me presentaron a un prestigioso abogado que se llamaba Andrés Valdés. Se me acercó en una comida para decirme cuánto le gustaban mis canciones. Se lo agradecí, como solía hacerlo, pero además reparé en los huesos de su cara, muy cuadrada, y en las dos líneas que se formaban en sus mejillas cada vez que me sonreía.

Brahms y usted —me dijo— son las únicas *cassettes* que tengo en el auto.

A pesar de que yo iba acompañada, ofreció llevarme. Me negué.

Al poco tiempo, me tocó actuar en el Casino de Viña del Mar. En el camarín encontré unas rosas, todas rojas, con su tarjeta.

Se lo comenté a Pamela, que era su colega.

—Cuidado, Josefa, mira que Andrés es un seductor —me dijo—. Gran abogado, criminalista. Tiene un bufete y le va de película. Pero está casado hace quince años, por lo menos.

—¿Y qué tal la mujer?

—Mira, el otro día los encontré tomando té en el Riquet, en Valparaíso. Él leía el diario y no vi que conversaran una sola palabra. Ella se hacía cargo de los pedidos de los niños, que ya son grandotes. Pero no le dio ni la hora.

—Y de aspecto, ¿cómo es?

—Tiene pinta de *high*, muy fina, con ropa cara y el pelo bien cortado. No diría que es regia, no. Es *elegante*, que no es lo mismo.

Cuando canté en el Teatro Municipal, acompañando a un connotado pianista, otra vez me esperaban rosas en el camarín. Todas rojas. Y afuera, él. Esta vez no tuve voluntad para negarme y lo acompañé.

Creo que a Andrés le pasó conmigo lo mismo que a muchos hombres sensibles con algunas mujeres. Como si en otra reencarnación me hubiera entregado ciertas cualidades que, al depositármelas, al desembarazarse de ellas, le hubiesen permitido ser un hombre con todas las de la ley. Cuando además de hombre quiso ahora ser un *ser humano*, volvió a buscarlas. Y las encontró dentro de mí.

Andrés necesitó su unión conmigo para restaurar en sí mismo las partes que lo harían sentirse un ser humano completo.

Cuatro

La experiencia de repliegue de Violeta ha comenzado.

No me sorprendió, cuando llegó su primera carta, que estuviese timbrada en Guatemala. Venía dirigida a Andrés y a mí.

Queridos, queridos:

Vivo en "la Antigua", como dicen aquí, la bella durmiente de América Latina.

Trabajo en un taller de muebles que se llama "Reminiscencias Españolas".

Bob está conmigo estos días.

Gabriel crece rozagante.

Llegué con los poros cerrados. Sólo han podido abrirse en Antigua. Ésta sí lleva toda la piel de América en su piel.

Estamos en una pensión mientras busco casa para instalarnos. Tengo listo el colegio para Jacinta.

Nada más por ahora.

Porque si quisiera darles las gracias como corresponde, no tendría forma de hacerlo. No tendría.

Violeta

Ella nunca tuvo dudas sobre cuál sería su paradero. Creo que lo supo desde el primer día que entró en la cárcel, aunque no se lo dijese a nadie. Claro, ese avión que tomó se dirigía a México. Que ahí vería. Seguro que no vio nada: se fue inmediatamente a Guatemala, en acuerdo con Bob, para cuyas cartas hizo Andrés de intermediario.

¿Se quedará con Bob? ¿Podrá y querrá él jugarse por una mujer con semejante historia? Y si lo hace, ¿podrá vivir y trabajar en un lugar tan remoto y ahistórico? Bueno, si su oficio son los reportajes o los ensayos políticos... los podrá escribir en cualquier lugar del mundo.

La casa de la calle Gerona se vendió muy bien. Su padre ha embalado todo en un gran *container* y espera el aviso de Violeta para enviarlo a una dirección definitiva. *Todo* es una manera de decir. Violeta hizo, desde la cárcel, una lista de las cosas que le interesaban, y no eran muchas. El tío Tadeo me la mostró y me hizo gracia, tan de ella: "Todos mis libros, toda mi música con equipo incluido, mis alfombras, mis cuadros, la hamaca, el paragüero, el baúl de mimbre." Pidió que regalaran todo el resto y que Carmencita se quedase con su ropa de invierno, porque nunca más la usaría. "Que Josefa elija algún mueble que le guste." Elegí una alacena, la madera pintada de verde brillante con dibujos en sus puertas. "El diseño parece mexicano", me había comentado ella, "pero es de origen polaco, raro como pueden coincidir las culturas, ¿verdad?"

Si la casa se vendió bien y Violeta tiene el dinero, ¿por qué trabaja en una mueblería? Es tan poco clara en su carta. ¿Está diseñando o usando un torno? ¿Será una forma de expiación o querrá aprender alguna técnica?

Todo esto se discutió largamente a la hora de comida. Por una razón u otra, mi familia se siente dueña de Violeta. Borja es el que parece más enterado e interesado. ¿Se escribirá con Jacinta sin decirnos?

Pienso en Cayetana y en cuánto se le parece Violeta. No, no puedo acusar a Violeta de comodidad.

Abandonó lo conocido, lo confortable; nunca lo fácil fue una opción para ella. Igual a Cayetana.

La siguiente nota decía:

Estoy metida en una terapia intensiva. "Without the checks of belief, the balance between life and death can be perilously delicate."* ¿Estás de acuerdo?

Hubo varias notas posteriores, siempre muy cortas, entre crípticas e informativas. En una de ellas me escribió:

Existe en esta zona una bonita costumbre. Hay unas monedas chicas, de un amarillo muy brillante, que corresponden a un centavo de quetzal (o sea, la nada). Cuando una pareja se casa, la tradición es poner siete de esas monedas dentro de una alcancía. Con ello, la fortuna y la suerte están aseguradas.
Son escasas.
Bob y yo ya juntamos las siete y hemos hecho nuestra alcancía de un tigre rojo de madera.

Fue su forma de contarme que Bob y ella formalizaban su unión.

Han comprado una casa y la restauran. Tendrán una dirección definitiva: la Calle de los Peregrinos.

Le mando el siguiente fax: ¿Qué quieres que te diga, Violeta? Tu suerte es única. Creo que Jesucristo en persona está enamorado de ti.

Ha cambiado los planos de arquitectura por las lanas multicolores de los bordados. Violeta se ha dedica-

* Sin el control de las creencias, el balance entre la vida y la muerte puede ser peligrosamente delicado.

do a hacer tapices. Cuenta que está aprendiendo todo tipo de técnicas. Pareciera estar genuinamente entregada a ello, no me suena como un capricho pasajero.

¿Leíste alguna vez la leyenda medieval de Filomela? Keats la llamó Philomel. Un caballero feudal, amo y señor, casado con una mujer mayor, se enamora de la hermana menor de su esposa. La cerca y al final la viola. Para que ella no lo cuente, le corta la lengua. La niña se encierra y a escondidas borda un tapiz donde narra la historia que le ha sucedido. Al descubrir el señor feudal este tapiz, decide matarla. Así lo hace. Y al morir ella se transforma en ruiseñor. Por eso el pájaro canta en las noches mientras los demás callan, para ser escuchado.

Conozco la leyenda de otro pájaro, proviene de la cultura Huichol, de la costa de San Blas, en México. Tiene alas enormes, casi cóncavas, como si pudiera acogerlo todo. Está encargado de cerrar las puertas del cielo para no dejar entrar el mal en la tierra.

He llegado a Antigua con la inevitable carga de mi cultura europea y aquí, cambiando el ruiseñor por el pájaro de las alas grandes, la transformo en americana. (Como la alacena que elegiste.) Tengo muchas historias que bordar.

Más adelante, cuando ya empezó a manejar bien el oficio, hizo un par de exposiciones en Antigua. A raíz de ellas, empezaron a comprar sus tapices desde Estados Unidos. Actualmente provee de manera constante a una prestigiosa galería de Nueva York. El dueño es amigo de Bob, me cuenta, como disculpándose de que le vaya bien. *Me pagan sumas astronómicas. Puedo vivir bastante tiempo de un solo tapiz.*

Me maravilla —y sorprende— que tenga éxito.

Creí que con su crimen Violeta inauguraba un ciclo sin salida. ¡Cómo me he equivocado! Hoy puedo aseverar que, luego de un acto de coraje, la ha visitado la gracia.

Su última carta es de la semana pasada.

José, ¿te acuerdas de cuando Carlos Fuentes hablaba de la "temperatura constante"? En ella vivo yo.

Antigua es femenina.

Antigua termina con A.

Antigua me ha devuelto mi identidad de mujer, tan perdida entre los últimos avatares. Me ha descansado, por fin, y me ha hecho sonreír.

Además, ya no soy esclava de mi cuerpo. Sólo con entender que el espacio erótico no es el único en que desaparecen los límites, he crecido. La fusión puede darse a otros niveles.

Estaba atrapada en la ecuación de creer que la defensa de lo femenino significaba rechazar aquello que vemos como asignado por otros. Una cosa es renegar del rol, otra de la identidad.

Antigua me la ha devuelto.

Te quiero siempre y bien,

Violeta

PD: Encontré a Cayetana.

Cinco

Si Sartre no lo hubiese dicho, lo habría dicho yo: *L'enfer sont les autres.**

La gente me ahoga. La cercanía de la gente me sofoca. No tolero al género humano en su proximidad física. Su *fisicidad*, si puedo llamarla así. Los ruidos y los olores de los hombres y las mujeres no me provocan otra cosa que repulsión ante la idea de ser parte de ellos. ¡Cómo me ha costado entender a Violeta en su urgente deseo de conectarse con los demás! Mi deseo ha sido, sistemáticamente, cancelar.

Me está invadiendo una especie de pánico. Lo veo como si fuese una mole informe que avanza para tocarme, invadirme, contagiarme y, al fin, aniquilarme. Al acercárseme, esta mole se divide por el medio, nítidas las dos mitades: Andrés está a un lado y la canción al otro. El lado de Andrés dibuja un pánico: que él ya no me ame, que me abandone, que esté enamorado de otra. El otro pánico, el de cantar, se mete en mis venas, me sube a la sangre, baja por mis intestinos. Es que me viene el terror de exponerme, de que miles y miles sintonicen el dial y puedan escuchar mi canto sin que yo lo controle. Terror de que mi voz sea pública, pertenezca a los otros, separada de mí. Pierdo el control de lo que es más mío: mi voz. Se va de mis manos.

Pánico de autor, me dice Alejandro.

Como si una nunca se acostumbrara a ser pública.

* El infierno son los otros.

233

Así como Violeta nació con un ángel en los ojos, a mí las palabras y las notas me brotaron del diablo.

Cuando estoy en el proceso mismo de componer una canción, entro en el trance más genial. Me estimo a mí misma, me gusta la vida, y la conciencia de los límites me urge a dar más y más. La creatividad me envuelve, envainando de esperanza la existencia. Cuando después de mucho trabajo y muchas correcciones la doy por concluida, se apodera de mí la más devastadora inseguridad. Al escaparse de mis manos, la canción terminada se afea, pierde su apresto. Mi autoestima se diluye por los aires, vulgarizada, y vuelvo a preguntarme, una vez más: ¿qué hago aquí? ¿Es ésta realmente mi vocación?

La calidad de una obra dura lo que dura su composición.

Si al menos fuese novelista, ese período sería más extenso.

A ratos, ¡echo de menos haber sido una simple dueña de casa!

Y cuando voy al supermercado y soy mirada y admirada por las otras mujeres —que empujan sus carros—, pienso, sofocada: señora, yo no tengo nada que ver con la fantasía que usted tiene de mí.

Ayer unos fotógrafos fueron a hacerme tomas especiales para la portada de una revista. No me gusta que me fotografíen. Las fotografías detectan en mis ojos una tristeza que yo nunca percibí: no sabía que la acarreaba hasta que este cuento de las fotos empezó. Dice Violeta que ella siempre la vio. A la tristeza. Y en las últimas fotos este fenómeno se ha agudizado. Bueno, los fotógrafos me esperaban en el living y yo no estaba lista. Esto nunca habría sucedido con Mauricio a cargo de la situación. Me enerva la enfermedad de Mauricio, se siente mal todo el tiempo. Lo peor para mí es tener que hacerme cargo de mi imagen sin él, sin su maquillaje, sin su cuidado en la elección de mi ropa. Lo echo de menos y lanzo un par de imprecaciones por su ausencia. Le pido a Zulema que les sirva café a los fotógrafos mientras decido qué ponerme. Cuando estoy a punto de hacer mi aparición, entra Zulema, mira mi atuendo y dice: "No está na' muy católico, señora." Vuelvo sobre mis pasos: la hombrera derecha de la blusa *beige*, ésa de Cacharel, se ladea hacia el costado: parezco una mujer tullida. Me la saco furiosa y me pruebo la chaqueta burdeos, la de seda liviana, y ahora la hombrera de la izquierda se monta sobre el cuello. Cuando noto que ambas hombreras de la tercera chaqueta —una verde petróleo Anne Klein— están disparejas y mis hombros quedan a distinto nivel, me viene un ataque de rabia que no puedo controlar. Desabotono la verde petróleo sin cuidado alguno y tiro de sus hombreras, arrancándolas, rasgando de paso un pedazo de la chaqueta. Empiezo a hacer lo mismo con la blusa de Cacharel, con la chaqueta burdeos, tiro lejos las hombreras con la ira de un encarcelado. Abro mi ordenado clóset, ignorando por completo a los fotógrafos que me esperan, y empiezo como una desenfrenada a sacarle las hombreras a toda mi ropa. Hago una pila con ellas, a patadas, sobre las baldosas del suelo del baño. Llamo a Celeste y le propongo seriamente:

—¡Quemémoslas!

Celeste sale corriendo del baño a decirle a Andrés que me he vuelto loca.

He visto una grabación de mi última aparición en la TV. Mi figura es detestable. ¿Cómo demostrar toda mi elegancia interna con esta grasa que la esconde? Recuerdo los tiempos de la radio, cuando yo era una aficionada, cuando se cantaba frente a un micrófono y nadie veía nada; podías ser un adefesio con toda soltura. La sala de grabación y una, nadie más. El paso de la radio a la televisión fue para mí lo que habrá sido para los actores salir del cine mudo: de la noche a la mañana comenzar a hablar. Varios se desbarrancaron, su habilidad no radicaba en la voz. Soy una víctima, como ellos.

No hay dieta posible sin morirse de hambre, y como no tengo voluntad, he ideado lo siguiente: comer, sentir el gusto, mascar y gozar, pero no tragar. Empecé este sistema hace unos días, cuando vi esa maldita grabación. Funciona bien como dieta, pero tiene varias dificultades prácticas. No puedes almorzar en el comedor. ¿Dónde boto la comida ya masticada sin que me pillen? ¿Qué diría Zulema? No puedes irte al baño a comer para botar en el inodoro cada mascada, sería raro y además antiestético. En mi oficina, ni pensarlo. Empecé a almorzar en el auto; allí nadie me controlaría. Partía con mi lonchera, igual que mis hijos, estacionándome para comer en cualquier lugar, la cosa era ser invisible. Conmigo, la bolsa plástica para botar los desechos y hacerlos desaparecer en cualquier basurero de la calle.

Este sistema me duró una semana, bajé dos kilos y el alma me volvió al cuerpo. Hasta que un día no encontré el preciado basurero municipal y dejé la bolsa plástica dentro del auto. Acumulé, la verdad, varias bolsas, con la idea de ir a botarlas en cualquier momento. Andrés movió mi auto una tarde para sacar el suyo del garaje y volvió a la pieza con una extraña expresión.

—¿Qué es esto, Josefa? —mostraba con asco las bolsas, manteniéndolas ostensiblemente lejos de su cuerpo.

En un instante, como una peste súbita, me cubrió la humillación. Como si me hubiesen sorprendido en un delito. Si se lo hubiera contado antes, no me habría importado que estuviese en desacuerdo: no habría tenido más remedio que ser cómplice. Pero que hubiera encontrado una bolsa plástica en la parte de atrás del asiento, llena de comida masticada... ¡Qué vergüenza!

Fui calificada de demente.

Salí, furiosa conmigo misma, a la farmacia a comprar las pastillas con que debía reponer mi *stock*, y ver si encontraba algún inhibidor de apetito "sano". Pasé mi tarjeta de crédito en la caja y me la rechazaron. "Está vencida", me dice la mujer. ¿Cómo? ¡Nunca se me ha vencido una tarjeta de crédito! Ellos mismos se preocupan de renovarla a tiempo. Parto a la oficina, muy enojada y le pido a mi secretaria que me comunique con alguien de Diners. La respuesta: me han enviado la tarjeta renovada hace quince días, se entrevistaron conmigo y yo en persona la recibí y firmé el nuevo contrato. ¡Mierda! Me viene algo parecido al terror.

Me empezaron las náuseas. Eso sí que es nuevo. Y las recurrentes pesadillas donde aparece la Vieja de la Suerte entregándome sus bastones. ¡Señor!

¿Cuánto me falta para sorprenderme hablando sola en la calle?

Mi deterioro va en aumento. Me acuerdo de las conversaciones, tengo una nitidez absoluta de sus contenidos, pero no sé con quién las tuve. Me vienen a la memoria frases completas que me han dirigido —y la atmósfera en que fueron dichas—, pero no sé quién lo hizo. Sí recuerdo lo que me dijo Andrés la última vez que hicimos el amor. Yo estaba reticente.

—Me tinca que no tienes ganas por pura flojera —reclamó.

—Sí, tienes razón. *A priori*, no me dan ganas.

—En el sexo post cuarenta, Jose, se trata de despertar al animal que llevamos dentro. Vamos... una vez en acción, todo va bien. ¡Despertémoslo!

Lo recuerdo bien porque no me lo ha vuelto a pedir. Era la hora de la siesta y los niños no estaban.

Porque mis noches no están pensadas para seducir. Andrés se duerme al instante. Yo hago veinte trámites más: la seda dental, la crema demaquilladora, la crema hidratante y la humectante, en el rostro y en el cuerpo. Cuelgo cada cosa en su lugar, abro y cierro el clóset muchas veces. Traigo el vaso de agua para la noche, busco los anteojos y el libro de turno, limpio el cenicero, recorro pieza por pieza, miro a los niños, reviso las luces y apago las que quedaron prendidas. Recuerdo a Violeta: ella se acuesta a dormir como los hombres. Se saca la ropa y punto.

Pero vuelvo a esa hora de la siesta. Creo que no es grave que a veces no despierte al animal. Mi consigna es: *no* a la muerte del romance. No es el *sexo* lo esencial, es el *romance*. A veces se me termina el encantamiento, se eclipsa y la respiración de Andrés se me hace pesada, aunque es la misma que ayer pasaba por alto; me molesta el tono un poco gangoso que adoptan sus cuerdas vocales al hablar desde la almohada, en esa posición horizontal que tanto le gusta y que yo no uso si no es para dormir. Entonces cambio el *switch*. Es mi Andrés, que me gusta tanto. No, no es de la *idea de Andrés* que estoy enamorada. Estoy enamorada de Andrés. (¿O será todo un mero espejismo?) El romance es mi empeño, la pelea difícil contra la rutina; es darle significación a esa rutina, es el coqueteo, es el hablarse de una manera especial y divertirse con el otro. Andrés solía decir que yo era del tipo de mujer que exige ilusiones, como otras exigen joyas. Sin embargo, siempre me lo ha agradecido: mi capacidad para vivir con él en el romance.

Ahora que estoy envuelta por la decadencia como por la lepra, miro mi cuerpo y detesto su flaccidez. Odio esa grasa que aparece donde no debiera. Y vuelvo al concepto del romance: el único amor a la decadencia que concibo es el que se refiere al cuerpo de Andrés. Él tampoco es el galán de los treinta años, a veces su espalda se curva, a veces las arrugas bajo sus ojos se profundizan, a veces su cara cuadrada se abulta, una vena morada sobresale en sus piernas. Y amo todos esos detalles. Es la única decadencia que soporto.

Sin remedio, el amor en mí.

Le escribo una larga carta de desahogo a Violeta. A los pocos días recibo en mi oficina un fax. Una sola frase, escrita con un grueso plumón.

Alejandro me lo entrega, ceñudo:

—¿Qué le escribiste a Violeta? ¿Que no ibas a cantar más?

Leo: *¿Olvidaste tan pronto a nuestro poeta Rafael Alberti? En la tierra no hay nadie que esté solo si está cantando.*

Pura exterioridad.

Me aterran las exigencias del cariño, sus infinitas presiones, aun las de mis hijos. Estoy en deuda con todos.

Trato de contactarme con mi interioridad, pero es inútil. Me encuentro preparándome para el próximo acontecimiento cuando recién he salido del anterior: las pausas de los tiempos me son marcadas desde fuera, nunca desde dentro. Soy una suma de "hechos", todos rutilantes. ¡Tiempo, Señor, tiempo es lo que pido! Hace años que no lo tengo. Salir de la opacidad me lo quitó. Una vez discutía con Violeta, la pitonisa, sobre la riqueza y sus valores. "Te equivocas, Josefa", me dijo, "a estas alturas, o más bien mañana, la riqueza no se medirá ni en poder ni en dinero. Se medirá en *tiempo*."

El desgaste físico con que llego a mi casa en la noche me obliga a derrumbarme sobre la cama, sin siquiera la capacidad de fijar las letras en la página marcada del libro no leído que me acusa desde el velador. Como estoy demasiado cansada para dormir —nunca tengo la placidez de los durmientes—, tomo el control remoto del televisor con la esperanza de que los distintos idiomas del cable me arrullen. Nada me dejaría con la conciencia más tranquila que agotarme con las tareas domésticas de una buena dueña de casa. Pero no es así y debo, además, dormir con la culpa de no ser esa *buena dueña de casa*.

Ha pasado la noche. Pasé la noche. Y despierto siempre agotada. Abro la agenda: un nuevo día. Y la temida pregunta: ¿dónde se fue el goce, dónde la pasión?

Llego a la casa tarde, toda vestida de *lamé*. Andrés está en el escritorio. Entro en puntillas. Escucha música, es una *cassette* de Whitney Houston. Me da risa, ¿qué hace Andrés escuchando a la una de la madrugada algo que no sea Brahms?

—Me la compré hoy día —me responde.

—¿Desde cuándo compras *cassettes*? Es la primera vez desde que te conozco.

—No sé, me dieron ganas.

—¿Y desde cuándo te gusta la Whitney Houston?

—Oí un recital de ella en la radio cuando venía en auto la semana pasada, y decidí que me encantaba.

Algo me huele mal. Las *cassettes* —no los *compacts*: ésos se escuchan en casa, las *cassettes* en los autos— son un típico regalo clandestino.

Hora de almuerzo un domingo. Estamos todos metidos en la cocina. Borja, encargado de poner la mesa, abre la despensa y saca una caja de vino, de ésas de cartón que guardo para las emergencias pero que detesto, como si su solo envase alterara la exquisita sensualidad de un buen vino.

—¿No quedan botellas? —pregunta Andrés.

—No, sólo cajas.

—A Josefa no le gustan —oí decir a Andrés mientras buscaba un embudo para vaciar el vino de la caja a una botella verde de boca ancha. A *Josefa no le gustan*, frase simple y corta. Una declaración de amor que me entibió por un rato.

Y porque retuve esa tibieza, me atreví a hablarle después del almuerzo.

Andrés, ¿por qué no recuperamos la casa del molino? Cada día me hace más falta. Supieras la nostalgia que siento por esos días de lluvia, el olor a salamandra y a leche cocida con madera mojada.

—No podemos recuperarla porque esa casa no se puede compartir con extraños.

—Compartámosla con algún amigo...

—¿Tienes alguna sugerencia?

—No sé... podría ser Pamela. Tiene niños de la edad de los nuestros.

—Por ningún motivo —fue extrañamente duro en su forma de responder, y Andrés nunca es duro conmigo.

—Ahora que trabaja contigo, en tu bufete, pensé que te podría resultar una persona de más confianza, más fácil para la convivencia.

—Por eso mismo no lo resistiría.

—¿Por qué te enojas tanto? Es una simple sugerencia.

—Porque me sorprende tu ingenuidad de creer que Violeta es reemplazable. Yo no quiero volver a ese lugar. Era de ella. Fue un regalo que nos hizo a nosotros. Sin Violeta no hay casa del molino.

—Los arándanos, Andrés. ¿Te acuerdas de los arándanos? Era pura influencia bienhechora esa famosa casa —insisto.

—¿No entendiste nunca que esa influencia era la de Violeta?

Cumpleaños de Andrés. Segura como estoy de mi deterioro, decidí hacer un gesto para desmentirlo. Reúno a los niños y les propongo darle una sorpresa. Compramos miles de regalos, de las más diversas índoles, haciendo grandes paquetes. Diego pintó con sus trazos infantiles un enorme letrero de *feliz cumpleaños*. Serpentinas, globos, torta Pompadour en una bandeja grande al medio, en la alfombra, con ocho velitas (saltarse las otras cuarenta me parece del mínimo buen gusto), y canapés de centolla con diversos jugos naturales. Todo lo que a él le gusta. Y todo esto en el escritorio, a puerta cerrada, para que al llegar a casa no notara nada; le haríamos creer que era un cumpleaños más. Los niños estaban excitados, especialmente Diego.

—¿A qué hora va a llegar, mamá?

—No sé, mi amor, no nos pusimos de acuerdo. Pero antes de las siete estará aquí. Ten paciencia.

(Ya no aquella llamada diaria, estuviésemos donde estuviésemos, cuando yo le decía: *quiéreme, ¿ya?*, y él respondía: *no hago otra cosa*.)

A las nueve, Diego se quedó dormido.

A las diez, Borja y Celeste se aburrieron y se fueron a acostar.

A las once llegó. Que en su oficina le habían preparado una fiesta, que cómo iba a negarse, que no me invitó porque sabía que yo tenía un compromiso con la productora. Claro, no creí necesario contarle que lo había cancelado.

Y a pesar de mis olvidos, me vinieron sus palabras, para otro cumpleaños cuando después de los festejos sostuvimos una rica conversación arriba de la cama: "A veces hablo contigo, Josefa, como si hablara conmigo mismo. Sé que tú no eres eso, lo que me maravilla de ti es que no eres eso, eres lo diferente de mí, otra."

¿Es el mismo hombre de hoy quien me las dijo?

Al día siguiente me hacen una entrevista para el suplemento femenino de un diario.

—¿Qué es para usted la felicidad? —me pregunta la periodista.

("¡Nunca una respuesta sofisticada sobre ese tema!", me había advertido una vez Violeta: "¡Sospecha de alguien si responde a eso sin simpleza!")

—Un día lluvioso en el sur —contesto—, con la luz de las dos de la tarde, una sopa caliente y todos alrededor de la mesa. Eso es la felicidad.

La que estoy perdiendo, o ya perdí. Pero eso no se lo digo a la periodista.

Una mañana de miel, una mañana de amor: ésa es también una respuesta, ¿verdad, Violeta?

Vamos a comer fuera. Mientras busco los cigarrillos que siempre guardo en la guantera del auto de Andrés, encuentro unos anteojos de sol. Son grandes, con marco negro, ribetes dorados en los bordes y el vidrio ahumado.

—¿Y estos anteojos?

—¿Cuáles?

—Éstos, pues, Andrés. Son de mujer y no son míos.

—No tengo idea de quién los habrá dejado ahí.

—¿Pero qué mujer se ha subido a tu auto? ¿Cómo no vas a saber?

—¿Cómo pretendes que me acuerde? No tengo idea.

Al día siguiente no estaban.

¿Y si le pagara con su misma moneda? ¿Y si quebrara mi estricta monogamia? Nunca fue dictada por la norma. No. Fue una opción, libre y blanca y prístina, luego de mi largo romance clandestino cuando él estaba casado. ("No quiero hacer daño, Andrés." Me miró y me contestó: "Ése es problema mío, yo me haré cargo." Y a pesar de las ofertas denigrantes de su primera mujer —que continuara no más su historia conmigo, ella la aceptaba y guardaría el secreto; todo con tal de que él no se fuera y mantuviesen el matrimonio a cualquier precio—, Andrés se hizo cargo sin involucrarme, muy limpiamente. No sé cómo, pero se las arregló para que la necesaria suciedad de un momento así no me invalidara.) Se rió cuando —hace mucho tiempo—, mirando a Meryl Streep en la pantalla, le dije: "He cambiado de bando, Andrés; ya no me identifico con las amantes sino con las esposas." Entonces comencé a ser monógama. Una opción que me ha potenciado y fortalecido. ¿Serle infiel a Andrés? La sola idea me desequilibra.

Sólo en los grandes hoteles me gustan los hombres, los mismos que ignoro en otra situación cualquiera. Los miro. El largo de las piernas, el ancho del tórax, la línea de los hombros, el corte de pelo. No, no a los jóvenes. No me parecen atractivos y tampoco tienen acceso a los buenos hoteles. Es a estos señores que miro. Me dan ganas de olerlos. Me excitan esas camisas blancas, albas. Me los imagino bajo la ducha (igual a la de mi habitación en el mismo hotel), desnudos, mojados. Besables.

244

Una combinación que me resulta irresistible. Estos hombres tan serios en las conferencias, siempre en grupos de hombres igualmente serios, denotan una masculinidad a veces contenida, a veces displicente. Si cometiera una infidelidad, he pensado, sería con uno de esos hombres de los grandes hoteles.

Hasta que me di cuenta: esos hombres son Andrés. Son la imagen del serio abogado criminalista, buenmozo en su mediana edad, con aire de pensamientos importantes, digno señor de traje oscuro que se pasea en una conferencia donde yo no estoy. Son los ojos de las otras mujeres en los hoteles que lo ven así.

Hasta para la infidelidad lo busco a él.

El fax ha permitido la continuidad en mi comunicación con Violeta. Como no tengo tiempo ni paz, las cartas están excluidas. Suelo mandarle pequeños recados tontos, frases cualesquiera, lugares comunes pero ciertos, como todo lugar común. Ella los aprecia, comprende estas modernas señales de humo, palomas mensajeras que le dicen no te olvido.

Viola: prohibido el dolor por no vivir en este país. No te estás perdiendo nada. 1994 quedará consignado como el año del gran aburrimiento nacional.

*

Querida: ya ni la famosa Cordillera de los Andes nos pertenece. Con el smog no logramos verla. No queda nada, para que me entiendas.

Otras veces, la pena sobrepasa al humor.

El único infierno posible es éste. El otro no existe, no importa. La duda y el desafecto. La franja aquélla que apren-

dí gracias a ti: la reserva. No sé dónde me muevo, Violeta, no sé quién me quiere. Y lo que es peor, no sé a quién quiero yo. El próximo reportaje sobre mí debiera titularse: "La cantante o la sensibilidad amortajada."

Me contesta de inmediato:

Es fundamental diferenciar la pena de la angustia. La angustia inmoviliza, la pena hace crecer. ¡Y escucha quién te lo dice, que sí lo sabe!

Alejandro siempre lee mis faxes, porque llega a la oficina antes que yo. Su pregunta inevitable es: "¿Quién es la loca? ¿Violeta o tú?"

Seis

El ahogo.

El ahogo que estoy sintiendo involuntaria, inevitable, arremetidamente. Como si mis pulmones se achicaran y las arterias se me taparan, viene el ahogo y el aire se escapa sin que esta boca cansada lo pueda inhalar. Se me vienen encima los muros de mi pieza, los muros de mi casa: como si tuviesen tentáculos, se alargan hacia mi cuello y me estrangulan. El sonido de la lavadora y el grito de un niño se cuelan en este aire impedido que no llega. Las líneas conocidas de cada mueble, cada alfombra, cada cuadro —¡Señor, qué conocidas!—, se convierten en la tierra de un terremoto, en el agua de un maremoto, en todo lo que asfixia, inhibe, ataja la respiración. La voz de Andrés me ahoga, el porte de Andrés me ahoga (jugaba a ser muro de contención en los buenos tiempos), y este ahogo que estoy sintiendo no para, no para, sólo evidencia a mi cuerpo, en esta situación, convertido *doblemente* en cuerpo.

Tomo la chaqueta y la cartera y, desesperada, corro a la puerta de calle. Cruzo el tranquilo *hall* de mi casa, en borrones diviso el papel de la muralla y sus cuadros, no enfoco bien, los diviso y sé cómo son porque los he visto cada día de cada mes de cada año y no necesito enfocar para saber que son los cuadros del pasillo de mi casa que me ahoga, y con paso rápido, no vaya alguien a detenerme, abro la puerta, cruzo el jardín y ya, estoy por fin en la calle, los muros que me ahogan quedan atrás, soy libre, la calle, aquí estoy.

Y no tengo adónde ir.

Dónde llegar un domingo a las cuatro de la tarde, hora tan familiar con probable olor a queque en el horno de la cocina. Dónde ir un domingo de otoño sin ahogarme. Camino rápido por la vereda, no sé adónde voy, pero la ilusión de mis piernas es que su elástico me quite el ahogo, que los pasos decididos —fuertes los pasos que no saben adónde van— me permitan respirar, despejen mi garganta y mi pecho y esta cabeza que gira y gira ahogada.

(*Compone*, me escribió Violeta, *cuando estés desesperada, compone, aprovecha la desesperación. El trabajo es lo único que se la lleva. Créeme, Josefa, es lo único. No hay nada que el trabajo no se lleve, hasta la peor de las sensaciones.*) Me siento en un banco de la plaza hasta donde me ha traído el ahogo y saco mi lápiz y mi libreta, siempre a mano. Las palabras me brotaron como lo que son, ropajes, vestidos para el pensamiento. Escribí a tontas y a locas. No importa. No sé que estoy componiendo mi mejor canción. Y la última.

Las mujeres no se dan cuenta de que su creatividad nace de lo pequeño, de lo caído. Sus inspiraciones, pequeños soplos de luz en la tiniebla de lo cotidiano. Nunca la grande, total, la sublime iluminación. Paso a paso, interrumpida, ribeteada de pequeñez, como sus horas diarias, ésa es la creatividad de las mujeres. Nunca creyéndosela, nunca dándole mayor importancia. Tapices, o tejidos de *patchwork*, las ideas creativas de las mujeres, sumadas una a una en la ilusión de armar un todo que haga sentido: cada parche una gota de luz robada al ahínco de la vida chica, invisible, callada.

Llego a casa transformada. He escrito por fin una canción luego de un largo período de esterilidad, meses y meses de sufrir la humillación de Alejandro diciéndome que mis ventas decaen porque no he sacado un nuevo álbum despues de aquél que le dedicara a Violeta. La humillación de saber que no he sido capaz de reunir el número suficiente de canciones en dos años. Me he negado obstinadamente a cantar canciones ajenas, pues no tengo la energía ni las ganas de buscar en ellas una unidad coherente. Sé que mi declinación ya comenzó, la imaginación se ha mandado a guardar. Pero hoy llego donde Andrés liviana, disuelto el ahogo. En el aire, un dulce olor a comino.

—¿Sabes, Andrés, que a los artistas, o a los seres cercanos al acto de crear —para no sonar pretenciosa—, nos son dados momentos de sensibilidad y autoconciencia que los demás mortales no suelen tener? Bueno, he tenido un rayo de lucidez hoy, he compuesto una canción y... he comprendido la dimensión de mi amor por ti.

Andrés levanta sus ojos, siempre generosos, y me mira con una mezcla de ternura y piedad.

—Es una lástima, Josefa. El mío está cansado.

A partir de los cuarenta, hay muchas más razones por las que sufrir que por las que gozar. Envejezco un poco cada día y cada día el mundo está más malo.

Mauricio, mi Mauricio fiel y eterno: está contagiado.

Es el virus del sida.

Llego deshecha, maltrecha, cada miembro separado del cuerpo, desintegrada, con hartazgo de dolor. Andrés me acoge. Duermo en sus brazos. El roce físico renueva la afectividad.

—¿Sabes, Jose, lo que dijo el gran Sócrates?

—¿Qué dijo? —casi no me sale la voz.

—Que el amor es amor de una cosa distinta de uno y que no se posee.

¿Lo dice por Mauricio o por sí mismo?

Celeste ha caminado siete largas cuadras y ha resistido más de siete obstinadas miradas a sus pechos, ceñidos en su polera con el rostro de Jim Morrison sujetando el universo, el que está más allá de sus pechos. Collares diferentes interrumpen la mirada de Morrison.

Yo estaba tendida en el sofá cuando entró Celeste, escuchando la voz adamascada de Howard

Keel en una antigua grabación. Le sonrío cuando la veo llegar. Es igual a mí, ese aire sano, rellenito, como diría la Zulema. Pero su mirada no está limpia.

—¿Pasa algo?

—Sí. Quiero avisarte que no voy a comer nunca más en mi vida.

Comida en casa. Ver a la gente es el peaje que pago para que me quieran. Pero si fuera por mi gusto, no vería a nadie. Los invitados eran perfectamente encantadores, pero no fui capaz de jugar a la anfitriona de siempre, la que llena los vacíos de la conversación, la que pregunta a cada uno lo que quiere que le pregunten, la que está atenta a llenar una y otra vez los vasos, la que se ríe y cuenta siempre alguna anécdota divertida que relaja a todo el mundo. La que provoca las discusiones que logran apasionar alguna fibra de los dormidos cerebros de los años noventa. A medida que la velada transcurría, palpaba yo el aburrimiento: no sólo el mío, el de todos. Andrés está tan acostumbrado a que la "socialización" la haga yo, que se quedó sin repertorio. Impávida en mi asiento, conté los minutos para que se retiraran.

—Ya no soy entretenida —le digo a mi marido cuando la puerta se cierra. Me he tendido de cuerpo entero en el sofá—. No soy capaz de seducir.

—No tiene ninguna importancia, no tienes por qué estar siempre chispeante.

—No doy más, Andrés. Me da lata, no me importa que se aburran. Mi súper-yo baja la guardia.

—Estás cansada, Jose, eso es todo.

—Es la primera vez en mi vida que no tengo fuerzas para desvestirme. No quiero desvestirme. Voy a dormir así.

Andrés, inusitadamente, no trata de convencerme. Trae una frazada y me arropa en el sofá del living. (¿Querrá dormir solo?)

—¡Andrés, no puedo más!

Embriágame.

Santifícame.

Sálvame.

El pequeño Diego llega feliz, mostrándome una foto de Andrés en la prensa de hoy. Se trata de una conferencia que dio en la Escuela de Derecho.

—¡Por fin! —dice Diego, enrostrándomela—. Mi papá también salió en el diario.

Me invade la culpa. Y comprendo, de paso, la rabia que mi hijo ha acumulado.

Ya casi no duermo.

Para una Navidad, recuerdo a Zulema —que es soltera y vive sola— saliendo impecable y muy bien arreglada luego de haber preparado nuestra cena.

—¿Y tú, Zule? —le pregunto—. ¿Vas a comer algo rico para esta noche?

—Sí, preparé el pavo con anticipación, lo tengo todo listo.

—¿Y te vas a juntar con alguien de tu familia o con amigos?

—No —me responde con la boca enjuta y un tono asertivo—, no invité a nadie. La gente no hace más que ensuciar y desordenarme todo... Voy a comer sola.

Palpo hoy el recuerdo de ese orden, de ese vacío. Lo toco, lo acaricio atemorizada, instalada sobre mi miedo.

Mis horas en vela se pasean entre estas imágenes: las navidades de Zulema y la Vieja de la Suerte de mi infancia.

Caída libre.

Todas las noches me siento en el living y me despido de los objetos, de cada cuadro, de cada mueble. Luego entro en las tres habitaciones de mis hijos y me despido de ellos. Me despido de todo lo real.

E invariablemente, al hacerlo, viene la naúsea a visitarme.

El bien no es conocido hasta que es perdido, decía siempre mi abuela Adriana.

Pamela. Mi corazón me lo dice. Ella es el nuevo amor de Andrés.

La razón por la que más la detesto es que se siente y demuestra ser aún sexualmente competitiva. Tiene mi edad. Es una mujer de actitudes cautivadoras. ¿No era eso lo que antes se decía de mí? La resignación y la desesperanza no son mis estados naturales. Y es frente al cuerpo de Andrés, ese cuerpo, mi único cuerpo, es frente al contacto con nuestros acoplados erotismos, que me enloquece mi falta de poder. No estoy dispuesta a perderlo. Sin embargo, tal vez deba resignarme a ese momento en la pareja: la muerte de la pasión.

Pamela.

No hay nada que deteste más que una mujer mártir.
No lo seré.

Alguien diría que lo femenino es esa mezcla de
alarido y abstracción: el melodrama. No entraré allí.

Era lo que Henry Miller le recomendaba evitar
a Anais Nin: la estridencia. A pesar de lo masculino que
resulta recomendarle eso a una mujer, en
esta vuelta le encuentro toda la razón a Miller.
Consolación. Si la tuviese.

Con Andrés estamos en un punto en que las fisu-
ras son imposibles de penetrar. Somos —hemos sido—
tan amigos y respetuosos el uno del otro que si él prefiere no hablar, no debo forzarlo. Prefiero el silencio.
Al menos, engrandece.

La dignidad, al final, es un problema de autoestima. Tiene que ver con la forma en que una se ve a sí
misma, no con el exterior. Debo mantener la dignidad
para no revolcarme en un probable charco de desperdicio.
Y quizás recupere su amor.

Si fuese valiente, partiría.

Me llegó la siguiente carta:

Jose:
Estoy haciendo hora, el avión de Bob está atrasado.
*La vulgaridad de la línea del abdomen. Miro a una
mujer en el aeropuerto, frente a mí, y pienso: y si yo hubiese
nacido de ella... La mujer lleva a su hija, una niña pequeña,
ésta se cae y se pega en la boca. El marido la recoge mientras
la niña chilla. Ella mira al marido, entre molesta, acusado-
ra y aburrida. No toca siquiera a la niña que llora y llora.
Su camiseta es verde y ajustada, pechos caídos y cintura casi
inexistente. Se para con las piernas abiertas, unos zapatos de*

taco aguja, cada pie mira hacia un lado opuesto del aeropuerto. Sigo recorriéndola, esperando un gesto hacia la niña que se ha caído, me detengo en el pelo, ralo, desteñido. Ni un solo gesto de atracción o de calidez. Y pienso aterrada: podría haber sido mi madre, ¿por qué no? Y entonces, ¿qué habría sido de mí?

¡Háblame de la falta de brillo!
Esto da para perdonar a Cayetana de cualquier cosa.
Avisan la llegada del avión. Te dejo.
Te quiero siempre, y te espero.

Violeta

La devuelvo al sobre, siempre timbrado en Guatemala, y pienso: cada loca con su tema.

Visito a Mauricio. En el camino, me miro por el retrovisor. No, no importan las arrugas, Mauricio no tolera los *liftings*. "Tienes que dejártelas siempre", me decía, "son las huellas del pecado, hay que mostrar el estigma de la lujuria."

Es raro encontrarme aquí, siempre fue al revés: en tantos años, nunca antes he venido a su casa. Es más modesta de lo que imaginé, siendo él una persona tan sofisticada.

Está muy delgado, él que jugueteaba con ese cuerpo grande y lleno, y que se pasó la vida compartiendo dietas conmigo. Yace en cama. ¡Cómo ha avanzado la enfermedad!

¿O cómo ha pasado el tiempo? ¿Es que tampoco me di cuenta?

Me siento a su lado y hablamos generalidades. Me pregunta si viajaré a Estados Unidos, pues intuye que él ya no volverá. Su locura ha sido siempre ese país: Mauricio tenía la mirada permanentemente allá, en el otro hemisferio. En los inviernos solía decir: "No tolero pasar frío mientras los desarrollados se cagan de calor."

Me toma la mano.

Celeste ya no prueba bocado. Anorexia, según Andrés. La he llevado, a regañadientes, donde Phillipe, que piensa que se trata de una depresión. Borja ha venido a hablar con Andrés y conmigo juntos. (Sé que Pamela está de viaje. ¿Será mi obsesión o es cierto que Andrés está llegando más temprano?) Mi hijo no quiere entrar de inmediato a la universidad, cree que debe afianzar sus inclinaciones vocacionales antes de tomar decisiones. Nos pregunta si puede pasar un tiempo fuera de Chile, tiene ganas de ponerse a trabajar para juntar dinero. ¿Podríamos nosotros darle una pequeña ayuda?

—¿Dónde quieres ir? —le pregunta Andrés.

—Quiero viajar por Latinoamérica.

Algo me sobresalta, pero lo disimulo.

—¿Tu intención sería quedarte en algún país por un tiempo más largo? —pregunto, temerosa.

—Sí. He pensado instalarme en Guatemala.

Andrés lo mira con una sonrisa comprensiva.

—Violeta, ¿verdad?

—Sí.

Y aunque la madre soy yo, Andrés se muestra complacido y da su inmediata bendición al proyecto.

—No será un año perdido, Borja —le dice revolviéndole el pelo, entre brusco y cariñoso—. Y yo te ayudaré en lo económico. Me parece que buscar las raíces, conocer los orígenes, bien vale la pena.

Borja está radiante. Borja ha crecido. Ya no es mi niño. En cualquier momento será un hombre y estará lejos de mí. Miro su pelo largo, sus piernas enfundadas en bluyines asquerosos, un polerón con Nirvana en el pecho. Han sido inútiles mis esfuerzos para que se vista como Dios manda. Le compro ropa de las mejores marcas, pero igual se las ingenia para parecer un adefesio. (La semana pasada se casó una sobrina de Andrés. Les pedí a mis hijos que se arreglaran para el matrimonio, porque sería formal. La familia de Andrés nunca ha podido sacar los ojos de mi persona, no sé por qué les impresiona tanto que se haya casado con una cantante. Sabía perfectamente cuánto nos observarían. "Quiero que vayan bonitos", les pedí. Se negaron. "Ni por broma me pongo traje", se resistió Borja. "Y si pretendes, mamá, que me vista de raso como tú en la tele, estás loca", me dijo Celeste. "Además, nos da lata ese matrimonio, no tenemos con quién conversar, y todas esas viejas cuicas nos cargan." "No vayamos, mejor", la alentó Borja, "cuando la mamá nos obliga a ser amables, no se tolera." Yo me lamento. "No sean malos, no abran la boca si no quieren. Les prometo no obligarlos a nada. Pero arréglense, ¿qué les cuesta? Si solamente los quiero llevar como adorno.")

Violeta tendrá a Borja, no yo.

Fax a Violeta:

Démosle crédito a la vieja Signoret: "La nostalgia ya no es lo que era."

Tengo que ir a ver a Phillipe. Potencialidades enfermas, me autodiagnostico.

Hay un elemento de la neurosis femenina que temo especialmente: su lealtad al malestar. Si cede, ¿qué espacio deja?

Violeta me respondería: salir de ahí con ayuda de las diosas, no dejar por nada que una se enamore de su enfermedad.

Pedí una hora oficial, nada de consultas telefónicas. Tomo el auto y parto. Me duele el día, hoy día. Tengo la sensación de que están todas a punto de largarse a llorar, las mujeres aferradas a sus manubrios en la luz roja. Los árboles están enojados en esta ciudad crecientemente sucia y gris.

En la siguiente luz roja distingo, parada en la vereda, a una mujer con un chaleco de tafetán rojo sobre un camisero floreado. ¿Cómo es posible? ¿Por qué alguien puede vestirse así? Una inesperada ternura me invade, siento la inocencia del gesto del tafetán. La señora que observo tiene el pelo gris y está contenta. No como las que se esconden tras los manubrios. El tafetán se convierte entonces en humanidad.

No en vano fui nombrada y bautizada como Josefina Jesús de la Amargura.

—Estás reventada —me dice Phillipe.

—Pero... ¿por qué? —estúpida mi pregunta.

—Dímelo tú.

—Es absurdo, llevo la vida de siempre. Vine por lo de la fatiga, nada más. ¿Supiste que me dio una fatiga antes de comenzar mi último recital? Tuvimos que cancelarlo. Vengo por eso.

—Sí, lo leí en el diario. Pero vienes también por los mareos, ¿verdad?

—Sí... los mareos.

—Y las náuseas.

—Sí, las náuseas.

—Y los dolores de cabeza.

—Bueno, pensé de repente que podía tener un tumor cerebral... ¿Sabes que se me olvida todo? Cosas que he dicho hace dos días, compromisos que tomé la semana pasada.

—Y no te concentras...

—Claro, no me concentro. Llevo un mes pegada en el mismo libro y no avanzo. Es una novela de Gail Godwin. Leo y leo, y cuando cierro el libro para apagar la luz me doy cuenta de que no tengo idea de lo que leí. A la noche siguiente vuelvo al mismo capítulo. ¡He llegado a odiar a la autora!

—Josefina, éste es un cuadro de surmenage severo. Estrés. Llámalo como quieras. Pero la cosa es que debes detenerte. Ya.

—Lo siento, Phillipe, no puedo.

—¿Cómo que no puedes?

—Tengo una gira programada para el próximo mes.

—Cancélala.

—¿Estás loco? El sello discográfico tiene puesta toda su energía y esperanza en esta gira, será mi resurrección...

—Ya hiciste tu parte. Déjalos a ellos con sus problemas de promoción.

—¿Cómo van a hacer promoción sin mí? No puedo. Tengo que hacerme cargo de mis propios errores.

—¿Cuáles errores?

—No haber hecho un álbum nuevo. Haber cancelado el último recital. Este negocio es mucho más complejo de lo que la gente cree, Phillipe. No basta con cantar. Dame algún remedio para sentirme mejor, y punto.

—Esta vez no, Josefa.

—¿Te hablé de la enfermedad de Mauricio?

—Sí, me hablaste.

—Es eso lo que me ha bajado las defensas. Diez años trabajando juntos... Es terrible, Phillipe. Se va a morir de un momento a otro.

—El sida es así.

—Ya no puede hacerse la cola de caballo en el pelo. No tiene fuerzas. Ayer tuve que peinarlo yo.

—Lo lamento. Pero volvamos a ti.

Nos miramos fijo, a los ojos. No hay tregua. No la habrá.

—Estoy seca. He escrito una sola canción en meses. Ya no puedo cantar. Mi éxito decae. Celeste me odia. Yo misma no me tolero. Y más encima, parece que Andrés no me quiere. Como si el amor contuviera algún tipo de energía que libera para que la creatividad fluya. Ya no tengo ese amor. Y lo quiero de vuelta: no cualquier amor, sino *ése*. Quiero *ese* amor que me entrega esas energías.

Me lo repetí en silencio: ese amor fértil, abundante, ubérrimo, pródigo, fecundo, ése quiero.

—Andrés es el exacto equilibrio que necesita mi vehemencia. Él nunca me habría invitado a una fiesta de intimidad sin el compromiso necesario para respaldarla. En ese sentido, es un hombre serio. Y yo entré, Phillipe, a esa intimidad. ¿Me la puede quitar así como así?

—No. Y lo que está sucediendo es porque no te ha retirado aún la invitación. Ni te la va a retirar, es mi impresión. Creo, eso sí, que Andrés está cansado. De ti. Pero ese cansancio no tiene que ver con el amor, necesariamente. Tú eres una mujer difícil, Josefa.

El diagnóstico de Phillipe fue claro. Detenerme. Cancelar todo. Partir.

—¿Adónde?

—Adonde tú creas que puedes hacer una verdadera reparación.

—Y si existe otra mujer, ¿no será regalárselo en bandeja?

—Al contrario. Si eso fuese efectivo, cosa que a nadie le consta, tu ausencia le haría perder buena parte de su brillo. Por último, si es una calentura, deja que se empache.

—¿Sabes, Phillipe? Hay un dato que me ilusiona todavía de mí misma y me hace pensar que no estoy tan mal: no quiero quedarme a toda costa con él, como lo quiso su anterior mujer. No deseo, como ella, el matrimonio *per se*, sin importar *cómo* sea y *qué* se sienta.

—Eso habla bien de ti. ¿Ves que eres capaz de partir?

—¿Y abandono a Celeste en este momento?

—Déjamela a mí. Tu ausencia le hará bien. Yo la estoy tratando, ¿o no? La controlaré y veré con Andrés cómo proceder.

—No puedo partir antes de que Mauricio muera...

—Pero no sabemos cuánto puede durar, Josefa. Ándate, sálvate a ti misma si no puedes salvarlo a él.

Al despedirnos, me abrazó.

—Aventúrate. No te arrepentirás.

No fue sino a la salida, sola dentro del auto, que medité en uno de sus decires:

—Vives atravesada por una espada de doble filo, Josefina. ¿Conoces a Adrienne Rich?

Le respondí con una sonrisa melancólica. ¿Valía la pena contarle cómo las sensibilidades y las existencias se entrecruzan, cómo al final somos todos los mismos, que la misma Adrienne Rich con la que él quiere definirme lo ha hecho por Violeta desde los siglos y los siglos? Asiento.

—En uno de sus poemas dice: *Her wounds came from the same source as her power.**

---

* Del mismo manantial de su poder provenían sus heridas.

A veces, el sonido cotidiano es el único capaz de apaciguarnos y de hacer que nos sintamos parte del género humano. Otras, es su ausencia lo que engrandece y solemniza.

Para que llegue la luz es preciso el silencio.

Debo partir.

Antigua.

Siete

Tormenta de rayos en el cielo que media entre Colombia y Guatemala. Probable momento de reflexión. Me niego. Cuando se me seca la boca, pienso en el olor de los membrillos, en las berenjenas púrpuras, en los copos de la leche nevada flotando sobre el amarillo. Esta vez no necesito revisar los diarios del país al que me dirijo, no tiemblo ante el anuncio de mi llegada, de mi conferencia de prensa, de mi recital. En este viaje no soy una estrella: algo que no me sucedía hace mucho, mucho tiempo.

En Bogotá sufrí la última —espero— experiencia "estelar" y gracias a ella no llegaré esta noche a Antigua, como estaba programado.

Pasó que tomé un vuelo de Ladeco. Llegando a Bogotá nos anuncian que, por culpa de un vuelo cancelado, no saben cuándo saldremos hacia Guatemala. Me desespero un poco, debo avisarle a Violeta. Me produce ansiedad imaginármela con los niños esperando en el aeropuerto un avión que no llegará, con la consiguiente vuelta a Antigua de noche, que Violeta me ha explicado que ella no hace por razones de seguridad. En Guatemala oscurece a las seis. No logro llamar desde el aeropuerto y voy al mesón de la línea aérea a pedir ayuda. Al borde del llanto, explico que estoy botada en este aeropuerto sin saber el futuro de mi vuelo y que tengo que avisar a Guatemala. Como está prohibido el uso del teléfono, me ofrecen mandar una nota. La redacto y la firmo —como es natural— con mi nombre. El ayudante entra a las oficinas, yo respiro tranquila. Pero al instante sale, de las mismas oficinas, un señor de pantalón negro y camisa blanca impecable, de pelo claro muy corto, ojos azules, y que con voz de mando grita:

—¿Dónde está la cantante?

—Aquí —me acerco, desconcertada.

—¿Cree usted que por ser famosa tiene derecho a mandar esa nota? ¿Qué significa eso de "estoy botada", cuando la compañía se está haciendo cargo?

—Perdón, señor, ¿quién es usted?

—Estoy a cargo de Ladeco en Colombia.

—¿Y por qué está tan enojado?

—Porque usted está vociferando ante todos los clientes. Si lo que a usted le interesa es que todos se enteren de que viene la famosa Josefa Ferrer en el avión, lo ha logrado con su escándalo.

—Señor, no he hecho ningún escándalo ni he vociferado. Además, ubíquese, hay un solo cliente en todo el mostrador. Sólo he hablado con el ayudante.

Está rojo de ira. Supongo que el vuelo no tiene para cuándo partir y él definitivamente no sabe manejar esta situación, está desbordado y las emprende contra mí. Me siento vejada. Este señor me grita y no tiene ningún derecho. ¿Cuál es su miedo real? ¿Que yo mande una carta a las autoridades en Santiago diciendo que el encargado de Bogotá es un ineficiente y que además no sabe manejar las situaciones de emergencia, que pierde por completo la compostura y le habla a gritos a una persona que tiene millones de interlocutores?

—¡Usted está cometiendo abuso de poder! ¡Me voy a encargar de que la embajada lo sepa! —el tipo no logra contenerse.

—¿De qué abuso me habla? ¡Es usted el que está abusando!

—¡Las estrellas! —bufa, fuera de sí, y se retira con grandes pasos al refugio de su oficina.

El personal detrás del mostrador quedó mirándolo a él, no a mí. Un argentino, el único viajero que está a mi lado, me dice divertido:

—Che, ¡así es que vos sos Josefa Ferrer! Debo agradecer la información que nos han dado, estoy encantado de conocerte. De paso, deciles a tus compatriotas que cuiden más la selección de su personal en las líneas aéreas.

Estoy furiosa. Jamás me he aprovechado de ser quien soy, es lo último de lo que pueden culparme. El argentino me invita a un café.

—Tengo una tarjeta para hacer llamados internacionales. Te la presto.

Gracias a él pude alcanzar a Violeta aún en su casa y explicarle la situación; lo tomó alegremente.

—Tengo una estupenda idea —me dice, alentándome—: dejo a la familia aquí y me voy sola a Ciudad de Guatemala. Pido una habitación en el hotel El Dorado, está cerca del aeropuerto y te va a gustar. Me instalaré ahí con un buen libro hasta que llegues, no importa la hora. Y de paso nos viene regio pegarnos una conversa solas antes de llegar a la casa. ¿Te tinca, Jose?

—Sí, me tinca.

Sonrío, me calmo y vuelvo donde el argentino que me ha salvado.

Como decía, me niego a reflexionar frente a la tormenta del cielo. Mi cansancio es enorme, necesito dejar a la cantante en este avión y bajarme *otra*. Otra que me caiga bien, como esa niña de los tímidos ojos

265

oscuros a la que le pusieron una prueba de matemáticas sobre el escritorio en el colegio, la miró, no supo una sola respuesta, y sintió cómo, desde el clóset de la sala, al lado de su pupitre, esa compañera nueva de los lentes puntiagudos, con quien nunca había hablado, desde el clóset donde se escondía porque le daba una lata feroz participar en la clase, le pasaba una hoja con la prueba hecha; se sacó un siete, y por esa razón asistió a su fiesta de cumpleaños. Sí, esa niña que le preguntaba asustada a la otra, un par de años después, si sería cierto que a Adán y a Eva los habían echado del paraíso por tratar de tener una guagua, si sería *ése* el famoso pecado.

Esa niña, crecida ya, llega a este país que no conoce con la ilusión de que algo nuevo puede aguardarla aún en su vida. Se va al hotel El Dorado, se encuentra con su amiga en la habitación, que por cierto está llena de flores y con una botella de champaña, se abrazan como dos hambrientas, llaman veinte veces al *room service* durante la noche, no se mueven de sus respectivas camas ni duermen, y ella suelta sus amarras y habla y habla todo lo que ha guardado desde el día en que nació frente a la única persona con quien puede hacerlo.

Y en eso se les fue la noche entera.

Ocho

Violeta vive en la Sexta Calle Oriente, pero en la ciudad todavía la llaman por su nombre original: la Calle de los Peregrinos. Es una antigua casa colonial, de muros ocres, cerrada hacia afuera, enorme y colorida hacia adentro. Al que entra lo asaltan, inesperadamente, amplios espacios, empezando por el clásico jardín: flores de todos colores, plantas exuberantes que no conocemos ni de nombre en nuestro sur lejano, pasto muy verde, y algún árbol grande en un costado, en este caso un cedro. De los cuatro muros que componen este gran rectángulo, sólo uno no está construido con los corredores amplios y amoblados: el que alberga la fuente de agua.

—La única diferencia entre la arquitectura antigüeña y la española es que aquí las fuentes no están al centro del jardín, sino adosadas a un muro — me explica Violeta.

El color del estuco es rojo, ese rojo colonial que no llega a ser terracota. El muro de la fuente es blanco, con una línea del mismo rojo atravesándola en el borde, en su mismo nacimiento. El agua se corta sólo de noche.

Miro el número de puertas que dan a los corredores.

—¿Qué haces con tal cantidad de piezas? —le pregunto, casi con envidia. Recuerdo la casa de la calle Gerona y ella diciéndome: nunca sobran los metros cuadrados, nunca.

Me señala el corredor, a la izquierda del gran portón.

—Es fácil, no te vas a perder. Toda esa ala es nuestra: de Bob y mía. Este paño, frente al muro de la fuente, es espacio común. Detrás de la cocina están los servicios, que incluyen un lavadero de piedra, de los tradicionales, ya lo verás. Tierna odia la lavadora, le gusta lavar sobre la piedra.

Avanzamos hacia el ala derecha, la de los niños y los invitados. Mientras me va mostrando los dormitorios de Jacinta y del pequeño Gabriel, diviso una guitarra inclinada sobre una silla en la pieza de Jacinta. Un escalofrío: no la tocaré jamás, me digo casi enojada. Avanzamos, observo a Violeta: se desliza sobre esos espacios como un cuerpo que se siente a sus anchas. Le cuelgan del escote sus eternos anteojos "a lo Mia Farrow", como los llamó años atrás, y ella conserva esa mirada lejana y distraída que le da el astigmatismo. Y aunque me han dicho que en Antigua nunca hace frío, mantiene el hábito de vestirse con colgajos; diversas y ricas telas ondulan a medida que camina, sea a manera de bufanda, de pañuelo, de cinturón o de manta. Metros cuadrados de casa, metros de tela sobre el cuerpo: abundancia y diversidad de espacios y texturas. Entre ambos dormitorios, una salita soñada, con patio de luz todo en piedra, ilumina el sector.

—¿Y de quién es esta pieza? —paso del dormitorio de Gabriel a otro, evidentemente varonil.

—De Alan, el hijo de Bob. Viene a vernos dos o tres veces al año. Es como de la edad de Borja.

Veo algunas prendas conocidas sobre la alfombra, pero más que las prendas reconozco esa forma de tirar la ropa al suelo.

—¿Aquí aloja Borja?

—Sí. Como está vacía casi todo el año, los amigos de Jacinta la ocupan. Pero vamos al fondo, quiero que conozcas tu dormitorio.

—¿Es el "dormitorio oficial de alojados"?

—Llámalo así. Pero pensé en ti y en Andrés al arreglarlo. Imagínate la emoción que siento, ¡por fin lo vas a usar!

Veo mis maletas. ¿Quién las bajó? No puedo dejar de tenderme sobre esa cama invitadora, ancha, adosada a dos gruesas columnas de madera.

—Aparentemente es española, del siglo pasado. Si el anticuario que le consigue los muebles a Bob es serio, dormirás sobre una reliquia.

Las puertas están abiertas hacia el corredor y respiro el olor de las plantas. Entonces descubro en mi velador una rara flor, es rosada y sus hojas verdes son gruesas, firmes y erectas.

—¿Qué es esta maravilla? Nunca he visto una igual.

—Es una orquídea, su nombre es *cattleya*. De esta zona. Las orquídeas se dan maravillosas por aquí.

Me levanto, conmovida. Abrazo a Violeta.

—Eres la de siempre. Los pequeños detalles...

Sonríe. Se ve tan bella. No ha envejecido, no tiene ni una arruga más que hace tres años. Tampoco canas.

—Ven, te quiero mostrar mi parte.

—Espérate, déjame mirar el baño —abro esa puerta y me encuentro con un baño entero de ladrillo y cerámica pintada, como sólo he visto en México o en Sevilla. Una antigua viga de madera oscura pareciera sujetar el sector de la tina que, por cierto, lleva también una línea de cerámica.

—¡Es precioso, Violeta! Tiene que haberles costado una fortuna arreglar esta casa.

—Bueno, la de Ñuñoa se vendió bien, ¿te acuerdas? ¡Era tan linda! Con esa plata compramos ésta. El arreglo, casi tan caro como la compra, lo financió Bob, con planos y diseño míos. Fue una aventura de a dos, yo sola no habría podido.

—Y al final cumpliste tu sueño de hacerte una casa en uno de los lugares de los que te habías enamorado.

—Me la hice aquí, ya que nunca pude en el Llanquihue. Siento cada ladrillo tan mío, Josefa. Y sólo la tengo hace dos años. Es como que fue y será mi casa para siempre.

—¿Te atreves a usar esas palabras todavía? ¿Para siempre?

—Sí —deja entrever un leve tono de disculpa—. A pesar de todo, me atrevo.

Nos vamos al ala izquierda, la suya. No pude sofocar mis exclamaciones. Su mano está presente en todo, tanto en los gruesos rasgos de la arquitectura como en los pequeños detalles.

La habitación era enorme. ¿Cuántos cabrían en esa cama? Un arco con una puerta hecha sólo de barrotes alineados, en madera torneada, dejando pasar el aire y la luz entre ellos, separaba el dormitorio del escritorio; una separación más sicológica que real. Reconocí, en un costado, el baúl de mimbre. Vi libros y libros, altos muebles de suelo a techo, con una pequeña escala. Sillones floreados, dos grandes mesas que hacían de escritorios, cuadros y tapices en los muros. Me vino a la mente la galería de Ñuñoa, por su luz y la calidez de la madera, la chimenea preparada para las tormentas y el escritorio enfrentando el fuego, con papel fresco y bonitas encuadernaciones en su superficie. Era el suyo, no me cupo duda. Me acerco y leo la hoja en que está trabajando:

GUARECER/ acoger a uno, ponerlo en seguridad
guardar, conservar una cosa
curar, medicinar
refugiarse, ponerse en alguna parte
para estar en seguridad

—Ya, Jose, no seas fome, estamos mirando la casa...

—Y esa puerta detrás de los libros, ¿adónde lleva?

—A mi taller. Ahí no entra nadie.

Y me condujo a ese espacio —una sola luz, luz por todos lados, toda la luz— rodeado por un pequeño jardín interior y envuelto en el canto de los pájaros. Dos de las cuatro murallas estaban hechas de puro vidrio. Era un espacio casi escondido, amplio y vacío. Había varios telares de distintos tipos y tamaños; lanas, sedas, hilos, también cordeles y otros materiales crudos. Y al centro de la habitación, un bastidor enorme, aproximadamente dos metros por tres, con un tapiz a medio trabajar. Pude distinguir amplias áreas de color, y pequeñas áreas totalmente bordadas con flores de todos los colores, apretándose en un costado.

—Técnica mixta —me anuncia antes de que yo pregunte, con una mano en la cintura, mirando su trabajo como si fuera el de otro.

Un carrusel de colores.

—Violeta, ¡éste es el paraíso!

—¿No es cierto? —respondió animosa—. Por fin he dado con el lugar.

Violeta y los lugares.

Miré largamente sin decir palabra, como si antiguas percepciones por fin cuadraran dentro de mi mente.

—Ven. Quiero llevarte a otro lugar de la casa —dijo ella—. Después podrás venir al taller, prometo dejarte entrar.

Me acarreaba hacia la culminación de su felicidad con la arquitectura: la enorme azotea. Al medio, un antiguo torreón sobresalía en ese espacio plano y ancho.

—Es el techo de la cocina, no creas que es un campanario.

Extendí la vista a las tejas aledañas, un baño de tejas mezclándose con el verde de los cerros, y al fondo, majestuoso, el volcán. El Volcán de Agua.

Como si siguiera mi vista paso a paso, Violeta me dice con una voz más íntima:

—¿Sabes? Cuando a veces no amanezco bien y creo que me estoy perdiendo algo del "amplio mundo", subo a esta azotea y miro al volcán. Créeme, Josefa, mirar el volcán me basta. Me apacigua y me alienta. No hay pena que no se lleve. En un día normal, el volcán me alegra. Es un elemento esencial para todos los que vivimos en Antigua.

—Y te recordará los volcanes del sur de Chile, ¿verdad?

—Es raro, mis lugares siempre llenos de volcanes...

Violeta tienta a la naturaleza. ¿No es extraño que con su historia elija vivir entre ellos? ¿No es, acaso, una provocación? ¿Qué pensaría de ellos Cayetana? Me muestra también el Volcán de Fuego y el Acatenango.

La miré, su cuerpo erguido sobre la ciudad, y se me antojó una reina. Antigua, había dicho, la Bella Durmiente de América. Amaba a su durmiente y deseaba cuidarle el sueño. Para ser la mujer que era, y haber hecho lo que hizo, y haber vivido lo que vivió, me parece una persona demasiado entera. Violeta: ¡viva y tanta muerte!

—¿Ves esa iglesia, donde flamea una bandera amarilla? —me interrumpe—. Es San Francisco. El hermano Pedro está enterrado ahí, el santo de los pobres. Aún no es un santo oficial, pero parece que lo van a canonizar luego. A él iremos a pedirle por Andrés.

Me senté en el campanario —llamé así al techo de la cocina— para empaparme de sol, y contemplé lentamente mi entorno. ¿Sería cierta esta belleza o alguien iba a despertarme para decir que era sólo un sueño? Viniendo de Ciudad de Guatemala, trasnochadas y con el corazón abrigado, tanto cerro verde en el camino a Antigua empezó a apaciguarme. Ya arribando a la meseta, me llené de calma. Sorprende que a media hora de la capital se encuentre un rincón del mundo donde la historia se detuvo. Amplias casonas, calles empedradas, algunas iglesias en ruinas, otras en pie, la arquitectura del siglo dieciséis, la uniformidad de la época, la ausencia de modernidad, me introdujeron a esta joya a la que he llegado casi de rodillas, esperanzada de su piedad.

Su quietud... ¿podrá curarme?

—¿A qué aspiras ahora que lo tienes casi todo? —pregunto.

—A que mi carga sea cada día más ligera.

—Dios te salve, Violeta.

Nueve

Chichicastenango no es un lugar, es una experiencia.

La definición es de Violeta, y tuvo razón.

Aunque la ciudad empezaba a funcionar a las seis de la mañana, me negué a cambiar mis hábitos. Violeta me llevó un café al dormitorio cerca de las ocho, ya duchada, vestida y desayunada. Se ha transformado en una nativa, pensé.

—No es que todo Guatemala tenga buen café. Es un privilegio de Antigua. Estamos rodeados de cafetales.

Partimos, ella al volante, a conocer el famoso pueblo en la montaña que cada jueves y domingo se transforma en un mercado. Pueblo-mercado, el más bonito de América, opina Violeta sin vacilar, ¡hasta México se lo quisiera! Y eso no es poco decir.

En ese camino serpenteante las micros aparecían de pronto, como una amenaza.

—Un día averigüé sobre las micros a Chichicastenango —me cuenta—, y el chofer me dijo que sólo salía con la suya los domingos, porque ése era el único día en que no había control sobre los neumáticos. Los tenía totalmente lisos. ¿Qué te parece?

A medida que avanzábamos me dejé subyugar por el paisaje: enormes barrancos, verdes acantilados, bosques orgullosos. ¿Dónde estará Andrés? Falté anoche a mi propia promesa y lo llamé. Esperé y esperé con la garganta seca, escondida de Violeta. Nadie respondió. Eran las doce de la noche en Chile. ¿Qué le habría dicho si atendía? Me queda el pánico, la fantasía de sus manos en otro cuerpo, pero también la dignidad del silencio. ¿Cuál pudo haber sido la nota? Llantos, condenas o un solo grito: que viniera a salvarme.

Violeta me señala una caseta de barro redonda, con pequeñas ventanas, como las que uno se imagina de los centinelas en la Edad Media.

—¿La ves?

—Sí, he visto varias iguales.

—Bueno, ésos eran los puestos de vigilancia que usaba el pac durante la guerrilla. Es un cuerpo de defensa civil que se creó para "defender a la población". Ahora que no hay guerrilla, nadie sabe qué hacer con ellos. Están armados hasta los dientes y se han convertido en un verdadero lastre, un peligro. No te quepa duda de que están metidos en los secuestros y en varios de los dramas delictuales de este país.

Es la Violeta de siempre. Me sonrío. Aún la apasionan todas aquellas causas, entre perdidas y solidarias. Sea como sea, estará con los guerrilleros. Recordé cuánto me impacientaba antes su falta de escepticismo, y noto extrañada que no le pido otra cosa: ya no me molesta. No es que con el mío me haya ido muy bien, después de todo. Y siento un inmediato alivio.

—¿Todavía te emocionan los himnos? ¿Sigues llorando con los villancicos y la Canción Nacional?

—Sí, aunque me creas una loca —contesta riendo, sin desviar los ojos del camino.

Mi tono cambia:

—¿No te da miedo vivir en este país?

Posa sobre mí una mirada significativa:

—¿Y no te dio miedo a ti vivir los últimos veinte años en el tuyo?

Titubeo. En este tema, prefiero no errar con cualquier espontaneidad. Pero Violeta no me espera y arremete:

—Este país tiene tantas heridas como el nuestro, pero están a la vista. Su inmundicia se ve a la luz del día. Habrá aire para secarlas, me parece. No se esconden detrás de una venda protectora, destinada a disimularlas. La pestilencia se huele; las heridas de Chile, en cambio, son asépticas. Dime, ¿cuáles podrán sanar antes?

—No me sermonees, Violeta. Estoy más cerca de ti de lo que te imaginas. En Chile empezaron "los nuevos tiempos" y se acabó, aparentemente, la transición. Todo está bien. Parece normal. Los empresarios producen, los políticos se dedican a la política, los estudiantes estudian, los obreros trabajan. Las cosas marchan. Tenemos todo lo gris de la eficiencia, pero ahora todo es competencia y estamos muy secos. En el fondo, es una lata.

—La transición... —murmura concentrada—. Una cosa debiera habernos enseñado: que hay que volver a la categoría de los buenos y los malos. Cualquier otra sutileza da para entregar o perder el alma.

—Quizás tengas razón. Lo que es yo, me cansé de relativizar. No me sirvió para nada.

Entramos en un silencio hermético que a ambas nos viene bien.

Por varios kilómetros me obsesiono con el verde del paisaje. Llamé una hora más tarde anoche, asustada de que Violeta fuera a sorprenderme en este acto de control pueril, innecesario. Nada. Vacía esa cama con el teléfono en el velador. ¿Qué voy a hacer, Dios mío? No puedo perderlo, no existo si no es en él. Siento sus manos en mi pelo... Vuelven las náuseas, infinitas mis ganas de

277

deshacerme de este miedo, esta pesadilla. Andrés, ¡voy a naufragar!

Trato de volver. Por fin, decidida a estar donde estoy, pregunto:

—¿Qué significa el nombre de este pueblo, tan difícil? Quiero decir, el pueblo al que vamos. Casi no puedo pronunciarlo.

—¿Chichicastenango? *Tenango* es "el lugar". Las *chichicas* son esas plantas que están en el camino, las ortigas. El lugar de las ortigas. Como Quetzaltenango, el lugar del quetzal. El quetzal, aparte de ser la moneda nacional, es un pájaro. Ya lo verás en los bordados, es un ícono infinitamente repetido. Es el espíritu de Guatemala. Es como nuestro cóndor —se ríe—, pero es más bonito el quetzal, y más amable.

—Me impresiona la pobreza, Violeta —comento al mirar por la ventanilla del auto—. Pero me enseñaron los niños que, pobreza o no, todo precio debe negociarse en este país. ¿Es cierto?

—Todos lo hacemos, yo también lo hacía. Hasta que un día, en el mercado de Antigua, luego de una negociación muy dura, el hombre, cansado, me dice que bueno, que quedemos en el precio que yo ofrecía. Cuando le pasé los escuálidos billetes, me dijo: "Se lo vendo nomás porque tengo hambre."

Llegamos al pueblo alrededor de las once y media. Mis ojos quedaron casi cegados, encandilados como los de Moisés cuando vio la zarza ardiente. La fiesta de colores con que me encontré no es descriptible. Simplemente, los oros, sepias, tierras, verdes olivos, azules, lilas y morados, en toda su gama, me inundaron desde los cientos de puestos de artesanía. Uno tras otro, pegaditos, era imposible enumerarlos o distinguir dónde comenzaba uno y terminaba el otro.

—Aquí siempre encuentro inspiración —dijo Violeta al ver mi cara—. Vamos, más tarde vendremos al mercado. Ahora quiero llevarte a la iglesia de Santo Tomás. Ven.

Caminamos un rato por calles escarpadas y apareció de pronto la iglesia, magnífica con sus escalones de piedra pura, ese color gris de la piedra verdadera. Al frente vi otra iglesia.

—¿Vamos a visitar las dos?

—No, sólo ésta. La que ves al frente es de ellos, de los indígenas. Se llama El Calvario. Allí van a encontrarse con el Sajorín o Chukajau. Es el sacerdote mayor de los mayas, el más sabio y más anciano, y a veces el más próspero. Lo visitan en la iglesia y él les da consejos y los cura. Sería como una falta de respeto entrar ahí, yo nunca lo he hecho.

—No entiendo: si las dos iglesias son católicas, ¿por qué hablas de ellas como si fueran propiedad de los indígenas?

—Porque lo son. Los españoles no fueron tan tontos, después de todo. Acuérdate de que la Iglesia Católica les reconoció sólo en 1542 el derecho a tener alma, como el resto de los humanos. Se sintieron satisfechos con la rara mezcla que lograron entre su Dios y los dioses indígenas. Por ejemplo, Santo Tomás era un templo maya y los españoles no lo destruyeron. Hicieron su iglesia encima, respetando a los antepasados mayas enterrados en los suelos de su iglesia católica. ¡Fíjate cómo oran los indígenas! Oran hacia el suelo, ellos saben que los dioses mayas están enterrados ahí abajo.

Las gradas de la iglesia casi no se veían por el humo del copal —el incienso— que lo invadía todo. Noté una de las zapatillas de Violeta desabrochada; estaba a punto de pisársela.

—Levanta el pie, Violeta.

—Ah —se rió—, es que como Bob no está... Él me las abrocha.

Violeta nunca aprendió a anudarse los cordones de los zapatos. "Nadie me lo enseñó", se defendía, "y ya es muy tarde para aprender esos actos mecánicos." Mil veces tuve que pedirle, a través de nuestra historia, que *subiera* el pie, al verla a punto de tropezar. Parsimoniosamente, yo le hacía la rosa. Y al repetir ese gesto, en este pueblo lejano, comprendo que Violeta y yo somos las de siempre. Aparentemente tan cambiadas y sin embargo las de siempre. Y en cien años más diría lo mismo, estoy segura. Ese sentimiento me conforta.

Entramos en la gran nave de Santo Tomás, oscura, con pocos bancos. En el pasillo central vi varias agrupaciones de velas, pegadas al suelo, y a los indígenas orando en voz alta, cuidando sus velas, entre esperma endurecida y pétalos de flores derramados. Miré hacia el altar y me divirtió que al Cristo no le hubiesen asignado el lugar central; estaba a un costado. Me emocionaron el fervor y la devoción. Andrés vuelve a mi mente, sin náuseas, sólo un dolor agudo en mi pecho, sin miedo. Cuando llamé por tercera vez y no pasó nada, me senté a llorar, apretando el teléfono contra mi pecho. ¡Tengo que poder, no debo hundirme! Miro al Cristo vestido con ropas de tela y le suplico: ¡Señor, dame fuerzas! Mi cuerpo se distiende y por un segundo algo indoloro parece emerger...

—¡Qué extraña iglesia! Esto no es un ritual católico.

—Los católicos han sido tolerantes aquí, cosa rara...

—¿Cómo?

—Antes incluso permitían unos rituales con el aguardiente. Entraban los indígenas con su botella, que usaban para acercarse a Dios...

—¿El aguardiente para acercarse a Dios?

—estoy consciente de mis preguntas de turista estúpida, pero a Violeta no le importa. Estoy transportada.

—...porque Dios es espíritu, y al beber el alcohol el espíritu se libera. Antes ellos entraban a la iglesia, tomaban el aguardiente y tiraban tres escupos. El primero a la izquierda, para su dios Maximon. El segundo, a la derecha, para la familia maya que cuida al Dios. Y el tercero al centro, para sí mismos. ¡Te imaginarás el piso de la iglesia con todos esos escupos de alcohol!

—Pero Violeta, eso es paganismo.

—No es paganismo. Es misticismo.

Se dirige a un altar a la izquierda de la nave. Hay varias figuras esculpidas en madera y las que cierran el conjunto, a los costados, son mujeres embarazadas. Violeta, muy seria, prende una vela.

—¿Qué haces?

—Éste es el Altar de la Fertilidad. Aquí le prenden velas cuando no pueden parir. Yo, en cambio, le prendo una vela cada vez que vengo, en señal de agradecimiento: por la existencia de Gabriel.

¿En qué cree Violeta? Le hace una petición, indistintamente, al santo ése de la iglesia San Francisco o al dios maya. Le da igual. Y se declara agnóstica.

—A propósito, Violeta, tenemos que organizar el bautizo de Gabriel.

—Sí, hay que inventar algo.

—¿Inventar algo? El bautizo es el mismo en todos lados.

—Ay, Jose, no te pongas rígida. No podría resistir una ceremonia católica.

—¿Por qué?

—No sé. ¡Dios es tan difícil! —suspira.

Terminado su rito de las velas me saca de la iglesia y me lleva al patio interior de la casa parroquial. Nos sentamos en el suelo, Violeta prende un cigarrillo. Me ofrece otro.

—¿Sigues con tus cinco cigarrillos diarios? —me pregunta.

—Como no canto hace tiempo, ni tengo ganas de hacerlo, fumaré lo que sea. No quiero más privaciones que las que ya sufre mi pobre alma.

Me lo enciende y se entusiasma de nuevo.

—Esto te va a gustar: en este lugar sucedió algo muy importante. A principios del siglo dieciocho, ¿sabes qué encontró un cura en esta iglesia?

—¿Qué?

—El *Popol Vuh*. ¡Nada menos que aquí se encontró y se tradujo!

—¡No te creo! ¿Aquí?

—Bueno, no es tan raro. Después de todo, estamos en la zona del Quiché, de donde son las historias del *Popol Vuh*.

Eso sí me impresiona.

—O sea, le debemos a un cura católico de Santo Tomás ese aporte a la humanidad. ¡Qué notable! Dime, ¿sigues teniendo el ejemplar de Cayetana en tu velador?

—Sí. Y me pregunto dónde lo habrá comprado ella. Pudo haber sido en Antigua, ¿te das cuenta?

—Me doy cuenta.

¿Cuánto habrán trabajado la cabeza y el corazón de Violeta en este tema? Ella quiso seguir los pasos de Cayetana y desentrañarla. Fue su opción. Y si le ha dado paz, bienvenida sea.

Diez

Torrencial. Estruendosa, la lluvia. Como si en vez de agua cayeran pequeños roqueríos, estalactitas. Atrás, como marido acompañador del agua, el trueno. Inmenso, fastuoso. Si no supiese que esta casa ha resistido ya un par de siglos y más de una restauración, saldría arrancando.

—¿Estás segura, Violeta, de que no hay peligro?

Violeta ríe y me invita al corredor para que gocemos, protegidas, la tormenta al aire libre. Sentadas en las banquetas miramos esta mojada cortina. Ni la música ni las voces tienen sentido, la lluvia trae las suyas propias. En Chile esto significaría un catastrófico temporal, con inundaciones y damnificados, cortes de energía y rebalse de los ríos.

—Ya no soy joven, Violeta —le dije súbitamente—. Si algo importante me ha pasado desde la última vez que te vi, es que ya no soy joven. Y por un lado, gracias a Dios.

Le comenté mis últimas percepciones sobre un tema para ella tan obsesionante: el tiempo. Le expliqué que había abandonado la juventud el día en que dejé de consumir los momentos, de vivirlos con rapidez, apurándolos para saber qué venía después. Ignoraba el acontecer en que estaba para saltar al acontecimiento siguiente, siempre ansiosa por vivir lo que, suponía, me deparaba la vida. Mi norte era tan marcadamente el futuro, que apuraba el presente sin atesorarlo. Sin vivirlo.

Cuando descubrí el placer de retener cada momento, alargarlo intensamente, concentrándome en él sin soltarlo, inhalándolo como si fuese opio o la fragancia del azahar, entonces dejé atrás la juventud.

—Como bien dices, Jose, gracias a Dios. Estamos en una gran edad. Lamentablemente, la vida se goza sólo cuando se sabe lo efímera que es. Es un lugar común, pero rabiosamente cierto. Y es difícil saberlo en plena juventud.

—Pero tú nunca devoraste el tiempo sin gozarlo, como yo. ¿Sabes cuál era el único lugar donde eso no me pasaba?

—Sí, en la casa del molino.

—¿Y sabes, Violeta, que *no puedo* perdonarte por eso?

—¿Por qué? —parece extrañada, casi con temor.

—Por la casa del molino. El único rencor que te guardo —se lo dije de corazón— es ése: nos dejaste sin ella.

—Eres injusta, Josefa. No les quité el lugar, sólo me fui yo.

—Es lo mismo.

—Podrías haber reeditado los veraneos, no me necesitabas a mí para eso.

—El problema es que sí te necesitaba.

—¿Tan importante era yo en ese lugar?

—Aquel primer verano, el comienzo del 92, lo recuerdo como una pesadilla. Creo que después de que tú mataste a Eduardo mi vida se fue a la mierda, y la tuya se salvó. ¿No te parece loco?

—No, Jose. Lo que pasó es que necesitabas derrumbarte. Si sientes que te quité el único lugar que calmaba tu voracidad, te ofrezco este otro: Antigua.

Guardamos silencio. Pienso que Antigua es la estación del alma que calza nítidamente con los gustos y talentos de Violeta. ("La posmodernidad es la *nada*, Josefa. Ésa es su única gracia. ¡Por eso la odio!")

Es ella quien retoma la conversación.

—La diferencia entre nosotras era que yo buscaba tiempo desesperadamente, y tú, con esa misma desesperación, lo consumías. Lo que yo he hecho es trasladar el mes de febrero, la temporalidad de la casa del molino, a una situación permanente.

—¿Y cómo lo has hecho?

—Encontrando el lugar. Así como lo encontré en el Llanquihue hace un par de vidas. Comprendí a poco andar, Jose, que el mundanal ruido nos roba el tiempo, lo devora, lo minimiza y al final nos hace vivir la mitad de una unidad: media unidad, no una entera. Aquí vivo doblemente, cada año tuyo en Santiago equivale a dos años míos aquí, si no a tres. ¿Sabes por qué tenemos tan poco tiempo? Porque se lo hemos regalado al ruido.

Llegan Borja y Jacinta. Vienen contentos, se los ve casi siempre así. Temo que Borja tenga alguna intención escondida. Me rehúye cada vez que le hablo de la vuelta a Chile. Nos ofrecen un ron. Lo aceptamos contentas. Mientras esperamos, le hago una última pregunta a Violeta.

—Tú fuiste tan apegada a tus raíces, Violeta, ¿no te ha costado abandonar Chile?

Me mira pensativa, como si no quisiera contestarme a la ligera.

—No, no me ha costado. Porque mi rincón de origen se ha expandido.

285

Once

Y llegó el momento inevitable: Cayetana.

—Quisiera visitar su tumba, Violeta. ¿Me acompañas?

Quizás en el cementerio mismo, bajo los cipreses, me contará con calma. Pero tengo que sacarla de esta casa, es demasiado hermosa, cómoda, casi complaciente. Debo entender el camino que ha hecho para alcanzar esta aparente paz.

Fue un domingo, a las cuatro de la tarde. Nos internamos por la Calle de los Peregrinos hacia la larga Calle Sucia, para llegar por el costado al cementerio.

Mientras camino, pienso en Cayetana. Hoy la comprendo más que nunca, con su maternidad controvertida. Ella no entendió que una hija significaba amputar su propia vida. Ahí radica mi identificación con ella. A la edad en que yo podría haber sido más libre, mis hijos me ataron. Pobrecitos, no es su culpa, yo los traje a este mundo sin consultarles. Pero en algún lugar mío me resiento con ellos, por ellos. Cuando me liberen de esta ardua tarea de ser madre ya no querré ser liberada, probablemente sea una vieja a quien la energía habrá abandonado y la libertad ya no le importe.

—¿Para qué me tuvo, entonces? —me espetó Violeta cuando se lo comenté—. Cuando nació Jacinta, yo no era tanto mayor que ella... Y a mi hija no la parí para abandonarla, su existencia es *mi* responsabilidad.

—No alcanzó a traerte a Centroamérica, de acuerdo. Pero contradíceme si puedes: Cayetana habría sido capaz de matar a un hombre por ti.

Violeta se sorprende.

—Nunca lo había pensado.

—Bueno, piénsalo ahora.

Mira concentradamente los adoquines y sigue caminando. Luego de un rato le vuelve el habla.

—Tienes razón. Lo habría hecho. ¿Sabes?, eso me consuela, en mi parte de madre y en mi parte de hija. Cayetana también habría matado por mí.

Lo que Violeta no reconocía es que su mayor grandeza, su horror hacia la petrificación estable y duradera, es herencia de Cayetana. También su honestidad y su valentía.

Y recordé sus palabras esa tarde, cuando me dejaron verla por primera vez en la cárcel:

—Creo que nací mala. Mi madre fue mala y yo nací de ella.

¿Fue muy distinto lo que me dijo Jacinta cuando buscó refugio en mi casa, después del crimen?

—¡Es la rabia, Josefa! La rabia ha pasado de una generación a otra, a través de la sangre de sus mujeres.

La abracé muy junto a mi pecho, le acaricié la cabeza, su pelo castaño claro como el de su madre.

—No, Jacinta, no digas eso. Lo mejor de ti viene también de allí. Serás una mujer vigorosa y fuerte, segura y generosa, porque tienes en ti la sangre de Carlota, de Cayetana y de Violeta. Serás una mujer estupenda porque vienes de ellas.

—O por venir de ellas estaré maldita.

Hemos llegado al cementerio. Su entrada es solemne: una puerta ancha, grandes murallas para el descanso final.

—¿Hace ya veintiocho años que murió? —me espanto por el paso del tiempo.

—Y treinta sin verla —me responde Violeta.

Cruzamos los gruesos muros blancos. Nos recibió un camino de piedra, ordenado en su perfecta perspectiva, con sus plantas a los bordes del pasto, y en sus costados cipreses, aromos y otros árboles que no distingo. Al fondo, una gran cruz, de piedra también, como antesala a la pieza final: la iglesia. Blanca, colonial, o al menos adoptando ese estilo. Me invade el olor a ciprés.

—Qué pena que los muertos no huelan —le digo a Violeta—. Lo peor de la muerte es no volver a oler. Recuerdo a Roberto. ¿No te pasó también a ti? ¿No te destrozaba la idea de que nunca más los olerías?

—El olor de Cayetana me ha acompañado siempre, lo distinguiría si me lo cruzara en la calle: ese olor a tabaco, a pasto y a rosa.

Avanzamos entre las tumbas. Son pequeñas casas blancas, el mausoleo como casa final. Un cementerio latinoamericano, todos iguales. No esas tumbas europeas en el suelo, con la piedra y las hierbas silvestres alrededor. Casi todos tienen el nombre de una familia en su centro. Las fechas de los primeros mausoleos son del siglo pasado. A medida que avanzamos, avanza también el tiempo de los muertos. Sigo los pasos de Violeta; de repente, muy segura, tuerce a la izquierda. Al final se detiene.

—Aquí está.

Me muestra un rectángulo aislado, de cemento blanco, pequeño en relación a los que lo rodean. La base es de cerámica verde. Su altura no llega más arriba de las rodillas de Violeta. En su superficie tiene una cúpula, y sobre ella una cruz como único adorno. A ambos costados hay una especie de gárgolas, pero sin figuras: en ellas está el espacio para las flores. No hay flores, las gárgolas están vacías, con apenas un resto de agua de lluvia en su interior. El blanco de esta tumba es el único blanco enmohecido de los alrededores. Nadie la ha pintado y los descascaramientos producen manchas oscuras.

—Entremedio, entre las familias Moreira y Fernández —la oigo decir.

—¿Qué?

Reparo en un detalle importante: la tumba no tiene nombre.

—Pero Violeta, ¿por qué?

—Porque ella no pertenecía a la familia Palma, la que los enterró.

—¿Y cuándo supiste que era ésta?

—Después de la muerte de Eduardo. Cuando me vine a instalar en Antigua.

—Recién entonces... ¡no hay derecho! Lo mínimo es que una hija sepa dónde está enterrada su madre, ¿no?

—Sabía que era en este cementerio, así lo dice el certificado que llevó mi papá a Chile. El problema fue encontrarla.

—¿Cómo la encontraste, si no tiene nombre?

—Porque mi obsesión me trajo hasta aquí. Ven, sentémonos.

Saca los cigarrillos de la cartera, me ofrece uno, se lo acepto. Se instala sobre la tumba de Cayetana y me hace un lugar.

—¿Te parece adecuado? —le pregunto con timidez.

—Cayetana fumaba el doble que nosotras dos juntas —se ríe—, y no le habría importado nada que nos sentáramos sobre su tumba. Es más, cuando la acompañé a la tumba de la abuela Carlota, ella se instaló en el suelo y se puso a conversar. Decía que así nos sentaríamos si Carlota estuviera con nosotras.

—Bueno, ¿cómo la encontraste?

—Hagamos un recuento: 1964, Cayetana se va con el guerrillero guatemalteco, dejando a su hija con su legítimo padre, ¿cierto? Se van a la guerrilla. Cayetana se ve dividida entre su espíritu justiciero, su odio contra mi padre y esta hija que le sale sobrando. Quiere comprometerse con las luchas de liberación —son los años sesenta—, pero quiere tener a su hija con ella. Difícil las dos cosas al mismo tiempo. Rubén, el guerrillero, le promete tiempos que no cumple.

—¿Cómo sabes todo eso?

—Vinimos juntos con Bob desde Huatulco, México, a esta ciudad. Fue un viaje clandestino, Eduardo nunca lo supo. Bob era otro enamorado de Antigua. Había estudiado aquí el español y su tema era Centroamérica. A él le pareció monstruoso que yo no pudiera ubicar la tumba de mi madre. Y con sus contactos, en esos pocos días que estuvimos juntos en Antigua, ubicamos a un miembro de la familia Palma. Esta persona estaba fuera de la ciudad en esos días, pero volví a Chile con su nombre y dirección. Eso me dio tranquilidad para pensar a largo plazo. Mientras yo estaba en la cárcel, Bob le escribió a este señor y le contó mi historia. Al llegar a Antigua, lo primero que hice fue ir a verlo.

—¿Quién es él?

—Emilio Palma, hermano de Rubén. Hoy bordea los setenta. Si Rubén estuviese vivo, tendría sesenta y cinco. Y Cayetana, sesenta y dos.

—¡Cayetana vieja! No me la puedo imaginar.

—Ésa es la frescura de los que mueren jóvenes. Congelan sus imágenes para siempre. El deterioro y Cayetana no son compatibles.

—Sigue, pues...

—Emilio Palma. Golpeé a su puerta un viernes en la tarde. Bob me acompañaba. Vive en una casa muy linda en la Calle de los Duelos, casi a la salida de la ciudad, detrás del Hotel Santo Domingo. Abrió la puerta una empleada. Le mandé a decir que era chilena, la hija de Cayetana, y que necesitaba hablar con él. Me mandó recado, luego de diez largos minutos: me recibiría al día siguiente, el sábado, a las seis de la tarde. Él estaba en lo correcto, yo no tenía derecho a irrumpir así en su casa, pero la impaciencia me consumía. ¿Sabes?, fui a una de esas *boutiques* preciosas que hay en esta ciudad y me compré un vestido de algodón que tenía un *look* de Charles Dickens, algún personaje de *Oliver Twist* lo podría haber usado. Es raro que eligiera, a esta edad, un vestido de orfanato para impresionar a este señor, que era lo más cerca que nunca yo había llegado a Cayetana.

"Ese sábado, a las seis de la tarde en punto, entraba yo por el portón de su casa colonial. Sola.

"Emilio Palma me aguardaba. La misma empleada me hizo pasar a un gran salón, muy hermoso pero un poco recargado y oscuro para mi gusto. Apareció este señor. Me sorprendió su estatura, ¿por qué me lo había imaginado bajo? Tenía el pelo blanco y espeso y vestía pantalones deportivos y una camisa blanca de buen corte. Se desprendía de él toda una finura inesperada para mí.

"—¿Violeta Dasinski? —su voz era pausada.

"—¿Don Emilio?

"—Con Emilio basta, nada de don. ¿Quiere instalarse aquí o prefiere el corredor?

"—Prefiero el corredor, si a usted no le importa.

"—Vamos.

"Lo seguí hacia afuera. En ese momento llegó otro caballero, con un cierto aire distinguido, también de muy buena apariencia, un poco más joven. Fui presentada:

"—Ella es la hija de la compañera chilena de mi hermano Rubén; te hablé de ella. Él es Raúl Baeza, arquitecto, se dedica a la restauración de casas y monumentos en Antigua.

"Le comenté, espontáneamente, que yo también era arquitecta; creo que fue un dato importante para la fluidez de la velada. Le hablé de mi intención de comprar una casa y restaurarla. Eso le apasionó y me dio varios datos, mientras Emilio nos miraba encantado. Nos habían traído un ron con hielo y limón, como lo toman aquí, y jugos de fruta. A los veinte minutos, Raúl —quien efectivamente me ayudó con la restauración de la casa y es de mis pocos amigos guatemaltecos— se levantó diciendo que nos dejaba para nuestros asuntos. Pero ya cualquier eventual hielo se había roto y cuando él partió no tuve miedo de enfrentar a Emilio Palma. Me abalancé sobre él en cuanto nos quedamos solos.

"—¿Usted conoció a mi madre?

"—Sí. Muy poco, pues ellos estuvieron bastante tiempo en el campo, en pueblos pequeños. Yo vivía entonces en Ciudad de Guatemala, aún no había heredado esta casa. Pero nos encontramos una vez precisamente aquí, en Antigua.

"—¿En esta misma casa? —casi no me salía la voz.

"—Sí, en esta misma casa, que a ella le gustó mucho. Pero no se instalaron aquí, sino donde unos amigos de Rubén. Él nunca pareció muy interesado en nosotros. Después de todo, sus actividades eran clandestinas y atentaban contra las costumbres de nuestra familia. Usted debe comprender que aunque el de Rubén no fue un caso aislado, pues a muchas familias tradicionales de Guatemala les sucedió lo mismo, la mía nunca pudo reponerse del estigma de haber tenido un hijo guerrillero.

"Trataba de seguirlo, pero me puso frenética la idea de que Cayetana hubiera estado en esta misma casa, sentada quizás en este mismo banco, frente al mismo corredor.

"—Cuando tuvimos la noticia de su muerte, mis padres fueron al campo, en el Quiché, para hacerse cargo de la situación. Volvieron con ambos ataúdes sellados. El gesto de humanidad —eran gente muy delicada— fue hacerse cargo de ella. No tuvieron corazón para dejarla sola, sin la certeza de que alguien fuera a venir por ella. Mi padre en persona llamó a Chile a su antiguo marido; debe ser tu padre, ¿verdad?

"—Sí —me alivió que empezara a tutearme. Total, yo era una especie de sobrina de él, ¿o no?

"—Bueno —continuó Emilio—, él llegó atrasado y dio una impresión de indiferencia frente al tema. Fue por ello que acordaron enterrarla aquí, tu padre retiraría después los certificados. No podían dejar los ataúdes esperando.

"—Qué siniestro —comento yo, desesperada, con oleadas de odio hacia mi padre—. Cayetana perdió a toda su familia en un terremoto al sur de Chile, y sus padres murieron el año que ella partió a Centroamérica. Probablemente ésa fue una de las razones que la impulsaron a partir. No quedó nadie en Chile para responder por ella; solamente yo, que era todavía una niña.

"—Ella nos habló de ti aquella vez.

"—¿Verdad?

"—Hubo una pequeña discusión entre ellos. Ella quería dejar el Quiché e instalarse aquí en Antigua. Desprendí de la discusión que Rubén le había hecho promesas no cumplidas, y que ella tenía grandes expectativas sobre esas promesas. Cuando le pregunté por qué quería vivir aquí, un lugar tan muerto en esos años, me contestó que tenía una hija y que su único deseo era traérsela a Centroamérica. Le parecía que la tranquilidad de nuestra ciudad era ideal para que tú crecieras bien. Deseaba abandonar la guerrilla solamente para juntarse con su hija. Rubén no parecía muy comprensivo al respecto.

"—¿Qué habría pasado, a su juicio, de no haber muerto ellos? —me aventuré a preguntar.

"—Nadie puede decirlo. Quizás el conflicto se habría agudizado. No me imagino a Rubén dejando la guerrilla. Era un fanático.

"—Como lo eran todos en aquellos años, hay que juzgarlo en ese contexto —¿qué hacía yo defendiendo a Rubén Palma, el que me robó a mi madre? Soy una loca, me dije.

"—Quizás ella habría vuelto a su país, o efectivamente habrían instalado un cuartel general aquí en Antigua, con Rubén entrando y saliendo. Quizás eso hubiese sido lo más posible. Ella era una mujer de armas tomar. No se veía sometida ni tímida, como muchas guatemaltecas. Recuerdo que me gustó la gran personalidad que demostraba, su capacidad para hablar de cualquier tema. No me dio la impresión de que estuviese tan posesionada por la idea de la revolución... yo diría más bien que era una mujer enamorada. Le interesaba la poesía. Yo soy poeta, aunque me gano la vida como médico. Y recuerdo que hablamos de la Mistral, de Neruda, de Vallejo, de Darío. No era ninguna tonta tu mamá. Y, ¿sabes? —me miró con cierta ternura—, Rubén la quería. ¡Por Dios que la quería! Si en algún insomnio has dudado de eso, no vuelvas a hacerlo. Soy un hombre perceptivo en cosas del corazón, y aunque vi poco a Rubén esos años, siento que se humanizó. Algo muy fuerte debió pasarle con esta mujer. Mi madre lo analizó varias veces conmigo, yo era el hijo soltero que comadreaba con ella. En las noches hablaba de este hijo tan amado, con los consecuentes celos míos. Después de todo, yo no la había abandonado y él sí. Pero ella lo adoraba. Era muy hermoso mi hermano. ¿Tú lo conociste?

"—Sí, estuvo una vez en mi casa, en Chile, invitado por mi abuelo, quien se lo presentó a mamá. Me acuerdo perfectamente de él. Yo tenía doce años y noté que mi mamá lo miraba; por lo tanto, lo miré yo. Me acuerdo de esos ojos verdes, como los de usted. Eran unos ojos muy lindos.

"Emilio sonrió, vanidoso.

"—Te mostraré luego unas fotografías de él. Rubén, desde que se dedicó a la política, no tomó nunca en serio a las mujeres. Las usaba para sus apetitos y nada más. Su causa no se lo permitía. Nunca llegó a casarse ni a tener hijos. Tampoco lo hice yo. Como el resto de la familia eran mujeres, mi madre no se consoló: el apellido perdido. Cuando supimos que vivía con una chilena y, más aun, que se la había traído de Chile, nos llamó mucho la atención. Sus parejas no duraban más que un par de meses. Mi mamá quiso conocerla.

"—¿Y lo hizo?

"—Sí, aquella vez que la conocí yo, en esta casa.

"—¿Y qué impresión le causó?

"—Si se hizo cargo de su ataúd, te imaginarás que no fue mala. Tuvo la esperanza de que esta mujer llevara a su hijo a la razón. La hizo muy feliz que existieras tú, esta niña que parecía tan central para ella, pues podría ser una forma de traer al pródigo a casa. Apoyó mucho a Cayetana en esa pequeña discusión que hubo. Rubén no se sentía muy cómodo, eso sí lo recuerdo también.

"¡Como miel sus palabras, bálsamos, anestesia para el dolor acumulado! Por fin alguien reparaba fibras mías tan dolidas. Por fin *alguien* sabía algo de los sentimientos de mi madre.

"De repente me acordé del objetivo principal de mi visita.

"—¿Dónde están enterrados? He buscado la tumba en el cementerio y ha sido en vano.

"—¡Ah! La historia del mausoleo. Rubén está enterrado en la tumba familiar de los Palma. Cuando se discutió el asunto de dónde enterrar a Cayetana, hubo distintas opiniones. Pero ganó la de mi padre: que no estaban casados, que no había ningún vínculo legal entre ellos, que era inadecuado que su cuerpo reposara en el mausoleo de la familia. Entonces buscó el espacio libre más cercano al de nosotros para enterrarla a ella en un nicho aparte. El problema es que el mausoleo de mi familia, por ser una familia antigua, tenía toda su cercanía ya construida. Encontraron un pequeño espacio vacío entre la familia Moreira y la familia Fernández. Compraron el lugar y construyeron allí la tumba para tu madre. Cuando llegó el momento de poner sus datos, nadie supo cómo dar con ellos. ¿Cuándo había nacido? ¿Cómo saberlo, cuando apenas pudimos dar con el apellido? Entonces mi madre dijo: entre la familia Moreira y la familia Fernández, no lo olviden. Yo no lo olvidé.

"—¿O sea, la tumba de mi mamá está en blanco?

"—Sí.

"Hubo un breve silencio.

"—Mi madre, que Dios la tenga en su santo reino, tuvo una intuición romántica y le pidió a mi padre que los enterraran juntos. Él se opuso. Su opinión no se discutía.

"—Por favor, no pido explicaciones. Sólo me desconcierta que su nombre nunca haya sido grabado.

Me saqué los ojos en esas tumbas, y no son pocas. Nunca habría dado con ella si usted no me lo dice.

"—Tienes razón.

"—Una última cosa —había avanzado la hora y la cortesía me obligaba a partir—: ¿de qué murieron?

"—De fiebre tifoidea.

"—¿Cómo lo saben, si los ataúdes estaban sellados?

"Él rió.

"—Se ve que no conoces este país. ¿Tú crees que mis padres se iban a contentar con la versión del gobierno? Pues no. Por medio de sus influencias, mi padre logró que abriesen en secreto los ataúdes. No, no había herida de bala. Ni de agresión alguna. Era efectivamente esa fiebre maldita. Estaban aislados en un hogar campesino y no hubo antibióticos ni remedios a tiempo. Mi padre llegó hasta esos campesinos, contraviniendo todo lo que el gobierno le había advertido. Luego los borraron del mapa, por si te da la tentación de buscarlos. Pero él, dueño y señor en su país, actuó como correspondía y encontró a los campesinos, dateado seguramente por los compañeros de Rubén. La información es exacta. Quedaron aislados, lo habían planeado así por estrategia. Nadie contó con ese terrible microbio. Ah, un dato que puede interesarte, en caso de que seas una mujer romántica: ella se enfermó primero y Rubén se contagió cuidándola. Duraron muy poco, no tengas pena. No fue una mala muerte, dadas las expectativas de muerte que mi hermano tenía. Lo único feo de esa fiebre fué que le quitó la posibilidad de ser héroe, de figurar junto a todos los héroes latinoamericanos de aquellos años.

"Noté un leve sarcasmo en su voz. ¿Aún le tenía celos, después de todos estos años?

"Me levanté discretamente, le dije un par de cortesías de rigor, como el agradecimiento por su tiempo y frases así. Me sentía como si hubiera subido y bajado el Everest en una tarde, exhausta. Emocionalmente exhausta. Decidí en el acto que la tumba quedaría innombrada. Me pareció absurdo grabar su nombre veintitantos años después, no es lo que a Cayetana le hubiera importado. Y al salir, en la puerta, él me dijo:

"—¿Así es que te quedas en Antigua?

"—Sí.

"—¿Sola?

"—No, con un extranjero. Y con mi hija, que llegará dentro de poco.

"Me miró con curiosidad.

"—¿Repitiendo la historia de tu madre?

"—No. Bueno, casi."

Doce

Violeta se dirigía periódicamente a San Antonio Aguas Calientes. Quise acompañarla hoy, como quiero acompañarla a todos lados. Aparte de mi interés por conocer el lugar, estar con ella me produce una paz desconocida para mí, como si soldarme a Violeta me forjara.

Lo primero que enfrentamos saliendo de Antigua fue una enorme planta de la Nestlé.

—Nadie se escapa de la globalización en estos tiempos —me comentó—. En medio de este ambiente colonial, lo primero que te encuentras, cuando vienes en sentido contrario y entras a la ciudad, es el olor insoportable, entre dulce y grasoso, de la Nestlé.

Nos metimos luego por un pequeño camino de tierra, impresionantemente verde, enteramente plantado de cafetales. Cuando los vi por primera vez, me sorprendió saber que los cafetales eran los arbustos pequeños que estaban debajo de esos árboles mayores que se instalaban ahí para dar protección a las cosechas. Luego de unos diez kilómetros en que el único peligro eran los autobuses que corrían atestados y a una velocidad descontrolada, cruzamos por un caserío miserable: San Lorenzo. Camino de terracerías, casas con nísperos, palmas y naranjos. Lo demás, chozas, pobreza y tierra.

—Aquí pensé quedarme cuando llegué a este país —me dice Violeta.

Me sorprendo:

—¿Cómo podía atraerte un lugar como éste?

—Porque era la nada. El último escondite en el mundo, el lugar más perdido, más ajeno, más inalcanzable. Su propia miseria me llamaba, como una expiación. Era tal mi desazón, Josefa, estaba tan perdida, que esconderme en la geografía podía ser una forma de sobrevivir. Cada vez que voy a San Antonio Aguas Calientes tengo que pasar por San Lorenzo. Y todavía hoy, después de tanto tiempo, tiemblo un poco al recordarlo. ¡Cómo sería de fuerte la nada, para que mis ganas hayan sido perderme aquí!

Me vino el recuerdo de un amigo que, muerto de culpa por separarse de su mujer, a quien ya no amaba, y pudiendo pagarse el mejor departamento, quiso, al abandonar su casa, irse a vivir a un subterráneo lleno de cucarachas.

—¿Y lo intentaste?

—Bob lo impidió. Me propuso construir una vida lo más civilizada posible, tratando de nunca herir ninguna vida ajena. Ése fue nuestro lema.

—¿Estás enamorada, Violeta?

—Sí. Definitivamente, sí.

—¡No puedo creerlo! Alguien que, pasados los veinte años, aún se declara enamorada.

—¿Sabes, Jose, cuál es el valor de nuestra relación? Cuando llegué aquí, yo no quería negar las diferencias entre hombres y mujeres, ésas insoslayables que ya sabemos. Deseaba solamente una nueva forma de vivir esas diferencias. Y Bob entendió mis ansias de reemplazar el temor por la comprensión. Sospecho que tenemos un equilibrio bastante justo entre la pasión y la estima.

—Qué suerte la tuya...

Violeta ignora mi amargura, sé que lo hace a propósito.

—Es que nos hemos encontrado en un punto de la vida, el punto del medio, cuando íbamos camino a convertirnos en unos escépticos o descreídos. Nos devolvimos juntos la fe, uno al otro. Y hoy lo que nos pasa, lo que de verdad hacemos, es completarnos.

Me quedo meditando sobre esto de completarse. Me gustó el concepto. Creo que, efectivamente, eso sucedía entre Andrés y yo. ¿Y por qué ya no?

Me distrae un enorme cartel —casi elegante en este contexto— con los datos del pueblo: *10.000 habitantes, fundado en 1528, idioma Kaqchiqel...* Se lo señalo.

—Seguro que este camino se hizo en los ochenta —dice Violeta—, cuando toda Centroamérica se incendió con los movimientos guerrilleros. Esa crisis fue el único argumento para incrementar la ayuda norteamericana al país. Pero te apuesto a que los funcionarios de la agencia de cooperación que llegaron a San Antonio Aguas Calientes limitaron su contribución a estos centenares de metros de adoquines y un inmenso letrero con todos esos detalles inútiles. Después, los habitantes de San Antonio siguieron viviendo igual de pobres; y como son en su mayoría analfabetos, nunca supieron qué decía ese cartel.

—¿Y esas micros que he visto tanto en Antigua, ésas amarillas que dicen *School Bus*? ¿Son parte de la cooperación?

—Deben ser, y se les olvidó borrar el letrero.

El camino se hacía cada vez más sinuoso y desde cualquiera de sus curvas se podía ver el pueblo situado allá abajo, en una hondonada, al pie de una cadena de cerros y volcanes verdes y arbolados que me hicieron pensar en los cerros casi siempre secos de Chile, y en las nubes altas e inalcanzables de mi tierra. Aquí las nubes estaban pendientes, a medio camino. En estos lugares cae, en una hora, el agua que las lluvias de mi patria acumulan en un año.

Cruzamos la plaza y el mercado y nos adentramos en una calle de tierra, muy pobre. Violeta estaciona el auto frente a un pequeño patio lleno de árboles y palmas. Está rodeado por caña protectora mezclada con adobe. Sale una mujer a recibirnos. Es Anacleta, madre de Tierna, proveedora de Violeta. Se ve gruesa y de edad, con pocos dientes; lleva una bella vestimenta de distintas telas y bordados. (Es menor que nosotras, me cuenta Violeta después.)

Las observo a ambas, su trato es de bastante intimidad. Nos hace pasar.

—Ahí nomasito, a la derecha.

Nos sentamos las tres en un especie de patio. Trato de mirar hacia el interior de la vivienda, pero veo poco; está muy oscuro adentro.

Violeta le pregunta a Anacleta si su otra hija, Irla, puede irse unos días con ella, pues llegarán más visitas y Tierna no se la puede con tanto trabajo.

—Está silente estos días —fue el comentario de su madre. Efectivamente, cuando partió con nosotras no le oímos la voz en todo el camino de vuelta. Y pienso que si vuelvo a componer una canción alguna vez, la nombraré así: *Silente*.

Violeta y Anacleta se enfrascan en unos bordados, Violeta toma algunas notas. La escena, por alguna razón que no detecto bien, me conmueve.

—Mira, Josefa —me llama Violeta, y extiende ante mí un *huipil*—. Quiero que reconozcas los distintos estadios del bordado.

—¿Estadios?

—O franjas, o puntos. Éste es un *huipil* de San Pedro.

Anacleta interfiere y con su dedo grueso me va mostrando cada línea de bordado; van unidas entre sí. Yo no había reparado en que, efectivamente, se pueden separar una por una.

—Éste es el pie de perro —me dice—; el segundo es el peine; el tercero, las rosas —desciende su dedo con cuidado por cada una—. Éste es el chocolate, ése la pepita, y termina con las tijeras. Está hecho de sedalina, por eso vale más.

Lo tomo en mis manos y me sumerjo en esos colores. Me entran por los ojos y a poco andar mis sentidos se empapan de ellos.

Cuando ya vamos de vuelta, cargadas de hilos, lanas y telas, además de Irla, le pregunto a Violeta por su nuevo oficio.

—Tengo la extraña sensación de haber sido una "tapicera" desde que nací. Ha salido de mí con tanta naturalidad y soltura, con tanta propiedad, como si me hubiera disfrazado de arquitecta por muchos años, solamente para esperar que la tapicera emergiese...

La palabra *emerger* me sobresalta. Por alguna razón la asocio a mis náuseas. Anoche, casi enloquecida, llamé a casa de Pamela. Me atendió ella, medio dormida; se rió ante el silencio en la línea y colgó. Esa risa... está contenta... está con Andrés. Tiemblo, se asoma una imagen de Andrés desnudo en la cama de la casa del molino, abriéndome los brazos. Las náuseas se transformaron en arcadas, vomité como si toda mi historia, toda, me sobrara. ¡Basta! Los tapices de Violeta me interesan más que toda esta mierda que me rebasa.

—¿Cuándo, Violeta? ¿Cuándo lo sospechaste? No es así no más cambiar de profesión. Tú eras tan seria en la arquitectura.

—Fue en la soledad de la cárcel. A fuerza de mirar mis manos, comprendí que podían servir. Tenía que ser en esa soledad, Jose, cuando durante horas las miraba, hueso a hueso, carne a carne. Sólo entonces las conocí, supe cómo podían y querían actuar.

Violeta no tiene idea de a dónde van a parar sus tapices cuando parten a Nueva York, ni le quita el sueño. Sabe que tienen un destino, que no son meros juegos visuales para su propia complacencia, y eso los despoja de abstracción, los hace más válidos ante sus ojos. Cuando llegan los cheques en dólares ella mira las madejas de hilo y con propiedad las llama "trabajo".

—Pero dime, ¿tú te diviertes con los tapices?

—Me extraña la pregunta, Jose. ¿No prometimos hace años que nunca haríamos algo que no nos divirtiera? Créeme que me resulta un placer. Y un placer, al ser pagado, pasa automáticamente a la categoría de trabajo.

¡Cómo la conozco! Me responde como si siguiera la línea de mi pensamiento.

—Y tú, ¡oh, puritana!, lo sientes entonces legitimado, ¿verdad?

Se ríe como si la hubieran pillado en una travesura. Ya estoy de vuelta en el presente, el dolor ha cedido, ya vuelve la paz. Violeta se pone seria, con este nuevo aire sereno que parece no perder nunca.

—Quiero tiempo, Jose, quiero tiempo. Al principio soñé que podía bordar por otros, para otros, no solamente como un placer personal. La experiencia de ser aceptada y divulgada me demostró que, efectivamente, no estaba haciéndolo sólo para mí. Y la dimensión se amplió. Fue el bordado lo que me fue transformando en una bordadora.

Sé lo que intenta decirme: el trabajo es lo único que baja la ansiedad, lo único que te sitúa con la distancia necesaria para enfrentar al mundo exterior. Y yo no puedo ni quiero trabajar. Entonces, llena de envidia y de rabia conmigo, me decreto perdida. Pero ella no lo siente así; sus últimas frases son optimistas, incluso jubilosas.

—¡Es el goce, Josefa, el goce que nadie conoce mejor que tú! Mis tapices son como tus canciones. ¡Somos un par de privilegiadas! ¿Te das cuenta de la cantidad de pasión que ponemos en nuestros quehaceres? Y las dos sabemos bien que es la *pasión* la que genera las energías. ¡Benditas somos!

Trece

—¡Hay mujeres que de verdad odian a los hombres! —miro hacia atrás para hablarle a Violeta.

Caminamos una detrás de la otra, porque las veredas son muy estrechas.

—¿Lo dices por mi amiga Bárbara?

—Sí. Me impresionó...

—Bueno, razones no le faltan. De todos modos, tiene la teoría de que hace cuatro mil años ellos descubrieron que las mujeres eran definitivamente superiores, y entonces les pusieron un pie encima, aterrados de que se los comieran vivos. Cree que la eterna historia de abusos y discriminación se debe al profundo odio que los hombres sienten por estos seres a los que temen: desde algún lugar, ellas podrían despertar, emerger y arrasar con ellos. O sea, la conocida teoría de la amenaza.

Me incomoda conversar mirando hacia atrás.

—¿Hay algún café rico cerca?

—Estamos al lado del Doña Luisa; vamos para allá y de paso compramos dulces. No puedes dejar de conocer la tienda de doña María Gordillo, es uno de los orgullos de Antigua. Quiero que comas un huevo chimbo, con la misma receta de la época de la Colonia.

Nos instalamos en el Doña Luisa. Está lleno de extranjeros con trenzas y ojos claros y sombreros exóticos. En el muro no cabe un solo aviso más: desde casas para arrendar hasta clases de lo que uno necesite. Traemos la cajita de cartón de los dulces de María Gordillo, manjar duro, mazapanes, huevos chimbos, guanábanas confitadas y varias otras delicias. Pedimos nuestros cafés.

Hoy he conocido a Barbara, una de las dos amigas que Violeta tiene en Antigua. Vive aquí hace seis años. Es canadiense. Amplia, voluptuosa, tiene ojos cálidos y la risa siempre pronta.

—¿Cómo llegó a vivir aquí? —le pregunto a Violeta.

—Ella trabajaba en teatro, en Toronto. Un día, su amiga más íntima se divorció y para saltarse ese proceso doloroso decidió irse a México. Se instaló en la Isla Mujeres y de allí llamó a Barbara: vente, le dijo, me estoy construyendo una casa con mis propias manos. Barbara, que en ese momento se hallaba carente de "ideas frescas", como dice, vendió todo lo que tenía y partió. Según ella, la gente de teatro hace estas cosas. Vivieron seis meses en la isla, en la onda más primitiva. Cuando la visa se les vencía y tuvieron que cruzar la frontera para volver a entrar, decidieron venirse a Antigua a aprender español y a ganarse la vida enseñando inglés. Se instalaron por un par de meses. El día antes de partir, mientras Barbara hacía las maletas sin muchas ganas, supieron la noticia: un huracán había azotado la Isla Mujeres y la casa, frágil y precaria, había sido arrasada.

—¿Y se quedaron aquí?

—Sí. Barbara instaló una tienda de ropa que se transformó a la larga en la sofisticada *boutique* que conociste hoy. Combina los materiales nativos con diseños europeos hechos por ella. Le empezó a ir bien, hoy en día exporta a Japón y a Estados Unidos.

—¿Vive sola?

—Sí, con dos gatas y una está embarazada. Acaba de introducir en su hogar al primer componente masculino: un perro.

—¿Por qué las canadienses pueden hacer eso y nosotras no?

—Porque nosotras tenemos un raro sentido de raigambre. Pero el punto no es ser chilena o canadiense. El punto son las opciones —me contesta Violeta mientras juega con su anillo de piedra cruz.

—¿Cómo?

—Barbara no optó ni por el matrimonio ni por la maternidad. Eso es lo que le da ese aire de libertad que percibes en ella.

—Yo nunca podría vivir así. Que Santiago, que mi mamá, que Andrés, que los niños... Todo me ata, me tira, me estrangula. ¿Por qué no nací canadiense, por la cresta?

—Ni aunque lo hubieras sido... —Violeta se ríe de vuelta.

Pido otro café, rumiando el tema de mis raíces y con una envidia declarada hacia gente como Barbara, hacia todos lo que sean algo distinto de mí.

—Aparte de Barbara y de Mónica, tu amiga argentina, ¿tienes amigas propiamente antigüeñas?

—No.

—¿Por qué? —no ceso de interrogarla, impaciente por entender la vida de esta ciudad. La irás entendiendo a medida que la vivas, me habría dicho Andrés. Pero quiero anticiparme.

—Porque en Antigua conviven tres estamentos: los antigüeños, los extranjeros y los indígenas. Son tres mundos distintos y se relacionan poco entre sí.

—¿Y los antigüeños?

—Han estado aquí desde siempre, hay familias que no se movieron ni con el terremoto de 1773. Viven en esas casas grandes, cerradas, toda la vida vertida hacia adentro.

—¡La suerte de ellos! No deben sospechar lo que es la neurosis.

—No te creas, son bien latosos. El interior de las casas es el centro mismo de sus actividades. Los hijos estudian aquí la secundaria y cuando van a la universidad, si es que van, lo hacen en Ciudad de Guatemala.

—Como Jacinta.

—¿Sabes? Las mujeres de nuestra edad no son profesionales, ninguna. Su destino ha sido el más tradicional, casarse jóvenes, tener marido, casa e hijos, y dedicarse a ellos. Son una sociedad cerrada y sin mucha inquietud intelectual.

—Como toda provincia...

—Jacinta me cuenta que en sus casas, que yo apenas conozco, no hay libros. En Antigua misma el comercio de libros casi no existe, apenas hay algunas librerías norteamericanas de libros usados. ¿Te das cuenta el hambre?

—No me sorprende. Y no creo que sea solamente por ser provincia. Fíjate, a un fotógrafo amigo mío le pidieron que hiciera unas fotos de las casas más lindas y ricas de Santiago para una revista de diseño. Se metió en cada rincón de esas casas, buscando los mejores ángulos. Cuando terminó el trabajo, salió escandalizado: esas casas maravillosas no tenían libros. Ni un solo libro.

—¿De dónde sacarán ideas, entonces? —se pregunta Violeta muy seria.

—De dónde sacarán placer, me pregunto yo. Y tú, ¿cómo lo haces?

—Bueno, para algo sirve tener un papá librero. Me llegan a Ciudad de Guatemala, a la casilla de Bob. Aquí el correo es casi inexistente. Además, cuento con las suscripciones de Bob al *New York Review of Books* y otras, y cuando él va a Estados Unidos o vienen sus amigos para acá, yo hago mis encargos. Abastezco de libros a un buen sector de la comunidad extranjera, siempre los tengo prestados.

—¿Por qué hay tanto extranjero aquí?

—Por las escuelas de español. Mira, de los treinta mil habitantes con que cuenta la ciudad, los extranjeros son al menos diez mil. No siempre los mismos, son una población flotante. De toda esta parte del continente, Antigua es la que cuenta con la enseñanza más sistematizada del español. ¡Hay como ochenta escuelas en la ciudad! La mayoría con enseñanza súper personalizada. No faltan las mujeres que, sin ser profesoras, se dedican a esto para casarse con un gringo: es la gran meta de las antigüeñas jóvenes.

—Pero están los extranjeros como tú, ¿verdad?, que no tienen nada que ver con la enseñanza del español.

—Sí, pero en su mayoría son personas que vinieron a estudiar —norteamericanos, suecos, noruegos—, se enamoraron y se quedaron. Antigua es mágica, Jose: no pueden dejar de volver y terminan instalándose. Aquí tengo una amiga, Elizabeth, cuyo padre la trajo a vivir a los catorce años, a fines de los años sesenta, cuando esto era un peladero; él vino desde Estados Unidos a escribir un artículo, se enamoró y se quedó para siempre. La verdad es que la sofisticación, las restauraciones y los estudios de la ciudad se los debemos, en gran medida, a los extranjeros que la han amado.

—Debe ser emocionante vivir en un lugar que es patrimonio de la humanidad. Yo me sentiría importante.

Violeta sonríe.

—Tú perteneces a la categoría de los que inyectan a la ciudad su vida y cultura, ¿verdad?

—Bueno, sí... A los guatemaltecos que viven en la capital y vienen por el fin de semana no los verás nunca, ni te los toparás en ninguna actividad. No van a nuestras galerías ni a nuestros cafés. Vivimos en mundos paralelos que no se tocan.

—¿Tampoco se agreden?

—¡Jamás! —exclama enfática—. La gente de este país es la más amable del mundo, ya lo habrás notado. Y Antigua es una ciudad cero agresiva, esencialmente pacífica. Debe ser uno de los lugares menos violentos del mundo, y eso no es poco decir hoy en día.

—Conociéndote, debe haber sido determinante para que tomaras la decisión de vivir aquí.

—Sí. ¿Me creerías que ni siquiera la política la cruza? Ni la guerrilla, ni los golpes de Estado... nada. Los antigüeños saben que existe un Presidente de la República sólo porque los propios presidentes tienen casas de fin de semana aquí, y cuando vienen se ve a gente del ejército por la calle, eso es todo.

—Me da la impresión de un lugar aislado, congelado en el tiempo.

—Es así. El tiempo se detuvo hace siglos en Antigua. Ello es parte de su belleza. Es una ciudad que ve a la gente pasar, vivir y partir.

—Pero eso es triste.

—No... No si tienes lo que amas a tu alrededor. Cuando en el interior de uno las cosas están asentadas, que partan los demás no importa.

Siento que la odio un poco. ¡Cómo puede tener tantas certezas! ¿De verdad cree que lo ha resuelto todo? ¿Es que se le olvida que asesinó a un hombre?

—Yo me meto poco con el mundo exterior —continúa ingenuamente, sin ser tocada por mis malos pensamientos—. Justo lo indispensable para no sentirme un lobo estepario. Parezco antigüeña: mi casa es mi centro, ahí sucede una buena porción de la vida. Por salud mental, voy a la capital una vez a la semana. Y al menos una vez al año al extranjero.

—Es otro sentido del tiempo, ¿verdad?

—No tengo agenda. Eso te lo explica todo, ¿no?

—Pero Violeta, ¿cómo puede un ser humano en el siglo veinte vivir sin agenda? —pregunto horrorizada.

—Es que no estoy segura de vivir en este siglo.

—Tienes teléfono, televisión, cable, Bob tiene computador y fax...

—De acuerdo, tenemos elementos del fin de siglo para no tener que vivir definitivamente en él.

—¿Consideras más digna la vida vivida de esta manera?

Violeta pesca al vuelo mi tono.

—No te estoy atacando, Josefa. No estoy privilegiando una opción sobre otra. Ésta es la que yo necesitaba, tú lo sabes. Me he pasado la vida buscando una forma coherente de vivir, y siento que la he encontrado. Hay mil opciones posibles.

Volvemos a casa. Violeta quedó con algo atravesado en ese fardo de materia viva que es su mente, la conozco. Ya aparecerá a la hora del ron.

Entretanto, me tiendo en mi reliquia española y repaso una figura: un mentón de huesos cuadrados, manos fuertes sin los dedos de pianista que yo habría elegido, un tórax con la cantidad justa de pelo para poner ahí mi mejilla, unos muslos duros y piernas firmes a toda prueba, un sexo pacífico en su pequeñez, atolondrado en su ensanchamiento. ¿Alguien conoce ese cuerpo como yo? Su ex mujer... no, ella no lo recorrió así, no tanto, ¿verdad? O quizás sí. Ellos dos en la cama: es insoportable compartir un mismo cuerpo, aunque los tiempos no coincidan. Poco a poco me invade la inseguridad, una sospecha pequeñita sobre ésta que soy, sobre mi desempeño erótico. ¿Existe alguna mujer que —de verdad— se sienta espléndida en la cama? Bueno, el tiempo no pasa en vano. No fue lo mismo hace ocho años, o diez, cuando Andrés reaccionaba con sólo poner su mano sobre mi espalda. ¿Habrá reactivado su eros en la espalda de Pamela?

Tengo una segunda memoria, la memoria del cuerpo. El deseo: el más irracional e irreprimible de los impulsos. Y cuánto miedo da llegar al momento insobornable: la fatiga del deseo. Quizás en un punto comenzamos a pedirnos poco uno al otro, luego de haber creído en ese impulso por tanto tiempo. Debo irrigar las zonas muertas del amor y del erotismo, ésa será mi tarea si él me da la oportunidad. Pero hay una cosa que, fatiga o no, no puede pasar inadvertida: siempre *sentimos*.

¿Quién va a ganar esta lucha? ¿Quién se quedará con el ansiado trofeo, como me enseñaron de niña? ¿Ella, presente, o yo, ausente? El vacío ya no camina hacia mí, como sucedía en Santiago; al menos eso he ganado. No es poco, según Violeta. Ella apuesta a lo mejor de Andrés, o sea al final feliz. Pero tal apuesta pasa por que yo deje de ser la mujer insoportable que he sido estos años. De todos modos, en ello nada tiene que ver Andrés. Si algo importante me está sucediendo es que, gane o pierda, necesito abandonar a esa mujer por mí misma, no por él.

El sol se ha ocultado. Ahora descansa el espíritu.

Llegó la hora del ron. Violeta ya casi no come pistachos, no los encuentra con facilidad. Los ha cambiado por las castañas de cajú. Las venden, fresquísimas, sabrosas, aunque nada baratas, en la esquina de la plaza. Las ofrece junto a los tragos en la tarde, en el corredor. Son un vicio, pruebas una y ya no paras más.

Violeta acerca el vaso de ron a su rostro y comparten el color.

—Quiero contarte una anécdota.

—Adelante.

—Pasó por Antigua mi amigo de siempre, Ernesto Martínez. Tú lo ubicas, sabes que es un hombre que se ha desangrado buscando el poder. Consiguió todo tipo de nombramientos con la democracia y ahora es senador. A todas luces, una historia de puros éxitos, ganando las internas de su partido, adentro, luego afuera, frente al electorado de la región. Su última campaña fue difícil, me contaba, y la elección muy estrecha. Y a pesar de los malos pronósticos, ganó.

—Algo recuerdo, lo daban por perdido.

—Lo interesante, Jose, es que me confesó que esa noche, la de su victoria, a las cuatro de la mañana, ya en su cama, lo acometió el más feroz vacío. No podía consigo mismo. Trataba desesperadamente de dilucidar cuál era el sentido de todo esto. Él, que ya había conocido bastante de cerca el tema del poder. Y su relatividad.

—¿Te habló también sobre su gusto por el poder?

—Más bien me habló de la transformación de la política en este mundo nuevo de los equilibrios y el consenso, en esta nueva fórmula de las puras imágenes y las no-ideas.

—Bueno, mi impresión es que el poder real radica en la empresa privada y en los medios de comunicación. Lo digo instintivamente, sin entender mucho.

—Siempre has entendido más de lo que aparentas —acotó Violeta, irónica—. Bueno, lo sorprendente, Josefa, es que la única pregunta que se hacía la noche del triunfo en su cama, a las cuatro de la mañana, era: ¿cómo lo hago para llevar una vida digna? Ésa es su obsesión.

—Me sorprende en él. Parece tan ambicioso.

—Bueno, la forma que encuentre Ernesto de vivir la dignidad no será, evidentemente, saliéndose del mundo a esta vida casi bucólica en una meseta de Centroamérica. Tampoco se va a meter a un convento. Él verá cómo lo hace, resolverá el dilema a su manera...

—¿Por qué cresta no se dedica a los pobres? Sería digno de parte de un político.

—Cada uno sabrá cuál es su forma. Lo importante es saberlo a tiempo. También lo sabrás tú, y yo no descalificaré tu opción, ni tú la mía. ¿Verdad?

Asentí. Sé por qué me contaba lo de su amigo, el senador. Sé por qué me lo contaba a *mí*.

—Bueno —suspiró Violeta—, ya sabemos que no podremos cambiar el mundo, ¿cierto? Ése ha sido el gran golpe de los golpes para nuestra generación. Se nos desapareció el objetivo en medio del camino, cuando aún teníamos la edad y la energía para hacer las transformaciones. La política ya no es la política de antes. Ahora es el poder por el poder, con algunas características propias según los grupos, pero ninguna diferencia sustancial. Por lo tanto, lo único que les queda a personas como él es preguntarse con humildad: ¿dónde está la dignidad? Arrimarse allí, si ya no quedan otros espacios de arrimo.

Nos miramos Violeta y yo. Nos medimos, nos reconocimos, nos evaluamos, nos tasamos. Y opté por rasgar el aire.

—¿Y el último bosque, Violeta? ¿Qué pasó con eso?

—Es mi sueño, mi utopía hospitalaria. Creo, Josefa, que en el último bosque se encuentra la dignidad. Y que esos bosques no están lejos de aquí.

Catorce

Caminar unos pasos hacia la iglesia y el convento de Santa Clara es sinónimo de ciertos momentos. Por un quetzal, tengo horas de recogimiento y silencio en mi refugio: el jardín de atrás de las Clarisas. Respiro bajo la sombra de seis grandes aromos. ("Violeta, ¿sabías que hay aromos en las ruinas de Santa Clara?" "Sí, los conozco." "Falta solamente tu hamaca, ¿qué hiciste con tu hamaca?" "La traje en el *container*, la tengo guardada; creo que la voy a poner en la azotea.") Me amigo con el níspero y las palmas y tomo asiento en las piedras.

Mi mente se aleja hacia fines del mil seiscientos, trato de imaginarme a las primeras monjas clarisas que llegaron de Puebla. ¿Cómo serían? ¿Qué comerían? Al menos, no pasaban frío, oh privilegio de esta ciudad. ¡Qué generosos pueden ser estos enormes claustros y fuentes sin la existencia del frío! ¿Se vinieron por amor a Dios o porque las obligó la familia? ¿O fue por un amor desgraciado? Pienso más bien en esto último, para identificarme con ellas.

Casi nadie llega hasta aquí; quizás algún turista recorre las ruinas, pero yo no lo veo ni lo siento. Vuelvo a respirar. Pero es el abismo. Porque toda respiración agoniza cuando se me cruzan las imágenes: esas imágenes. Los anteojos de sol en el auto de Andrés. Eran femeninos, marca *Ted Lapidus*. ¿Qué hacían ahí? ¿Usará Pamela Ted Lapidus? No, yo los recordaría en ella, eran bonitos y me habrían llamado la atención. Me persiguen esos anteojos de sol.

Pierdo la calma. Camino hacia la puerta de Santa Clara. Justo enfrente están los lavaderos públicos, esa enorme piscina de agua verde musgo y el impecable orden de cada recipiente de piedra para la ropa sucia de los indígenas. Me fascina la perfecta distribución de la piedra en cada unidad. Una mujer se afana en su tarea. La miro hacer. Le habla a su hijita mientras restriega sus paños. Se ríe y tiene sólo dos dientes, enormes, alargados, como si fuesen a saltar en cualquier momento de la boca. Saca agua con la mano —al lado, otra indígena se lava el pelo— y vuelve al mismo movimiento para mojar y enjuagar su ropa. Reconozco, entre un lavatorio y otro, ese jabón café que me llamó la atención en el mercado, parecía una roca. Es para los piojos, me contó Violeta. (En mi país hay piojos hasta en los colegios privados, pero no se asumen y en ningún lugar popular venden jabones para eliminarlos.) Sus movimientos me subyugan. No usa escobilla, sólo su mano. Y mi historia de cantante me traiciona, pues sin llamarla, sin invitarla, llega a mí la Violeta Parra y esta voz, en silencio, comienza a cantarla, como cuando Violeta y yo lo hacíamos juntas en la universidad: *Aquí voy con mi canasto/ de tristezas a lavar, al estero del olvido,/ dejen, déjenme pasar./ Soy la torpe lavandera, pierdo el día en mi labor,/ el amor es una mancha que no sale sin dolor,/ lunita lunay, no me dejes de alumbrar*. Empiezo a llorar. Un llanto lento, absurdo. No, no puedo volver a llorar, me digo enojada: soy fuerte, autónoma e independiente, me repito, y las palabras caen al agua, vacías. Mezclo mi llanto con el agua del lavado, meto mi mano a la pila, me mojo los ojos, la indígena me mira, yo la miro de vuelta. Vuelvo a hundir mis manos en esa agua verde y ella sigue mirándome.

Cuatro de julio, día nacional de los Estados Unidos. Un día cualquiera.

Camino hacia la plaza. Está llena, ¿qué pasa? ¿Por qué hay tanta gente? Las colas en Guatel y en el Banco del Agro, donde cambio mis dólares, alcanzan la calle. Las veredas están repletas de coloridos productos. Me acerco a la compañía, quizás pueda llamar a Andrés y hablar con él desde ahí con la certeza de que nadie más me escucha. La cola es enorme, en la misma ventanilla donde se piden las llamadas internacionales está la gente pagando sus cuentas y sus llamadas locales. ¿Cómo no dividen las ventanillas según su uso? Voy a esperar un rato en la plaza.

Elijo un banco cerca de la fuente del centro. Escucho el agua correr. Descanso. Estoy siempre agotada. Miro a las indiecitas (no son indias, son *indígenas*, me corregiría Violeta; decir *indias* debe ser políticamente incorrecto): caminan frente a mí con sus enormes canastos en la cabeza, sin tocarlos con las manos, erguidas. Observo la perfecta línea de cuello y espalda, ¿cómo se las arreglan? Son unas niñas, tan pequeñitas. "Sólo se entiende porque llevan cinco mil años haciendo lo mismo", me dijo ayer Violeta, "a nosotras se nos caería todo."

Miro a un turista panzón, de *shorts* y polera muy ceñida, con unas piernas delgadas en calcetines blancos y unos minúsculos pies calzados con rigurosos zapatos negros acordonados. Trata de fotografiar a su mujer. Más al centro, le dice, pero la mujer no se mueve lo suficiente, un poco torpe su cuerpo. Más al centro, le repite, obsesionado con formar una perfecta simetría entre la fuente y ella. Dios mío, ¿cómo alguien puede casarse con un hombre así, cómo unir su vida a otro que lleva a cuestas esos pies y esas piernas? "Mucho peor la panza", me discutiría Violeta, "lo que pasa es que tú eres una feti-

chista con esto de las piernas." No, le contesto mental-
mente, la panza de un hombre es horrible, de acuerdo,
pero a la larga puede resistirse. Lo que no se tolera es
esto: ¿has visto algo menos masculino que esas piernas?
Flacas, peladas, pulcros calcetines blancos con zapatitos
negros... Me lo imagino desnudo con los calcetines puestos, la peor situación en que un hombre puede encontrarse. ¡Dios, qué poco sexy! ¿Cómo será Bob?

Cuando comenzaba a recorrer las piernas de
Andrés, a recordar cada línea de ellas y a dolerme, me dis-
trajo un pájaro; vino y se posó en el árbol más cercano.
Era azul. El cuello y la cabeza, azabaches. El resto, com-
pletamente azul. Qué pájaro tan bello, ¿de dónde salió?
No es el azul brillante que retratan algunos libros, no.
Es un azul petróleo. Nunca he visto uno igual.

Vuelvo a Guatel. La cola es larguísima aún. Estoy
tratando de tomar decisiones cuando una indígena sentada muy cerca de mí en la vereda, con su mercancía a la
venta, me llama:

—Ey, tú...

Me asusta. Cualquier cosa inesperada relacionada
con otro ser humano, más aun si es en la calle, me asusta.

—¿Yo?

—Sí, tú...

Suelta una frase que no comprendo. Nunca les
entiendo mucho, es raro su español. Algo me dice de un
hombre. Miro, a mi lado hay un turista trigueño, ¿se
referirá a él? ¿O a Andrés? Pero, ¿qué tiene que ver esta
mujer con Andrés? Estoy loca... Aunque tal vez sea una
especie de bruja y me está regalando una profecía.

—¿Qué? No entiendo, repítame.

—Si me das un quetzal —eso sí se lo comprendo
de inmediato. Dudo: ¿entregarme a su juego o arrancar?
Intrigada, saco un quetzal de mi cartera y se lo paso.

Entonces su frase es nítida—: El hombre trigueño ya no es tuyo... pero de ti depende.

—¿Qué hombre trigueño?

No me responde. Entra en el mutismo total.

—No entiendo —le digo.

—Cómprame un *huipil* —me responde.

Salgo de allí molesta. Qué Guatel ni qué nada. Estoy transpirando. Hace calor, como siempre, pero eso no justifica mi agitación. Me dirijo a la Calle de los Peregrinos. El hombre trigueño... Andrés no es mío, Andrés no es mío. Siento una sed loca. Me detengo en un pequeño café y pido un licuado de melón. En el café ven el fútbol. Brasil contra Estados Unidos. Sí, oí a Violeta en la mañana diciendo lo contenta que estaba de que Bob viese el partido lejos, en su país, que ella no puede dejar de estar con Brasil. Ella siempre está por los latinoamericanos. "Imagínense", había dicho, "la victoria de Estados Unidos contra Brasil en el día de su fiesta nacional. ¡Cómo sería aquello!"

Qué lástima que la fecha de mi viaje haya coincidido con el Mundial, Andrés apenas notará mi ausencia. Miro a los hombres del café. Brasil ha metido el único gol del partido, a los veinte minutos del segundo tiempo. Los guatemaltecos saltan de alegría, todos aplauden. ¿Quién dijo que el sentimiento antimperialista estaba pasado de moda?

Fourth of July, pienso al retomar la Calle de los Peregrinos.

"Why is it that so many more words have been said about Abraham Lincoln than about any other American?" Vestida de rosado como un caramelo, muy acinturada, los tacos blancos, el micrófono. Todo el colegio, alum-

* "¿Por qué será que tantas más palabras se han dicho sobre Abraham Lincoln que sobre cualquier otro norteamericano?"

nos y profesores, en el auditorio, escuchando el discurso central. Y Violeta, en la fila del coro, recitando conmigo en su interior. *Fourth of July*, fiesta también en el colegio, representación de las alumnas a cargo de la monja de música en el Glee Club. Mientras el coro cantaba la última estrofa —*"while the sun keeps music... in my old Kentucky home... far away..."*—, aparecía yo en el escenario. *"Why is it..."* En los ensayos, la ansiedad me consumía en ese momento en que debía empezar. Tenía trece años y no conocía aún el concepto de pánico de escena. Entonces, en los ensayos, Violeta siempre empezaba conmigo en voz baja; ella se había estudiado mi discurso, lo aprendió conmigo y se lo sabía de memoria. Lo hizo para convencerme de que yo me la podía, para obligarme a vencer la resistencia a ser oída por todo el colegio. "Si te pones nerviosa y se te olvida la estrofa, yo te la soplo. Yo voy a estar recitando contigo." Y cuando llegó el día, me acerqué al micrófono y no pude, no me salió el habla. Miré ese enorme auditorio frente a mí y me vino un vacío en el estómago. Hasta que escuché, sin detectar de dónde venía en ese momento de confusión, la voz de Violeta, despacio, pero con el volumen necesario para llegar a mí: *"Why is it that so many more words have been said..."* Entonces pude. Alcé la voz, fuerte y clara, y recité. Terminé mi discurso a la perfección y cuando el público estalló en aplausos, lo gocé. Me invadió un extraño vértigo, ¡y cuánto me gustó! No tenía cómo sospechar entonces la cantidad de escenarios a los que me subiría más tarde en la vida, ni cuánto necesitaría ese vértigo para sentirme viva. Y tanto esfuerzo para vencer cada vez —absolutamente, cada vez— el pánico.

Y así la frase inicial del discurso sobre Abraham Lincoln pasó a ser una especie de sortilegio entre Violeta y yo: la primera audición de radio, la primera vez que canté en un escenario en la universidad, la primera vez que fui a la televisión. Siempre Violeta acompañándome, menos el día crucial en que gané el Festival de la Canción. Y al momento de comenzar, ella se las arreglaba para estar cerca, donde mis ojos pudieran toparse con los suyos, y recitaba, casi para sí misma: *"Why is it that so many more words have been said about Abraham Lincoln than about any other American?"*

Fourth of July.

Empezó una tormenta en Antigua. Apuro el paso.

Quince

Violeta me lleva un café a la cama. Ya con el estímulo en el cuerpo, soy capaz de existir. Me levanto en bata y me dirijo a la cocina, donde se despliega todo tipo de tentaciones para el desayuno general de la casa. Frutas, café humeante, pan fresco, tostadas, cereales, yogur, mermeladas y huevos. Pruebo con una cuchara, distraída, un poco de mermelada. "Es de sauco", me dice Violeta, "un *berry* de la zona." Saboreo la grata mezcla de ácido y dulce, recuerdo el arándano de la casa del molino, el frasco es el mismo, el espíritu del ambiente también. Elijo un yogur de mango y tomo de la bandeja una pitahaya. Me he prendado de esa fruta por su aspecto. Parece la ilustración de un cuento, su cáscara es como la de una alcachofa tosca y enrojecida. De un feroz rojo adentro, a medida que se acerca al borde se transforma en brillantes líneas fucsias, salpicada por sus semillas, unos puntos muy negros. El propio Rufino Tamayo se vuelve descolorido frente a esta fruta. ("¿Las has usado para algún tapiz?" "No", me contesta Violeta, "aún no". "Por favor hazlo, ¡esta fruta es única, Violeta, tienes que aprovecharla!")

La gran mesa de la cocina recibe al que va llegando. Siempre soy la última. La cocina misma es cuadrada y a mitad de altura se transforma en un gran torreón de ladrillos, con ventanillas en el techo por donde entra la luz. Los muros llevan cerámicas pintadas. ("Grande y cuadrada: ¡no necesitaste una reencarnación, Violeta, para llegar a tener una cocina cuadrada!"

"¿Cómo que no? ¿Te parecen poco mi muerte y mi resurrección?")

Durante el desayuno se comentan las actividades del día. Violeta ha hablado anoche con Bob, que llega dentro de tres días con su hijo Alan. "¿Sabes por qué se llama Alan?", me pregunta Jacinta, "porque su mamá es fanática por Alan Bates." Borja anuncia solemnemente los partidos que se jugarán hoy. Rumania con Alemania. Empieza la discusión, que por quién vamos. Jacinta dice que no soporta a los alemanes. Yo digo que odio a los rumanos. "¿Por qué?", me preguntan sorprendidos. "Por culpa de Violeta", respondo.

—Cuéntales —me urge Violeta.

—Ya, cuéntanos, mamá —ruega Borja.

—Esto pasó en aquellos tiempos revolucionarios de nuestro país, hace muchos, muchos años. Violeta no tenía más afán que meterme en sus actividades, que, dicho sea de paso, no me interesaban. Para concientizarme, me consiguió como gran cosa una invitación a Rumania. Yo estudiaba música en la universidad y la invitación era para conocer cómo funcionaban las escuelas de música rumanas en ese momento. Me sentí obligada a aceptar, Violeta se había esforzado tanto con sus amigos y con la embajada. Fui. Mi estadía allá es harina de otro costal, otro día la contaré. Pero mi odio por Rumania empezó a la vuelta, ya en Chile. A los pocos días de mi llegada, recibo un papel de la aduana para que retire un paquete. ¿Qué será? Partí entusiasmada, nunca había llegado nada a mi nombre desde otro país. "Es un disco", me dice el funcionario, "debe pagar un derecho para retirarlo." Era bastante caro. Lo retiré: un disco de propaganda del gobierno, concretamente discursos de Ceausescu con su respectiva traducción. Puchas que me salió caro, fue mi reflexión, pero a pesar de eso me emocionó haber sido recordada por alguien. A la semana siguiente, otro aviso de la aduana. Era otro disco. Vuelvo a pagar el derecho, un poco molesta esta vez. A la semana subsiguiente la historia se repite: voy a la aduana y pago con franco enojo. La carátula dice *Número 3*. Alarmada, comprobé que los anteriores también llevaban su respectivo número: el *1* y el *2*. ¡Dios, cuántos serán! Al cuarto aviso de la aduana, no fui a retirarlo. Me llaman por teléfono al cabo de unos días y me explican que es mi obligación, dejarlos significaría una multa. Conclusión: fueron diez discos. Toda la colección del proceso rumano con cientos de discursos de Ceausescu traducidos al español. A toda esa época de mi vida la he llamado "el tiempo de los discos rumanos".

Violeta y los niños reían cuando se abrió la puerta de la cocina. Yo ni miré, pensando que era Tierna. La expresión de Violeta cambia, se levanta de su silla. Me doy vuelta y veo a un hombre que abraza a mi amiga. No, no es Bob, las fotos dicen que Bob es rubio. Éste es moreno, latino a todas luces, alto, cuarentón, algunas hebras grises en su pelo peinado hacia atrás, en una cola de caballo.

—¡Javier! —Violeta parece muy complacida.

—Pido perdón por la interrupción, veo que aún están desayunando.

—¿Cuándo llegaste?

—Anoche. Y no resistí sin venir de inmediato.

—¿Y dónde te quedas? ¿Dormirás aquí?

—No. Estoy en el Santo Domingo.

—Pero... ¿por qué te has ido a un hotel?

—Pues, la revista paga. Y debo trabajar. Si me quedara aquí, no avanzaría nada. ¿Y cómo está la princesa? —pregunta abrazando a Jacinta.

Traté de identificar su acento. ¿Mexicano? ¿Guatemalteco? Se me confunden.

—Javier, quiero que conozcas a Josefa Ferrer. Además de ser cantante es mi amiga de infancia, de toda la vida. Ha venido por un tiempo a descansar. Josefa, él es Javier Godínez, de México, una especie de hermano de Bob, fueron compañeros en Harvard.

—¿Josefa Ferrer? ¡Pero qué privilegio!

Cuando se acerca a darme la mano, reparo en el estado de mi pelo, en mi bata poco elegante, en mi cara dormida. No me parece el momento más adecuado para ser presentada a nadie. Digo un "hola" desaliñado y termino mi yogur.

—¡Puchas que es famosa mi mamá! —comenta Borja—. Hasta aquí la conocen.

—Llegué en la mitad de algo —dice él—, por favor sigan... ¿En qué estaban?

—En los discos rumanos —contesta Jacinta.

—¿Qué es eso? ¿Algún nuevo grupo de rock?

Violeta le cuenta la historia, todos los detalles repetidos y yo al medio, sintiéndome una tonta. Él se divierte con las descripciones y me mira con otra cara; parece verme como yo, no como la cantante.

—Puedo contarte más tarde un par de anécdotas de la Unión Soviética de esos tiempos, créeme que te harán reír —dice dirigiéndose a mí.

—¿También estuviste por esos lados?

—¿Existe algún intelectual que se precie, en nuestra generación, que no haya tenido alguna experiencia con el campo socialista?

Ya, entendí que éramos de una misma generación, que era efectivamente un intelectual y, si era tan cercano a Bob, de algún peso específico. Y nos empezábamos a caer bien. Pero igual me levanto para ducharme.

—¿A qué hora estarán desocupadas?

—Josefa está libre, yo lo estaré a la hora de almuerzo —Violeta, probablemente, piensa en la posibilidad de que este hombre se haga cargo un poco de mí y la aliviane.

—¿Quieres salir conmigo, Josefa? ¿Has visitado ya las Capuchinas?

—No, todavía no.

—¿Y has tomado el café del Ópera?

—Tampoco.

—¿Y has visitado la galería El Sitio?

Me reí avergonzada.

—Tampoco.

Él mira a Violeta, divertido.

—¿En qué has tenido a tu amiga? ¿La has encerrado?

—Salgan ustedes —sugiere Violeta, contenta— y juntémonos a almorzar en el Café del Conde. Tengo antojo de comer pan de maíz y el *quiche* con albahaca.

Al salir de la ducha me sorprendí buscando alguna "tenida". Hasta ese momento no me había sacado los jeans, pareciéndome que parte de la reparación de este viaje era el no vestirme ni pensar en el tema. Encontré un vestido de algodón color lila —comprado justamente en Antigua—, largo hasta los tobillos, y me planté encima un chaleco de seda sin mangas, como lo habría hecho Celeste. Quedaba bien y me daba una cierta nota juvenil. Mientras me arreglaba y el espejo insistía en devolverme a este cuerpo que quiero poco, pensé con envidia en las personas que se sienten bien consigo mismas, que no gastan energías en disimular tal o cual rasgo y se encuentran a sus anchas en el único envoltorio que tienen.

Violeta es una mujer que está bien dispuesta con su cuerpo; se desprende de mirarla desplazarse por la vida. Yo no: siempre me he sentido incómoda en mi piel. Violeta fue linda desde chica. Creció contando con eso y para ella nunca fue una preocupación. El descuido en su adultez sólo revela lo que nunca me sucedió a mí. Yo tuve que *inventarme*. Recuerdo con nostalgia la casa del molino como el único lugar en que me he dejado ir. El pan amasado, las mermeladas de guinda y los quesos de Ensenada haciéndome sentir una mujer normal, una mortal cualquiera. De vuelta a Santiago me encerraba en mi pieza por cuatro días, llena de fármacos para soportarme a mí misma y a la feroz dieta que comenzaba: el primer día no comía más que papas cocidas; el segundo, solamente pollo cocido; el tercero era carne y sólo carne; y el cuarto, plátanos. Tomaba litros y litros de agua y perdía líquido como nunca. A pesar de las sofisticadas dietas a que me sometían los médicos, yo me inclinaba por ésta, primitiva e incomprensible desde el punto de vista científico. Al cuarto día —siniestro cada uno de esos días— había perdido matemáticamente tres kilos. Entonces se achicaba mi estómago y empezaba el año y la normalidad comiendo casi nada.

Soportaba ser observada —siempre y en todo lugar los ojos de la gente sobre mí— y mi conciencia del cuerpo galopaba junto con la avidez de esas miradas. Y cuando me someto voluntariamente a ellas, cuando debo pedir a través del escenario o de la pantalla que me miren, tengo que pasar por el suplicio de las miles de cremas, los potajes de todo tipo con diferentes finalidades, maquillajes malsanos, aceites, fajas. Esa vez que Violeta me acompañó a un Festival de la Canción —uno al que fui como artista invitada—, quedó helada en mi camarín al presenciar todo este proceso. "Pero Josefa", exclamó con desesperación, "¡te arman cada vez, te recortan y te vuelven a instalar!"

Pienso que el mundo entero está lleno de gordas que quisieron otra suerte para ellas; ninguna es voluntariamente así, y tienen la vida perdida, tantas puertas cerradas por un problema aparentemente tan inocuo: centímetros de más. Lo delgado como el valor supremo. ¿Qué nos pasó que llegamos a esta demencia cultural que somete al ochenta por ciento de las mujeres a la preocupación, a la contención, a la represión? Deberíamos haber asesinado a la Twiggy años atrás.

En Antigua nadie me conoce. Bendita sea. Como en la casa del molino.

Cuando ya habíamos cruzado casi enteramente la ciudad (el convento de las Capuchinas está en el extremo opuesto a la galería El Sitio), nos acercamos por la plaza a la Sexta Norte: por fin el Café Ópera. A esa hora del día, entre el sol, el ejercicio poco usual de mis piernas y las emociones de tanto estímulo visual, nada me apetecía más que un café negro, corto, espeso. Hasta ese momento habíamos hablado sólo sobre cosas abstractas, objetivas, como corresponde a dos personas que se han conocido hace unas pocas horas. Pero no cabía duda de que, mientras me duchaba, Violeta le había hecho un resumen de mi vida.

—Has cantado en México, ¿verdad? —fue la primera frase que me dirigió frente al café humeante.

—Sí, en México y en Estados Unidos y en todo este continente —despaché el tema con sequedad.

—No hablemos de eso si no lo deseas —perfecta su dicción—. ¿Estás en alguna crisis?

—Sí. Todos me conocen como cantante, todos piden algo de mí porque canto, todos quieren oírme cantar. Y yo no quiero cantar más.

—¿Todos?

—Todos —un breve silencio—. Menos mi hija. Cuando era una guagua, le cantaba canciones de cuna.

333

Bastaban las primeras notas para que empezara a hacer pucheros. ¿Sabes lo que son los pucheros? No sé si en tu país se dice igual.

—Sí, sí sé.

—Bueno, yo cantaba y ella estaba a punto de largarse a llorar. Violeta me consolaba diciéndome que la niña se defendía de la emoción que le producía mi voz. Cuando era más grande y me escuchaba, ponía su manito sobre mi boca haciéndome callar. Ha sido el único ser sobre la tierra que no soporta mi voz.

¿Por qué estoy hablando así? Es la primera vez que cuento esto de Celeste.

—Y hoy en día, ¿qué le sucede a esa niña?

—Sufre de anorexia. O quizás es sólo una depresión y estoy exagerando. Pero no soporta ser mi hija.

—¿Y tú, ¿soportas ser su madre?

—A duras penas. Es una de las razones por las que estoy aquí.

—¿Quieres contarme las otras?

Bueno, ya, qué importa. ¿Qué imagen debo guardar?

—Sí. Que mi hijo prefiere a Violeta como madre antes que a mí. Que no puedo componer una canción. Que en el último recital me acometió una crisis de pánico escénico y me desmayé para no vivirla...

—Eso es casi grave.

—Como todo el mundo espera el descontrol de la parte femenina, pude desmayarme.

—¿Y algo más te aqueja?

—No tengo fuerzas para volver a cantar. Mi marido, aparentemente, ya no me ama, se ha enamorado de otra. ¿Te parece poco?

—¿Y el éxito tiene la culpa?

—¿El éxito? Ya no sé bien qué es. Lo recuerdo como un monstruo que se mete adentro y empieza a mandar,

él manda y el resto del cuerpo obedece. Va transformando todo tu ser en sus propias necesidades. Cuando quiere
amor, lo arrebata. Cuando no, lo bota a la basura. Y al fin
termina transformándome a mí en el monstruo que es *él*.

—Pero este monstruo no debe haberse presentado
sin ser invitado, ¿verdad?

Le sonrío con cierta humildad.

—No. Yo lo llamé. Yo quería ser estupenda en mi
quehacer. Quería vengar las inseguridades de mi madre.
Y luego vengarme yo de mis compañeras de colegio, que
siempre me excluyeron. Necesitaba brillar por mí misma y no por otro, porque tuve la experiencia de un otro
desapareciendo, y el hambre y el desamparo posteriores.
No, eso no podía volver a suceder. Quizás también necesitaba al monstruo para volver a casarme y poder elegir
al mejor de los maridos. A eso, en lenguaje vulgar, se lo
llama ambición, ¿o no?

—Probablemente es lo que suele desear un hombre. Puesto en una mujer, cambia de nombre. Pero hay
un problema: la ambición no tiene fin.

—¿Cómo así?

—La ambición es como una compuerta del alma
que nunca se cierra: entran las ráfagas, van y vienen cru-
zándose entre ellas, ya ahogando, ya congelando. Siempre, por principio, haciendo palpitar la ansiedad. Un alma
ambiciosa está casi siempre a la intemperie; la tormenta
acecha sobre ella.

Me mira con calidez y pienso que los mexicanos
usan el lenguaje mejor que nosotros.

—En la ambición no hay espacio para la serenidad
—concluye, casi para sí mismo.

(Celeste. Aquella vez que volví de Estambul, uno
de los lugares más hermosos de la tierra, porque no podía
separarme de ella. Cambié el Bósforo por el lago Llan-

quihue y volví para abrazarlos a ellos, a mis tres hijos. ¿La serenidad? Sí, la conozco. La conozco.

Ese bienestar, en la casa del molino. Ese bienestar específico del sur, esas tardes de lluvia en que los niños corrían con sus amigos bajo los castaños y yo, desde lejos, recibía sus gritos alegres, Andrés leyendo en el dormitorio cuajado de luz sobre la colcha amarilla de flores verdes, la misma desde hace ocho años. Nada cambia en la casa del molino. Atardece, cierro la puerta de la única salita de la casa, la salamandra prendida, la temperatura justa, tibia, nunca tan caliente que asoroche, me instalo en la mesa del comedor —la única que existe en este hogar prestado—, saco mis cuadernos y mi lapicera amada y el sonido de la lluvia me prepara para componer. Las notas y las palabras revolotean en mi cabeza, pero sin chocar, sin alborotar. Miro a través de la ventana, a cinco metros veo la palmera que el agua ha vuelto brillante, diviso las tejuelas de la casa de los castaños y el humo de su chimenea; todos estamos juntos, todos estamos bien. Cada casa, un albergue para mis hijos. Es parte esencial de mi bienestar: tenerlos cerca, saberlos cerca. La demencia de la maternidad. Esta misma lluvia en Estambul, sentada en la mesa de mi *suite* mirando las almenas y las torres de las mezquitas, tratando de trabajar: ensayaba la inspiración. Pero la inquietud no cesaba: mis hijos. ¿Cuántas horas median entre ellos y Estambul? No puedo trabajar lejos de ellos. Sólo la impotencia de tenerlos encima, interrumpiéndome, me bloquea tanto como su distancia. Decliné la invitación, pretexté una enfermedad y me volví. ¿Sospecharán los hombres lo que esto significa? Vuelvo y esa casa del Llanquihue puede en mí lo que no puede la ciudad más mágica del mundo: la serenidad, *ese* bienestar. Ése de las tardes de lluvia en el verano del sur. La noción exacta de bienestar.)

Dieciséis

La casa amanece agitada por la llegada de Bob. Violeta decide hacer una gran comida. A ella le encanta la casa llena de gente, no se complica ni reclama. Aún no aprende a poner la mesa, dónde va el tenedor, dónde el cuchillo, y me lo pregunta a mí. ¿Cuál es la copa para el blanco, cuál para el tinto? El olor de las tortillas de maíz y los frijoles llega desde la cocina. Javier ha ayudado con unos chiles en nogada, a Tierna no le ha costado nada cocinarlos. La formalidad de la mesa puesta agranda el comedor, se ve enorme.

—Aquí va Jacinta, aquí Borja y Alan, a Gabriel lo dejaremos comer en la mesa... Bob, Javier y tú. Yo, en la cabecera. Hay espacio para todos.

Lo que ella siempre quiso: una mesa grande para ser ocupada por una familia. Y ella a la cabecera. La abundancia nunca parece excesiva cuando proviene de Violeta: abundancia de espacio, de telas sobre el cuerpo, de medidas en los tapices, de comida en la cocina, de personas en la mesa. Violeta nunca ha codiciado la abundancia en sí, el suyo es un fenómeno opuesto al de los acaparadores: ama regalarla.

A las siete de la tarde oigo el portón, entran el auto. Violeta ha ido a recogerlo a la capital. Todos salimos a recibir a Bob. Me sorprende encontrarlo tal como lo imaginaba. Tiene ese candor en los ojos de cierto tipo de hombre nacido en Estados Unidos, los que le gustan a una, los que

no se creen el cuento de la arrogancia ni del sueño ameri-
cano. Viene tostado por el sol y su pelo se ve más rubio que
en las fotografías. Es más bajo de lo que pensé, pero más
musculoso. Parece un hombre fuerte, informal y ligero en
sus movimientos. No percibo ningún elemento disparejo
entre ellos dos y reconozco un rasgo de Violeta en él: esa
mirada abiertamente honesta. En un segundo, toda la historia de ellos me hace sentido. Se ve que su sonrisa es fácil.
No, no es un galán de Hollywood. Es un hombre normal,
accesible, con el que una puede sentirse a gusto.

Me abraza con calor. Me mira cómplice, como si
fuésemos víctimas de un mismo hechizo.

—¡Por fin nos conocemos! —dice en su perfecto
español—. Sé más de ti que tú misma.

Hay ansiedad en los ojos de Violeta. Para ella es
importante que Bob me quiera, que yo quiera a Bob.
¿No lo fue también para mí cuando le presenté a Roberto, y luego a Andrés? Y siento unas ganas fuertes de abrazarlos a ambos, expresar de alguna forma lo que estoy
sintiendo: este raro agradecimiento de que haya seres
como ellos sobre la tierra.

Después de una estupenda comida, estrictamente mexicana, los "grandes" nos fuimos al escritorio y los
"jóvenes" salieron a pasear. Gabriel ya dormía, excitado
con la llegada de su padre, de su medio hermano y de los
regalos. Recordé que yo también había traído un regalo
para Bob y me levanté a buscarlo: un disco de Violeta
Parra. Pensé que acercaría a Bob a los orígenes de su
propia Violeta y de paso le rendía a ella un homenaje.
Efectivamente, no tenían ningún disco de Violeta Parra
y ella quiso escucharlo de inmediato. Javier y Bob se
incorporaron dócilmente a su capricho; Javier conocía
hasta la letra de las canciones. El ron —infinita la canti-

dad de ron que se ingiere en esta casa— se repartió generosamente, sólo con un poco de limón y hielo. Cada uno escuchaba apretando su vaso o acariciándolo.

Violeta languideció notoriamente. ¿Había sido adecuado de mi parte traer este trozo de nuestra tierra a la serenidad de Antigua? Tras los últimos acordes, ella rompió el silencio, una explosión a borbotones, como un niño que debe contener el llanto:

—¡Ay, qué nostalgia, Dios mío! —me mira triste—. Me trajiste un pedazo de un Chile que se acabó.

—¿Por qué? —pregunta Bob.

—¡Porque parecemos un país que se embala con todo, incapaz de darle dignidad a su propio pasado! Y eso me da pena.

—¿Te has quedado en el pasado, nena? —ríe Javier.

—No me interesa el pasado como tal. Me interesa para entender quiénes somos hoy.

—Porque sin memoria no somos nada, ¿verdad? —dice Bob.

—Me he quedado en un trecho extraño, una tierra de nadie. No quiero volver atrás, como los ultras de tantas partes, pero tampoco me avengo con el actual pragmatismo ni con la total falta de ideología.

—¡Violeta, Violeta! ¿Quién de nosotros se aviene con eso? ¡Somos hijos de los sesenta, *after all*! —refuta Javier.

—No quiero relativizarlo todo, porque me da miedo no distinguir, el día de mañana, quién es el que sufre y quién no.

—¿Y qué te lo impide, pequeña? ¿Por qué va a ser eso fuente de tristeza?

—Porque no tengo dónde llorar nuestra antigua música, las creencias que nos engrandecían diciéndonos que el mundo era más ancho que nosotros mismos.

Bob guarda un silencio respetuoso. Sus ojos caminantes ya lo han visto todo. Acogen a Violeta.

—Tengo la impresión de que los chilenos, en su éxito, están como los ciegos, obnubilados, y ya no ven cuando sale el sol —dice Javier.

—Y dime —continúa Violeta—, ¿quién hablará a los hijos de Jacinta de cómo era el mundo al que aspirábamos?

—Nunca lograrán saberlo —el gesto de Javier es escéptico mientras toma un sorbo de ron.

—Me parece justo que Berlín sea uno solo. Pero, ¿fue necesario que el muro se llevara una parte tan buena de nosotros mismos? ¿Es mejor el mundo hoy porque el muro ha caído?

—Sí y no —le responde Javier—. Sí, porque la libertad en sí siempre es buena. No, porque junto con el muro cayeron las esperanzas de construir un mundo mejor. Tú, Bob, ¿crees que esta época post guerra fría es peor que la anterior?

—En el fondo creo que sí —contesta Bob—. Es un tema relativo y complejo. Las fuerzas del nacionalismo son lo peor de este tiempo, aun peores que las del imperialismo. Además, el cinismo hoy no tiene fronteras. Porque, al fin, el comunismo funcionaba como límite para el resto, pues le tenían miedo.

—Ahora son más insensibles y más injustos porque no tienen ese miedo —interrumpe Violeta, alentada por las palabras de su marido—. Tienes toda la razón, Bob, ése es un punto. Así son: desnudos, han mostrado su verdadero rostro, el que el comunismo les ayudaba a esconder. Como antes sus conductas estaban moderadas por el temor, hacían concesiones para evitar que se materializara la amenaza.

—Y como ahora saben que no hay amenaza, pueden actuar con total impunidad —completa la idea Javier, mirándome, tratando de integrarme. No tengo nada que aportar en este tema, sólo sé que él está sentado muy cerca de mí y algo parece desgajarse desde mi interior.

—Anoche presencié en la televisión la escena más desgarradora que he visto en años —interviene Bob—. En Ruanda, en uno de los campos de refugiados. Vi a un grupo de hombres matándose, sí, matándose a palos por un pedazo de pan. Me pregunto si el mundo habría permitido esos dos millones de hambrientos hace veinte años.

—La Unión Soviética habría tratado de intervenir para capitalizar la situación —contesta Javier—, y los otros, a su vez, se habrían anticipado para que los comunistas no obtuvieran ventajas del drama africano.

—En el fondo —dice Violeta—, la URSS y el comunismo eran el gran factor que trabajaba la culpa de los países ricos. Ahora no hay culpa porque no hay nadie con poder para representarla. Ahora se ven como realmente son.

—Y también lo que fuimos nosotros —agrega Bob—. Probablemente, nuestras ideas eran las más contrarias a la naturaleza humana.

—Sin embargo, nacían de la pura humanidad —replica Javier—. Nosotros, los marxistas de entonces, éramos los más creyentes, más que la propia derecha. Tanto así que cuando nos dijeron que los pobres eran pobres por obra de Dios, nos declaramos ateos. Protegimos a Dios.

Nos distiende una sonrisa. Continúa Violeta:

—Ser de izquierda, en este panorama tan confuso de hoy, ha llegado a ser para mí un fenómeno de pura química. Y mi izquierdismo, a estas alturas, no se sitúa en mi cabeza sino en mi piel.

—Es dificilísimo vivir el fin de una época —dice Bob como respondiéndole o consolándola—. ¿Por qué nos habrá tocado justo a nosotros?

—En eso están trabajando los intelectuales, y sin mucho éxito —dice Javier—. Todo fin de época produce lo que los pensadores llaman "el malestar de la civilización": no saber con exactitud las consecuencias del presente, no tener una conciencia clara de lo que nos espera. Y nada de lo que nos sucede, al mundo y a nosotros, es ajeno a esta crisis, a este malestar.

—No se logra visualizar el futuro. Al menos me consuela pensar que no entenderlo es distinto de condenarlo —dice Bob mientras vuelve a llenar de ron nuestros vasos. Violeta se lo agradece, lo mira y, como si hablara para sí misma, cierra el tema con su última reflexión:

—Antigua es mi salvación. Aquí puedo aferrarme a la belleza de lo cotidiano, a un tempo determinado, y logro salvarme un poco del sentido de lo inmediato.

—Pero igual tienes pena —al fin saco la voz.

—Sí, igual tengo pena. Tengo pena por mi mundo, que se fue inexorablemente, y no sé si la humanidad será más feliz sin él. No estoy segura... Me he quedado desnuda como el agua. ¡Qué continente adolorido, por la mierda! Subiéndose a un carro a medias, al desarrollo a medias, con sus hoyos negros en el desarrollo mismo, enfrentando problemas de países modernos con el fardo de tristezas de los países atrasados. Está claro: también entre nosotros todo norte tiene su sur.

Se levanta, abre la puerta del baño y desaparece tras ella. Javier se incorpora, estira sus piernas largas y me extiende la mano para que lo siga.

—¿Adónde? —le pregunto despacito.

—Dejémoslos solos. Vamos a tomarnos un trago al Santo Domingo.

Como Bob no dice lo contrario, me voy con Javier.

Nos instalamos en el salón, frente a la chimenea gigante, majestuosa en toda su superficie de cobre repujado. Pido una margarita. Estoy exhausta. Javier extiende sus dedos —son finos esos dedos— hacia mi cuello y lentamente lleva mi cabeza hasta su hombro, donde encuentro el espacio preciso para el descanso. No me pregunto siquiera qué hago ahí, quién es este hombre, por qué me apoyo en un cuerpo que no es el de Andrés, si no existían en mi conciencia cuerpos masculinos que no fuesen el de Andrés, si se habían extinguido todos y cada uno de ellos de la faz de la tierra. ¿Acaso no era cierto? ¿Acaso los cuerpos femeninos seguían girando en la órbita de él sin yo percibirlo? Pamela tiene manos largas, huesudas y llenas de anillos, Pamela tiene los pechos más erguidos que yo, Pamela... esto es una demencia. Me hundo en el hombro confortable de este mexicano oscuro, mezcla de azteca con andaluz, como me ha contado, sangre orgullosa que palpita y calienta. Mientras tengamos un par de brazos que nos rodeen, estamos salvados. El punto es tener esos brazos, no importa de quién sean, y seremos entibiados. Me sumerjo en esos brazos.
Y entre las paredes conventuales, los santos de madera del mil seiscientos, los cánticos gregorianos, las velas y las calas —*alcatraces*, como las llama él—, Javier no se detiene en mí. Quiebra ese raro encanto personal y vuelve a Violeta.

—Lo que es la fuerza de la nostalgia...

—No —le respondo sintiendo que Violeta se entromete en la angosta ¡tan angosta! ranura de mi intimidad. Me incorporo de la fantasía de ese sillón y digo, terminante—: No es la nostalgia. Es la añoranza. Y créeme, no es lo mismo.

Diecisiete

Doña Beatriz de la Cueva de Alvarado.

Ya sentada sobre mi banco en el museo, en la antigua Universidad de San Carlos, esperando que comience el concierto, pienso en Beatriz de la Cueva, aquella mujer fuerte, sólida y ambiciosa que logró —¡a mediados del siglo dieciséis!— ser nombrada gobernadora del Reino de Guatemala. ¿Cómo sería la reacción del resto del Consejo ante una mujer como mandamás en este lugar perdido del Virreinato de la Nueva España?

Javier me ha llevado esta mañana al mirador. Escampaba. Y recién partida la lluvia, el aire se volvió prístino, transparente. Respirar no era sólo eso, era inhalar, expeler, animar, ventilar, sujetar, aliviar, casi gemir. Como dos cuerpos activos, juntos, apreciamos la ciudad en toda su extensión. Sentí, casi alucinada, cómo su tamaño abarcable, sus calles aún de piedra, sus edificios coloniales casi todos de un solo piso, su entorno de volcanes verdes, me hacían un llamado. Como un susurro. Me llamaban, en su paz, a una extraña entrega, un reposo, como si prometieran —en su silencio milenario— fluidos desconocidos, serenidades venideras, aventuras del espíritu que no podían sino pacificarlo. ¡Andrés, Andrés! ¿Me estás entregando?

La estatua de Santiago Apóstol parece vigilar la ciudad.

—¿Por qué no la de Pedro de Alvarado? —pregunto.

Y él me cuenta que esta ciudad se llamó Santiago, que fue fundada porque el Santiago primigenio, donde reinó don Pedro de Alvarado, fue arrasado por los efluvios del Agua. El Fuego y el Acatenango nunca fueron tan traidores, me explica. Y aparece la figura de doña Beatriz, y el amor legendario de ella y don Pedro. Cuando éste murió, ella se vistió de negro de la cabeza a los pies, mandó a pintar todo su palacio de negro y puso cortinas negras en todas las ventanas, encerrándose a llorarlo. ¡Ese sí era amor, no estas fruslerías seudointelectuales, seudosicológicas, de hoy día! Al poco tiempo el volcán se la llevó a ella con palacio, ciudad y todo. En 1543 fundaron el nuevo Santiago, lo que hoy se llama "la Antigua", capital de Guatemala hasta el famoso terremoto de 1773.

Esta mujer férrea, semihereje, con tanta ambición como pasión, venida desde la sofisticada corte española a estos páramos salvajes, ¿cuánto amaría a esta tierra? ¿Y le respondió la tierra a su amor? Pienso, ¿le habrá valido la pena? El volcán no la quiso, no, eso está consignado.

—La historia rumorea que ella hacía pactos con los dioses de los indígenas.

—¿Le habrán servido?

Javier me mira entusiasmado y me propone:

—Existe un maleficio maya que puede serte útil.

—¿De qué se trata?

—Es el hechizo de las velas negras. Se prenden para aniquilar al enemigo. Pero debes estar muy segura al hacerlo, y desear con fervor la destrucción de tal enemigo, pues a partir de ese momento tú pasas a ser vunerable a los hechizos y ya te los pueden hacer a ti. Beatriz se arriesgó. ¿Estás dispuesta?

Pienso en Pamela y la tentación me asalta. El cuerpo me tiembla, no tengo la fortaleza de Beatriz.

—¡No!

Las paredes y los cortinajes negros me pueblan hasta mi llegada al concierto. Violeta ha insistido en que venga, dice que es un regalo para mí.

Siento una cierta confusión entre el blanco albo de la antigua Universidad de San Carlos —la primera de Centroamérica—, Telemann y el oboe; detrás del violinista, la Virgen de Guadalupe, oscura soberana vestida de verde y dorado, siempre oscura su tez sobre el blanco de los arcos calados, como si fueran de merengue sólido, hasta el cielo de la bóveda de la universidad y sus cornisas de crema de Chantilly. Empieza el solo del violonchelo —difícil instrumento, el que menos amo del barroco— y no sé dónde estoy, de nuevo no sé qué hago aquí. Miro a mi derecha y me encuentro con la claridad de Bob; lo conozco hace apenas tres días, pero me parece un miembro querido de una familia de siempre, de mi familia. Luego, a mi izquierda, la mirada reaseguradora de Javier, el pelo gris en su cola de caballo, sus manos finas y oscuras y ese cuerpo elástico como si fuese un cuerpo amigo, un cuerpo a punto de pasar a la intimidad. Definitivamente, estoy sabiendo poco de mí misma. Es todo tan nuevo, y sin embargo pareciera haber vivido en mí desde siempre.

Después del intermedio anuncian cantos guatemaltecos de mediados del mil setecientos. Aparece una cantante, hermosa, morena, debe tener mi edad, bien armada en su vestido de raso color té con leche. Su voz se alza en un barroco elaborado, ornamentado, compuesto por este pueblo mientras Bach y Telemann hacían lo suyo en paralelo. Tiene algo de cántico y comienza a cosquillearme el estómago. Miro a Violeta y ella me devuelve la mirada, ¿esperanzada? Sabe lo que está a punto de sucederme, es más, sospecho que lo planificó para que me sucediera. Terminado ese cántico en el que la morena llama a Jesús, anuncian un son chapín, menos sagrado, más alegre, chispas en los ojos de la cantante, centellean, su maravillosa voz entona: "gitanilla viene, gitanilla va, gitanica que viene y que va...", algo me invade, quiero cantar con ella. "Gitanico hermoso, ángel celestial, en dulce armonía les hacen hablar, morenica del sol más hermosa..." Una fuerza conocida me recorre, como si la sangre hirviera desde los nervios hasta las vísceras: "que bailan graciosos al son y al compás". Me concentro a tal punto que respiro junto a la morena cantante, entro el estómago al mismo tiempo que ella, la sigo como si sus cuerdas vocales y sus venas fueran mías.

Terminó el pequeño recital con una vieja canción, *Los negros de Guaranganá*. Con mis pies y mis sienes latiendo al compás, viva yo, viva con vida antigua, mía también, americana, me arrasan ansias inesperadas e inmensas de apropiármela.

Instintivamente abracé a Violeta a la salida.

—Intuyo que tienes mucho que hacer —me dijo—. Ya te he adelantado camino. Una amiga, Lavina, investiga canciones antiguas. Quiero que la conozcas.

Va a buscarla, me la presenta y fijamos una cita.

Pisando los adoquines de la salida de la universidad, me alejaba, quemando lo que recorrían mis pasos, dejando atrás, difuminando.

Creo que fue culpa del recital. Del son, del compás que agarró mi cuerpo, de la cantante morena que me exorcizó, de Lavina que me tentó. No volví con Violeta y Bob a casa. Me fui directamente al Hotel Casa de Santo Domingo. También fue culpa de ese lugar, de ese convento en ruinas que han levantado como hotel. Como le dije a Javier, tengo la certeza de estar pisando uno de los lugares más bonitos del mundo.

Frente a la misma chimenea de cobre repujado, pedí la misma margarita de hace tres noches. Javier me preguntó por dos cosas: por mi tesoro —¿cuál era?— y por mi fantasía.

Las preguntas de Javier sólo me dicen que mi intuición es correcta. Que con él la vulnerabilidad no importa: es un hombre noble, no debo temer. Que he caído en buenas manos. No serán bruscas sus manos, no darán tormento, sólo acogerán. Si he de lanzarle un dardo a Andrés, que al menos valga la pena el hombre por el que se lo lanzo.

—¿Has pensado en el foso medieval como un símbolo de libertad? —le pregunto.

—No. Pero estoy abierto a pensarlo, si me convences.

—¿Sabes, Javier, que a nosotras las mujeres nos han enseñado a temerle a la soledad?

—Eso sí lo sé.

—Nos quisieron encerrar en castillos con fosos, sola la torre, sola el agua: la gran pesadilla, nosotras adentro. Solas. Pero nos mintieron, en esto como en tantas cosas. Porque, aunque el foso atemorice, nos guarda en la soledad. Si bien la libertad para los hombres comienza lejos del castillo, en el aire y su velocidad, la mía, aunque parezca extraño, me la da el propio foso. El foso cuida el tesoro, se interpone entre el mundo y él.

—¿Tu tesoro es tu soledad?

—Sí —contesto seria.

Me mira, una pizca de diversión en los ojos.

—La verdad es austera, señor mío, como dijo Stendhal.

—Sí que lo es.

—¿Y tu fantasía?

Bebo un sorbo de mi trago, este hombre no me da respiro. Pero escucha. ¡Qué hermoso y extraño puede ser un hombre que escucha!

—¿Viste la película *Lily Marlene*?

—¿La de Fassbinder? Sí, la vi.

—Hanna Schygulla, Lily Marlene vista con los ojos de Fassbinder. Eso querría ser. Toda la ambigüedad en esa canción. Los oídos atentos en las trincheras. Los grandes auditorios iluminados y aterciopelados, el poder flotando en el aire que Lily respira. El Führer la hace respirar: entregarse es más corto y más fácil y... puede ser bello. El rey y los esclavos, el Führer y los soldados, todos escuchando esa voz, tragándose cada nota. Y los otros, los soldados de la trinchera opuesta, también ellos escuchan, también la adoptan y la veneran en la fragilidad de la noche de guerra. Lily Marlene para todos, cubriéndolos. Lily Marlene allá y acá: el único nexo entre todos los estamentos en esa guerra, lo único que hermana a los soldados de ambos bandos, a esa hora de la noche cuando irrumpe su voz y la canción los envuelve, los atrapa, los retiene a todos por igual, jugando a ser la depositaria de todas las nostalgias y las penas de un soldado, que al fin son las mismas que las de su hermano, el soldado enemigo. Todo por el poder del canto.

—Difícil mujer —murmura Javier.

—Ahora te toca a ti: tu fantasía, tu tesoro.

—¿Puedo ser contingente, inmediato y poco serio? ¿Me das permiso?

—Por favor, adelante.

—La única fantasía posible, no me viene otra a la mente, es amarte esta noche.

—Pero cómo, ¿a eso lo llamas poco serio? —demuestro aplomo para ganar tiempo.

—Mira, Josefa, tú hablaste de tu foso: ahora te hablaré del pozo mío. Cada vez que esa palabra me viene, pienso en las relaciones humanas. Un pozo sin fondo. El único pozo sin fondo de todos lo que hay, sin tope conocido ni especificado, sólo sus aguas viscosas.

—Javier, aquí la escéptica soy yo.

—Vivo atormentado por esa viscosidad. Entonces, cuando me encuentro con la tibieza, la reconozco de inmediato. Y me parece un crimen largarla, dejarla ir.

—La tibieza... no es que abunde, en realidad. Es un lujo raro.

En un minuto se me vinieron encima, como una avalancha, todos los ingredientes que han compuesto mi vida estos últimos años. Se enfrentan a esta tibieza. ¿Son compatibles? Pienso en mis afectos enturbiados, en mis relaciones ya no inocentes, en las envidias, las rabias, las luchas por el poder o el prestigio: por la fama. Detrás vienen el pragmatismo, mi desenfrenado individualismo, mi ambigüedad, mi miedo a disentir, mi autocensura... y todo ello reposa en una aterradora dimensión de mortalidad. (Veo el techo, Violeta, por primera vez, nunca había tenido tiempo de verlo. Queda tan poco tiempo real. ¿Para qué deseché lo inútil? Total, ¿para qué *todo* si nos vamos a morir?)

—No te angusties, Josefa Ferrer, y asumamos de una vez este impulso animalesco de los dos.

¿Eso es?

Mentira. Nunca es solamente eso.

—Vamos —le digo.

Los muros de las habitaciones del Santo Domingo tienen un color indescifrable: es blanco, es crema, es cáscara, es mantequilla.

—Apaga la luz —le pedí, con voz de pocas concesiones—. Hace muchos años que no hago el amor con otro y no estoy en edad de hacerlo con la luz prendida.

Javier se rió y la apagó.

Cerré los ojos.

Esa última mañana en Chile. Andrés había salido tan buenmozo, habría querido tocarle una pierna, así, estirar solamente la mano, atravesar la gabardina, sentir sus músculos duros. Sin embargo, otra mano me toca el cuello, baja a mis pechos. ¿Y por qué solamente los muslos de Andrés? ¿Por qué no los de Javier, también duros y hermosos? ¿Cuántos años me restan para que me encuentre añorando salvajemente un cuerpo deseado e imposible, cuánto para que mi mano sea aún bienvenida en la pierna de otro? Dios, ¡el tiempo! Y la dimensión se borra, la extiende otra mano, ponme la mano aquí, Macorina, la que juega con mi pezón, el derecho, el favorito. ¿Cómo podré respirar, tragar, estar viva, cuando por la mañana me contemple en el espejo y no sea capaz de desnudarme esa misma noche frente a un hombre? Son estos músculos, estas piernas las que se cuelan por la cama del Santo Domingo. ¿Qué hice todos estos días, estos largos días, que no supe distinguir como tal ese involuntario desplazamiento de mi deseo? No estiré las manos porque creí que no sabría articularlas: ahora lo sé, y estas piernas están a mi alcance, buscándome, abriéndome. Quiero mirarlo, ver su desnudez mestiza como no he querido ver otra, allá abajo se hace sentir, desnudo este hombre grande y oscuro, ay, que me clave, con la luz apagada, que me atraviese, ojos negros, pene grande y fuerte, lo presiento, incrustarme ahí, ahí abajo donde me llaman las palpitaciones, descerrajándome tomo este cuerpo, no sólo el de Andrés, por qué sólo para el de Andrés si soy múltiple, soy la leche, soy la miel, que me claven fuerte, una enorme espada ensartándome para asegurarme que estoy viva, que me queda tiempo, un girasol, una trompeta de amor, calor, químico el color, aún puedo desbordarme, el derrame hará que la vagina y el alma se me junten, cogida hasta perder el control. Ardo. Me quemo.

Dieciocho

En estos días se celebran veinticinco años desde que el hombre pisó por primera vez la luna.

Pero no es estrictamente eso lo que me interesa. Es algo que dicen las noticias sobre el último fragmento de un cometa que se estrellará contra Júpiter. Ayer, o antes de ayer, cuatro fragmentos brillantes se estrellaron contra ese planeta. Tres ya lo habían hecho los días anteriores. El brillo fue tan intenso que saturó los instrumentos de observación. Se generaron resplandores.

Corro donde Violeta.

Escucho el apaciguador ruido de una domesticidad que fluye, que anida. Entro a la cocina. Tierna me informa que Violeta ha ido a San Juan del Obispo a buscar unas telas.

—No tenga pena, volverá para la cena.

Medito sobre la forma en que los guatemaltecos dicen "no se preocupe": *no tenga pena*. Yo siento tan cerca la pena, pero no siempre estoy preocupada. La pena es más bonita.

A los veinte minutos aparece Tierna en mi dormitorio con una elegante caja transparente. Dentro hay una flor.

—Es para usted —parece excitada.

—¿Qué flor es ésta, Tierna? ¡Es una preciosura!

—Es una orquídea, la "monja blanca", nuestra flor nacional.

Espero a que Tierna se retire para abrir el sobre. Me gusta la escritura negra sobre un papel rugoso:

> *¿Solo así he de irme?*
> *¿Como las flores que perecieron?*
> *¿Nada quedará en mi nombre?*
> *¿Nada de mi fama aquí en la tierra?*
> *¡Al menos flores, al menos canto!*
>
> Cantos de Huexotzingo

La firma no va en el papel, veo el nombre de Javier detrás del sobre. Una orquídea por una noche de amor. Al menos flores, al menos canto.

Se cortó la luz. Me acerco al teléfono con temor de que no funcione. (En Antigua siempre falla algo, o la luz, o el agua, o el teléfono —me lo advirtió Violeta—, pero nunca se va todo junto.)

Tomé el teléfono. Había jurado no hacerlo, para eso está Borja que llama, me comunica cuántos gramos ha subido Celeste, qué nueva gracia ha hecho Diego y qué notas se ha sacado en el colegio, cuántos milímetros de agua han caído en ese invierno lejano.

Pero hoy debo hablar yo. Una sola cosa debo decir. Una sola.

—Andrés, nos estamos perdiendo.

Fue todo lo que dije.

—Sí —silencio en la línea, su respiración pesada—. ¿Es ése el costo de tu curación? —me pregunta mi marido, a miles de kilómetros de mí.

No respondo.

—¿Estás mejor? —insiste.

—Sí.

—¿Crees que puedes volver?

356

—Tengo miedo.

—Celeste y Diego te necesitan.

Silencio otra vez, confundido con unas voces lejanas.

—No quiero hablar más —es verdad, no es manipulación: no quiero hablar. O hablo de Pamela, de Javier, de Antigua, del amor, de la verdad, o no hablo nada—. Creo que he encontrado la nueva casa del molino, y tú y yo nos estamos perdiendo —no dije más.

Eso ya fue mucho. Corté la comunicación.

¿Deberé vestirme de negro, pintarme de negro, ennegrecer mi palacio y mis cortinajes?

Mi romance va del son al canto. Son las sevillanas esta vez. Me lo encontré tomando café en El Patio, después de la orquídea.

—Oye tú, andaluza, ¿conoces las sevillanas?

—Claro que sí —respondo casi arrogante.

—En la magia de tus ojos siempre me he perdido, no vivo más que en las sombras desde que te he conocido.

Ese vacío que deja el amigo que se va... sevillanas me pueblan, conozco tantas.

—No te vayas todavía —le canto en la más andaluza—. No te vayas, por favor.

Es que esa noche, la primera en el Santo Domingo, el día de la llegada de Bob... La añoranza de Violeta no lo entorpeció todo como yo anticipé. No. Las corrientes subterráneas subieron por nuestros cuerpos hasta evidenciarse indecentes. Pero ese fin de noche —ése— los protagonistas no fuimos nosotros, no. Fue mi control.

¿Sabes lo que hicimos, mexicano mío? ¿Sabes la dimensión de todo lo que rompimos? La fidelidad no es en vano. Tú me dijiste la primera noche: "No quiero forzarte y quebrar algo tan profundo en ti." Y porque tú entendiste que era profundo, más tarde pude. Pudo tu comprensión a este cuerpo maltrecho y leal. Cuando aquella noche de la añoranza no me hiciste el amor, me dijiste: "Es muy raro encontrarse con la lealtad, es escasa, ¿sabías? Por eso no voy a insistir, es mi regalo."

Tú me regalabas mi propia fidelidad. Y cuando me la quitaste, tú tambien dijiste: "Sé que puedo forzarte, Josefa, es sólo un asunto de insistir sobre un terreno ya fertilizado. Y creo que ya es el momento, no quiero arrancarte nada, no quiero robarte, sólo amarte." Entonces, mágicamente, el control perdió su sentido.

Ay, Javier, cuando en ti pienso... Ese respeto, licuado en la evidente pasión de los dos... ¿rompió o recompuso? Como un niño en brazos de nadie me encuentro yo.

El recuerdo de aquel amor nuestro no será un puñal, como en las sevillanas. Que clava los cinco sentidos, que me va a matar. La andaluza en mí lo resolverá, Javier. Lo prometo.

Y entonces, el remolino.

Celeste, la recopilación de canciones, el cementerio, Javier, el bautizo. La despedida.

Pero debo ir por partes.

Dos días después de hablar con Andrés, Violeta me anuncia una sorpresa: mi hija Celeste. Ha sido invitada por Violeta a la fiesta de nuestro pequeño arcángel. Una semana en Antigua de regalo para mi hija. No me cabe duda de que esto fue fraguado con Andrés a mis espaldas. La toco, palpo su carne delgada. Está mejor, tanto su ánimo como su peso. Siempre algo retraída conmigo, se muestra expansiva con Violeta. Jacinta, Borja y Alan la han integrado al grupo y Antigua ha comenzado a ejercer su magia cuando veo que de a poco se dibuja en ella la sonrisa que creí perdida. Hasta que me dice, muy convencida: "Mamá, debiéramos volver todos los años."

Jacinta, Celeste y yo, tendidas en mi cama, vemos *La novicia rebelde* en video. Cuando Maria bailó por primera vez con el capitán, en su vestido celeste, entra Borja al dormitorio y me dice: "Mamá, quiero hablar contigo." Me levanto de mi somnolencia, dejando los sueños de canción en Salzburgo para las niñas.

Borja se quedará a estudiar en este país. Quiere entrar a la universidad en Ciudad de Guatemala: la arquitectura. "¿Qué mejor lugar, mamá, viviendo en Antigua?" Todo se repite, se devuelve en esta historia mía. Nos ponemos de acuerdo en cosas prácticas.

("¿No te da miedo su relación con Jacinta, Violeta? ¿No los encuentras demasiado apegados?" "No, no me inspira ningún temor, al contrario, se hacen un enorme bien uno al otro." Y aparece su risa traviesa. "A veces creo que terminarán casándose, Jose, ¡prepárate! ¿Cómo nos veríamos de consuegras?")

Bob nos cocinó la comida. Hizo una ensalada japonesa-antigüeña: fideos, champiñones, cebollines, ajonjolí y aderezo de salsa de soya. Luego se fue a su escritorio a despachar un artículo. Quedamos solas.

—Violeta, hay algo que he estado pensando y que me gustaría hacer contigo antes de partir a Chile.

—¿De qué se trata?

—De la tumba de Cayetana.

—¿Qué hay con ella?

—Debemos grabarla con su nombre. CAYE-TANA MIRANDA, con letras orgullosas, ¿me entiendes? Tú ya elegiste ésta como tu tierra, será la de tus hijos y probablemente la de tus nietos. No debemos dejarla innombrada, como si Cayetana hubiese sido una paria.

Me mira largo, se muerde el labio como siempre que medita una idea.

—Quizás tengas razón. Déjame darle un par de vueltas.

No he vuelto a discar desesperadas llamadas nocturnas a Santiago de Chile. Mis dedos se han calmado.

Continúan las sevillanas, las que juntos con Javier hemos entonado por las calles de Antigua. Nuestros antepasados lo han pedido así, no podríamos de otra forma.

Pasa por casa de Violeta, a la hora de la siesta.

—Qué mal te portas conmigo, niña de los ojos negros. Nunca te portes mal conmigo. No tengo alma de santo, no puedo arrepentirme de haberte querido tanto —hasta los adoquines escuchan su voz.

Duermo la siesta en el Santo Domingo.

Suenan las castañuelas en ambos, en nuestros oídos.

Violeta toma el sol en uno de los sillones del corredor, con un libro en la mano.

—Sólo la mezcla de historia y geografía puede producir un genio así —me dice mostrándome la portada: es Rulfo, su *Pedro Páramo*—. México puede.

—Nuestro gran amor compartido —le recuerdo—. El día que yo decida retirarme, podría elegir ese país.

—Espero que no sea en San Miguel de Allende, repitiendo la historia de esa cantante —dice riendo—. ¿Por qué no eliges éste?

—Falta mucho... Ya, levántate, vamos a almorzar.

Tomamos nuestra mesa en el Albergue de Don Rodrigo. Nos recibe la marimba. Mis piernas se van solas al son de la música afroamericana.

—¿Sabes, Violeta? Mis sesiones con tu amiga Lavina han sido de enorme utilidad.

—¿Has visto ya toda la música recopilada por ella?

—Sí, ya la hemos revisado. Estoy repleta de ideas. Ni siquiero tengo que pagar derechos por reproducirla.

Me mira entre dulce y maliciosa.

—La reproducirás, ¿verdad?

—Sí. Por eso quiero partir. Después de tan prolongada esterilidad, muero por ponerme a trabajar.

—¿Te sientes preparada para enfrentar a Andrés?

—Me siento preparada para trabajar, y con criterios distintos de los que antes usé. Es eso lo que me da fuerzas. Supongo que lo de Andrés vendrá por añadidura.

—Bravo, Jose.

—La verdad es que estoy bien, Violeta, me siento bien, pero me da miedo estar pasándome películas, con lo neurótica que soy.

—Bueno, los neuróticos dejan de serlo algún día.

—¿Cuándo?

—Cuando invierten cien y reciben ciento diez. Un neurótico invierte cien y recibe sesenta. Y los cuarenta restantes se los inventa.

—Igual tengo miedo. Esto del amor... Temo...

—Amaremos a como dé lugar —me dice con vehemencia—; por lo tanto, temeremos. ¿No es ése nuestro destino? Recuerda, Jose, al final todos seremos juzgados sobre el amor y por el amor, nada más.

Levanto mi tenedor en silencio, saboreo mi ensalada de aguacate con limón, tomate y cebolla. Es cierto lo que dice Violeta. Al final, todas las verdades son más simples de lo que parecen.

—Dios mediante, como decía mi abuela Adriana, ya no me falta tanto para poder dedicarme a Andrés con más exclusividad, si así lo quisiera él. Borja ya ha optado, y Celeste entrará a la universidad este otro año. Me queda sólo el pequeño Diego. La casa descansará y yo también.

—¡Qué esperanzas! —me interrumpe—. ¡Los hijos de esta generación ya no se van de sus casas! Ésa es la última novedad.

Toma un sorbo de su jugo de sandía en la enorme copa redonda, y retoma lo anterior.

—A propósito de las canciones antiguas, podríamos seleccionarlas juntas para tu próximo disco. ¡Me encantaría hacerlo contigo!

—También a mí. Veámoslo mañana a la hora en que termines de trabajar en el taller. A propósito, ¿por qué no dejas entrar a nadie? Ni a mí...

—Estoy haciendo un tapiz precioso y es un secreto.

Me reí.

—¿Cómo titularías el disco? —me pregunta.

La miro fijo.

—Recuerdas el título del último, hace tres años, ¿verdad?

Se inclina desde su silla a la mía y me abraza.

—¡Qué importante me sentí, Jose! Es lo más grande que alguien haya hecho por mí en la vida.

—Creí que lo más grande había sido esconder tu caja de papeles bajo mi cama, cuando te cambiaste de casa —me aparto, me embarazan las escenas de gratitud.

—Hablo en serio, Jose.

—Era lógico hacerlo, Viola. Al fin y al cabo, nadie ha alentado tanto mi música como tú.

—¡Qué alegría que lo reconozcas! Yo siempre lo he sabido, pero es distinto oírtelo decir.

(Cuando hice de *voyeur* con su diario, un párrafo se grabó en mi memoria: *El canto de Josefa es una experiencia arrobadora. Siempre actúa en mí como recarga. La escucho y de a poco mi cuerpo se va poniendo estático, mis ojos no pueden dejar de estar fijos en ella, y la energía va ungiéndome la piel. Del cielo cae esa voz como un rayo y me ilumina en el centro mismo de mi ser.*)

—Bueno, volvamos al título —dice ella.

—¿Quién mejor que tú, Violeta, sabe... que hay veinte formas de llamarse Antigua?

Veo a Violeta en el jardín con la manguera en la mano. Riega el pasto, pienso, para que él también beba.

Mañana es el bautizo, pasado mañana me voy. Camino hacia ella.

Bruscamente le hago la pregunta que me quema.

—¿Regresarás algún día a Chile?

Violeta se vuelve, desciende una mancha de sol sobre su pelo ambarino, cascada del castaño más claro.

—No. Y no es el temor a que me apunten como a una asesina, eso me preocuparía por Jacinta, no por mí. La verdadera razón es que Chile se transformó en un país indiferente. Y eso no tiene nada que ver conmigo.

La miré y vi otra vez la escarcha fucsia sobre su fachada de arlequín, confetti dorado y rojo sobre su cuello, las cintas en el pelo, la fascinación de una máscara colorida en esa noche infernal. ¿Olvidaré algún día esos colores? Desolado el gesto de Violeta, desoladas las palabras. ¿Desolada también nuestra tierra, allá en la franja andina del Pacífico austral?

Con la mano libre, la que no sujeta la manguera, toma una mía.

—¿Te acuerdas, Jose, de mi obsesión por ese poema de la Rich, por encontrar la parte de esa primera línea que faltaba?

La vuelvo a mirar. La escarcha y el confetti desaparecieron, sólo Violeta frente a mí.

—No necesitas decírmelo. Esa línea se está escribiendo, lo sé.

—¿Por qué necesité dos vidas, como dijo la profecía, y no sólo una, para poder enfrentar lo que faltaba de esa línea?

—Porque creo que a cada una nos suceden solamente las cosas que nuestra fortaleza es capaz de soportar. Y la tuya ha sido, es, muy grande. Es por eso.

Diecinueve

Los preparativos para la fiesta de Gabriel disimularon las penas de mi partida. Celeste no volverá todavía: "Unos días más, mamá, por favor." Pienso que es mejor la casa de Santiago sola, Andrés y su hijo, su hijo y mi hijo, los tres. Acepto.

Javier, en su calidad de padrino, espera la fiesta para partir.

Esto de los ritos fue una discusión.

—El lavado del bautizo católico es bello, usémoslo —dice Violeta.

—O es católico o no —opino yo.

—No te pongas difícil, Jose, si al final lo que importa en la religión es la actitud y no la norma.

Hemos decidido hacer un gran almuerzo. Nos hemos esmerado en el menú. La pieza de resistencia es el melón con cangrejo y el infaltable plato mexicano, crepas de *huitlacoche*; entre los postres, la guanábana confitada. Tierna fue enviada al mercado a comprar *ocotes* —pequeñas astillas—, la chimenea debe estar dispuesta por si viene la tormenta. El agua también, dentro de un antiguo jarro con pinturas locales. Agua y fuego para Gabriel. También las velas de colores de la cultura maya.

Las prendieron en el momento en que Javier y yo, cada uno a un lado de Gabriel, lo rociamos con esta agua que no es bendita. A través del niño, las manos de

Javier y las mías deseándonos, comunicándonos lo que sólo nosotros entendemos.

La vela negra: para ahuyentar al enemigo. La morada: para que los malos pensamientos se vayan lejos. La verde: para el éxito en sus gestiones, sean cuales sean. La roja: para el amor. La blanca para los niños. ("¿Para su niñez o para los niños que tendrá algún día?", le pregunto bajito a Javier. "No sé", me responde, "creo que no importa.") No alcancé a saber qué significado tenía la vela amarilla, probablemente sea la fortuna; igual le invento uno: la pasión.

Jacinta le regala la sirena de la abundancia, Bob le entrega la serpiente de la fertilidad, Violeta una réplica del pájaro huichol que lo protegerá.

Terminada la sencilla ceremonia, aparece Jacinta desde una de las puertas del corredor con una guitarra en la mano. Algo de pánico me cerca. Bob la recibe y se dirige a mí.

—Sólo te escuché, hace años, en el Radio City Hall. Y Gabriel no estaba conmigo. ¿Le regalarías a él una canción?

Veo la expresión en los rostros de los que quiero, Borja, Celeste, Jacinta, Javier, y miro a Violeta. Ella me sonríe y dice, muy bajo: "*Why is it that so many more words have been said about Abraham Lincoln than about any other American?*"

Sonrío de vuelta, tocando este instrumento que me ha traicionado, o que he traicionado yo, no me queda claro. Desde Tierna e Irla a Barbara y Mónica, todos están expectantes en un silencio sepulcral. Hundo el estómago, respiro como lo hacía siempre, miro al pequeño y afortunado Gabriel, sí, afortunado, y de inmediato sé lo que debo cantarle. Mi voz se alza, es cierto que es bella mi voz. Entono *Gracias a la vida*.

Nunca tuve un público más atento. Ni más agradecido.

Nunca los ojos de Javier me miraron con tal fijeza.

Cuando se fueron los invitados y nos sentamos en el corredor con ron y café, le pedí a Bob que viniera a mi lado. Acariciando la guitarra, le conté de las mil veces que Violeta y yo habíamos cantado juntas.

—Pídenos lo que quieras, nuestro repertorio es vasto y variado.

Bob no podía creerlo: súbitamente la estrella rogada se le ofrecía.

—Violeta, partamos con *La pericona se ha muerto.* ¿Te acuerdas de la segunda voz?

—Vamos, dale...

Sólo nos interrumpieron algunos olvidos y algunas risas, se incluyeron los niños y Javier con las letras que él conocía.

—Mamá —dijo Borja luego de muchas canciones y alegría—, así eras antes, los primeros años de la casa del molino, cuando cantábamos todos juntos. ¿Qué te pasó?

—Ha sido gracias a la humedad —le respondo—. Porque en Antigua los poros se abren, ¿verdad, Violeta?

Me invade un cansancio rico, olvidado. ¡Cuánto tiempo sin cantar!

—Quiero terminar esta fiesta con un regalo para Bob —me dirijo a él—. Nicanor Parra, un gran poeta nuestro, escribió un poema sobre su hermana Violeta. Luego fue musicalizado. Es muy largo, voy a elegir algunas estrofas. Aquí va, amigo, para ti.

Dulce vecina de la verde selva
Huésped eterno del abril florido
Grande enemiga de la zarzamora
Violeta Purra.

Has recorrido toda la comarca
Desenterrando cántaros de greda
Y liberando pájaros cautivos
Entre las ramas.

Pero los secretarios no te quieren
Y te cierran la puerta de su casa
Y te declaran una guerra a muerte
Viola doliente.

Porque tú no te compras ni te vendes
Porque tú no te vistes de payaso
Porque tú hablas la lengua de la tierra
Viola chilensis.

Y siguió mi voz, mi timbre por su cuenta, casi sin comando mío, robando las palabras del poeta, contando a la Viola admirable, a la Viola volcánica, a la hermana mía, entregando mi intensidad, y terminando: *"Dónde voy a encontrar otra Violeta aunque recorra campos y ciudades..."*

Con el abrazo de Bob y la única lágrima que vi en Violeta desde que vine a esta ciudad, llegó el fin del canto, como el fin de todo. La despedida con Javier me aguardaba: la más temida. La carne no es gratuita, la intimidad no puede serlo, y lo sabe él y lo sé yo.

Apegamos nuestros cuerpos contra el portón, lejos de ojos ajenos. Nos besamos. El apego fue entero, completo, cada pieza de un cuerpo calzando en las piezas del otro. Como en un baile. Tomé sus dos manos y las llevé a mis pechos, que me los sobara, me los despidiera, me los homenajeara, Javier, que me los gustara, que me los convirtiera en pechos capaces de convocar, de limpiar de todo rencor.

—Me voy con tu canto aquí dentro —me dijo tocándose el corazón—. Gracias por esta tarde, y por las demás —temeroso del tono que adquiriría este adiós, lo aligera—. Siempre que me necesites, bella, *I'll be around*.

—Lo sé —le murmuré—. Nos tendremos siempre; no importa en qué forma, nos tendremos.

Y cuando cerré el portón, a punto de largarme a llorar, reparé en que había usado una palabra prohibida: *siempre*. ¿Escuchaste, Javier? ¿Qué me has hecho hacer? ¿Javier? ¿Partiste ya? ¿Te fuiste? ¿Javier?

Pensando en los otros nudos que me esperarán mañana, al despedirme del resto, cruzo los muros tan rabiosamente blancos, miro cada objeto a mi paso, siento que los inanimados cobran vida y pasan a ser los señuelos de toda identidad, la que nunca faltará a este hogar. Salgo al jardín y camino por el pasto hacia Violeta, que me aguarda. La última frase de una novela de Mishima persigue mis pasos y me alcanza: "*La música se deja oír. No cesa nunca.*"

No cesa, Javier, no cesa.

No cesa, Violeta.

No cesa.

Veinte

El 28 de julio de 1994 amaneció gélido y brillante, la nitidez de la cordillera la transformó en plata. El avión aterrizó sobre la ciudad de Santiago.

En mi falda, el paquete que Violeta me ha entregado al partir. Lo desenvolví apenas hubimos despegado de Ciudad de Guatemala. Me abracé a él, llorando a las mujeres —ciertas mujeres— incapacitadas para encontrar solas su interioridad. Porque, lamentablemente, yo soy una de ellas, de las que no lo logran sino en el reflejo de otra. Porque no he sabido mirarme de frente, porque he necesitado de otra feminidad —aunque fuese mi opuesta— para hacer mi propio relato.

Palpé los bordes y ellos me protegieron en esa noche de puro aire.

Era un tejido, un tapiz rectangular de amplias medidas. ¿Cuántos momentos de los ojos de Violeta, de las manos de Violeta, estaban allí? ¿Cuánto de mi dulce vecina de la verde selva, arpillerista azul, verde y granate?

Se combinaban grandes manchas verdes, mil tonalidades de este color danzante y floral, con áreas pequeñas —siempre verdes— sobreponiéndose unas a otras. ¿Cuántos verdes encontró Violeta en la seda, en la lana, en el algodón? Unos tenues hilos dorados salpicaban el fondo con una luz de oro.

Abajo, al lado derecho, casi bordeando el fin del tapiz, brillaban, apretadas, diversas flores con los colores de la artesanía antigüeña: azul, amarillo y verde. Los pétalos de cada flor arrinconaban a la vecina, penetrándose entre ellas sin darse respiro. Al centro de este manojo, con sus grandes alas arqueadas, el pájaro huichol. Era como oír a Violeta, con voz cálida y entusiasta: es el que cierra las puertas del cielo, Josefa, para no dejar entrar el mal en la tierra.

("Soy una mestiza", fueron anoche sus últimas palabras, su conclusión, "y mi madre y mi abuela lo fueron. A través de ellas, que me unen y abrigan, recupero el habla de las primeras habitantes de estas tierras americanas.")

En un pequeño papel de rosas, de ésos que comprábamos juntas en la librería de la Casa del Conde, sujeto en un costado por un alfiler, me escribió: "Las pistas del verde me fueron depositadas desde el Llanquihue al sur hasta Oaxaca al norte. Antigua formó el bosque." Fue entonces que reparé en las letras bordadas en negro que emergían del final de la tela, esas letras que conozco desde tiempos inmemoriales. Leí: EL ÚLTIMO BOSQUE.

ORA PRO NOBIS

A nosotras, las otras, nos entregaron el pasado y los recuerdos. Nos escatimaron el presente. Hoy, por primera vez, nos aceptan ser testigos del acá.

Un trozo de cielo se asomó por los ventanales del taller de Violeta, a esa hora el cielo de Antigua estaba hecho de pájaros. Fue a esa hora, terminada la fiesta del bautizo, que cuatro mujeres ingresaron con sigilo al santuario de la creación. Misteriosamente desocupado, el bastidor —por primera vez sin tela en él— se arrima a la muralla; sólo un enorme espacio vacío, de altos muros y piso fresco. A lo lejos, el sonido de alguna campana que dobló a esa misma hora.

La luz incierta vio a las cuatro mujeres sentarse en el suelo sobre sus rodillas. Y aunque huidiza esta luz, alcanzó a mirarlas tomándose de las manos, formando el círculo.

Se oyó la voz de una de ellas. ¿Oraba?

Y los espíritus —aquéllos, los tutelares— parecieron traspasar los ventanales, colándose en el espacio ritual de la tarde, susurrando un cántico de celebración, de sanación, a través de sus nombres olvidados.

Hasta que nosotras, las otras, oímos las letanías.

—Soy Violeta, madre de Jacinta, hija de Cayetana, nieta de Carlota.

—Soy Josefa, madre de Celeste, hija de Marta, nieta de Adriana.

—Soy Jacinta, hija de Violeta, nieta de Cayetana, bisnieta de Carlota.

—Soy Celeste, hija de Josefa, nieta de Marta, bisnieta de Adriana.

Y comenzó la polifonía, el llamado de las voces confundiéndose, entramándose, urdiendo entre ellas la alianza. Hasta que se apagó la última, la primera, la que repitió, perennizando el gesto:

—Soy Violeta, hija de Cayetana, nieta de Carlota... soy Violeta.

Agradecimientos

Al Fondo de Desarrollo de la Cultura y las Artes, por el financiamiento de la primera parte: "Fin de fiesta."

A Paula Serrano, por todo.

A Elisa Castro, por sus generosas lecturas y sugerencias.

A mi amigo —al que prometí no nombrar—, por la dimensión de su aporte.

A Alberto Fuguet, por su complicidad.

A Sol Serrano, Gonzalo Contreras y Héctor Soto, cada uno sabe bien por qué.

A Karin Riedemann y Mónica Herrera, por su apoyo, por quererme y soportarme.

A Marcelo Maturana.

Y, por cierto, a la ciudad de Antigua, en Guatemala, que me regaló esta novela.

Biografía

Marcela Serrano nació en Santiago, Chile. Licenciada en Grabado, entre 1976 y 1983 trabajó en diversos ámbitos de las artes visuales, especialmente en instalaciones y acciones de arte (entre ellas el *body art*). Sus cuatro primeras novelas —*Nosotras que nos queremos tanto* (1991), *Para que no me olvides* (1993), *Antigua vida mía* (1995) y *El albergue de las mujeres tristes* (1998)— suman ya numerosas ediciones. *Para que no me olvides* obtuvo en 1994 el Premio Municipal de Literatura, en Santiago; por su parte, *Nosotras que nos queremos tanto* fue galardonada ese mismo año con el Premio Sor Juana Inés de la Cruz, distinción concedida por la editorial femenina Coté Femmes/Indigo y la feria del Libro de Guadalajara (México) a la mejor novela latinoamericana escrita por una mujer.
Asimismo, quedó finalista en la edición del Premio Planeta 2001.

Otros títulos de Marcela Serrano en Punto de Lectura

Nosotras que nos queremos tanto
Cuatro mujeres chilenas, a las puertas de la madurez y a orillas de un lago, dan curso sin inhibición al relato apasionado de sus historias personales. Son vidas marcadas a fuego por la experiencia socialista de Allende y el golpe militar de 1973, pero también por la huella más íntima del amor y el dolor, el desengaño y la compasión. La narradora entrelaza los hilos de estas biografías con las de otras mujeres —amigas, hermanas—, planteando página a página los dilemas de la libertad y la sumisión, la infidelidad y el matrimonio, el trabajo y el sexo. Cuando a pocos años del fin de siglo —apagados el fragor de las utopías y la explosión del feminismo— se propone que tal vez las mujeres y los hombres provengan de "planetas" diferentes.

Para que no me olvides
En esta obra se aborda de manera espontánea y singular el discurso amoroso de una mujer cuya nueva pasión derrumba su mundo de aparente seguridad. El pensamiento femenino y sus más abismales vivencias emergen reveladoramente de la pluma de esta autora, quien día a día se consolida como una de las mejores escritoras contemporáneas en lengua española. Marcela Serrano desgrana con certera decisión los sentimientos y las distintas maneras de enfrentar la vida de las mujeres que desfilan por estas páginas; su contundencia, frescura e ironía consiguen que el lector se reconozca asombrado y sonriente en esta cálida historia de encuentros y desencuentros. *Para que no me olvides* es una de las novelas más intensas de la nueva literatura femenina.

El albergue de las mujeres tristes

Floreana, una historiadora aún joven y más atractiva de lo que ella misma quiere creer, llega a un albergue *sui generis* en la isla de Chiloé. Allí, en medio de los paisajes del sur profundo chileno, acuden diversas mujeres para curar las heridas de un dolor común: el desamor de los hombres.

Si bien la incapacidad afectiva masculina parece ser, para ellas, la clave del desencuentro, la autora da voz —por primera vez— a un personaje masculino: el médico del lugar, un santiaguino autoexiliado en la isla que arrastra también sus propias cicatrices...

Ambivalentes, reprimidos en el sexo, vacilantes en el compromiso amoroso, los hombres sienten miedo frente a la autonomía que las mujeres han ganado. Mientras tanto, en ellas crece la insatisfacción, el "mal femenino" de este fin de siglo.

Nuestra Señora de la Soledad
Una intriga policial que excede el género negro para dar paso a una verdadera novela de aprendizaje.

Carmen Ávila, escritora chilena, ha desaparecido, y el enigma debe resolverlo Rosa Alvallay —detective de 54 años, divorciada, dos hijos— que tiene el exilio a sus espaldas y un nuevo caso entre las manos.

Las pistas son los tres hombres que tuvo Carmen: su marido, un esquivo escritor mexicano y un guerrillero que fue su amante; y también la última frase que dejó la mujer desaparecida: "Me siento como una princesa en un minarete".

Esta obra de Marcela Serrano sigue las huellas de *Nosotras que nos queremos tanto*, *Antigua vida mía* y *El albergue de las mujeres tristes*, y rastrea entre las distintas soledades la mayor de todas, que es única, insondable y mujer: Nuestra Señora de la Soledad